차(茶) 밭을 가꾸던 농부 다케니시(竹西英夫)에 의해서 발굴된 목탄층의 묘지 입구

태안만려의 묘가 발견되기 전의 나라 시 대화고원의 차밭 원경
○표는 묘지가 발견된 위치

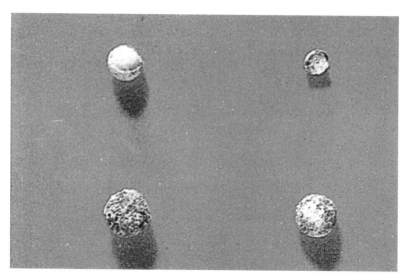

관에서 나온 진주

태안만려의 관에서 나온 묘지(墓誌)

교토 외곽에 있는 다신사(多神社)
《고사기》와 《일본서기》의 편찬자인
오오노 야스마로(太安萬侶)의 영혼을 모신 신사이다.

左京四條四坊從四下勳五等太朝臣安萬侶以癸亥
年七月六日卒之　養老七年十二月十五日乙巳

태안만려 묘지의 명문 서취도(書取圖)

묘지의 확대 사진

잃어
버린
왕국

어흥
잃어버린 왕국

최인호 역사소설

왕국

2

바람과 구름

열림원

잃어버린 왕국 2

1판 1쇄 인쇄 2003년 9월 30일
1판 1쇄 발행 2003년 10월 6일

지은이 | 최인호
펴낸이 | 정중모
펴낸곳 | 도서출판 열림원
주간 | 이영희
편집 | 하지순 · 김수진 · 목유경
디자인 | 강희철
등록 | 1980년 5월 19일(제1-124호)
주소 | 서울시 마포구 서교동 368-12
전화 | 337-0700
팩스 | 337-0401
홈페이지 | www.yolimwon.com
이메일 | editor@yolimwon.com

* 책값은 뒤표지에 있습니다.

ISBN 89-7063-385-5   04810
ISBN 89-7063-383-9 (세트)

태안만려, 그는 누구인가.
이제야 분명히 말할 수 있다.
그는 백제에서 건너간 백제인이었던 것이다.

잃어버린 왕국

바람과 구름

2

1979년 1월 20일.

아침을 늦게 먹고 다케니시(竹西英夫)는 어제와 마찬가지로 삽과 사진기를 가지고 집을 나섰다.

삽을 들고 나서는 그의 모습을 보고 아내는 이 한겨울에 무슨 밭일이라도 남아 있는가고 물었지만 다케니시는 아무런 대답도 하지 않았다. 지난밤 내내 그는 제대로 눈을 붙여보지 못한 채 거의 뜬 눈으로 밤을 새운 셈이었다.

그는 아주 불가사의한 수수께끼에 부딪친 느낌이었다.

그는 오늘 중으로는 그 수수께끼의 정체를 풀어보리라고 내심으로 굳게 결심하고 있었다. 벌써 오늘로서 열사흘간이나 계속해서 그를 사로잡고 있는 이상하고도 알 수 없는 수수께끼의 정체를 오늘 안으로는 무슨 일이 있더라도 풀어버리겠다고 그는 굳게 다짐하고 있었다. 그래서 그는 아침을 늦게 먹은 대신 곧바로 밭으로 걸어나왔다.

아내의 말대로 한겨울에 밭일을 나갈 필요는 없었다.

그는 조상 대대로 차밭을 가꾸고 있었다. 나라 시(奈良市)에 속해 있는 야마토 고원(大和高原)은 예로부터 차의 생산으로 유명한 구릉지대였다. 그리 높지 않으나 완만한 구릉들로 겹겹이 파도처럼 물결치고 있는 대화고원은 그 한가한 전원지대마다 온통 차밭을 형성하고 있는 것이다.

야마토 고원 중에서도 그가 살고 있는 전원(田園) 마을은 옛날에는 그저 변두리의 한가한 촌락이었지만 비교적 근세에 와서야 나라 시에 편입된 조그만 마을이었다. 그러나 그 마을에서 가꾸는 차의 맛은 그 중에서도 가장 정평이 있을 정도로 맛이 각별했다.

1월이라면 일 년 중에서 가장 혹한이 몰아치는 시절. 그러나 야마토 고원의 분지들은 겹겹이 둘러쳐진 산맥의 병풍들로 바람을 막아 온화하고 구릉마다 내리쬐는 양지바른 햇볕들로 한겨울이라 해도 초봄처럼 따뜻했다.

다케니시는 휘파람을 불면서 길을 따라서 언덕길을 걸어 올라가기 시작했다. 차 한 대가 간신히 빠져나갈 수 있을 만큼 좁은 산간도로는 지금은 시들어 황폐한 차밭 사이를 굽이쳐 흘러가고 있었다.

높이 3백에서 4백 미터밖에 되지 않는 고원지대였지만 워낙 넓게 분포되어 있어 산이 높지 않은 대신 골이 깊었다.

하늘은 맑고 흰구름도 마치 초봄처럼 점점이 뜯겨진 솜뭉치 모양으로 여기저기 널려져 있는 것으로 보아 오늘 날씨도 역시 온종일 청명할 것이 분명하였다.

하기야 일기가 일년사철 좋지 않다면 이 고원에 고대로부터 차밭이 형성될 리는 만무하였을 것이다.

아직 한겨울이었지만 봄도 멀지 않았는지 물을 머금은 흙더미들이 따뜻한 햇살에 녹아서 먼 곳에서는 제법 아지랑이까지 아른아른 뽀얗게 떠오르고 있었다.

"봄도 멀지 않았다."

다케니시는 휘파람을 불면서 산간도로를 빠르게 걸어 오르고 있었다.

그는 이틀 전에 우연히 맞닥뜨렸던 정체를 알 수 없는 불가사의한 수수께끼를 경사진 언덕길을 오르면서 곰곰 생각해보았다.

그날은 이틀 전 해질 무렵의 일이었다.

다케니시는 차밭에 홀로 앉아서 곧 다가오는 봄에 그가 일구고 가꾸어야 할 농작물에 대해서 생각하고 있었다.

그는 조상 대대로 나라 분지의 야마토 고원에서 차를 가꾸면서 살아왔었다. 그러므로 차에 관한 일이라면 눈을 감고서도 김을 맬 수 있을 만큼 전문가가 되어 있었지만 해마다 씨앗을 뿌리고 새 잎을 가꿀 때마다 매번 새로 시작하는 것 같은 새삼스러운 느낌을 받곤 했었다.

그만큼 차는 가꾸기 힘든 식물이었고 까다로운 작물이었다. 영농기술로 가꾸기보다는 정성과 성의로 가꾼다고 표현하는 편이 알맞을 정도로 까다로운 농작물이었다. 지금은 은퇴한 그의 아버지도 늙을 때까지 그에게 물려진 차밭을 가꾸는 일로 한평생을 보내었지만 이따금 밭일을 도와주러 나설 때마다 입버릇처럼 말을 하곤 했었다.

"차는 손으로 키우는 게 아니라 마음으로 가꾸는 거야."

다케니시는 배울 것은 웬만큼 배우고 알 것은 웬만큼 아는 사람이므로 처음에는 아버지의 대를 이어 밭을 가꾸는 농군이 되는 것에 심한 반발을 보였지만 지금은 오히려 이 일에 긍지와 보람을 느끼고 있었다. 그가 가꾸는 넓은 차밭이 조상 대대로 물려내려온 삶의 터전이라는 자각이 그의 생에 의미를 부여하고 있었다.

해질 무렵의 밭에 앉아서 다케니시는 석양빛을 물끄러미 바라보고 있었다.

그는 모처럼의 한가한 시간에 홀로 밭에 앉아서 앞으로 다가올 봄의 계획과 그의 삶의 터전인 밭이 주는 의미 같은 것을 묵묵히 되새기고 있었다.

비록 걷이를 끝낸 넓은 밭은 황폐하게 시들어 있었지만 이제 봄이 오면 여기저기서 새순이 돋고 차의 푸른 잎들이 바람이 불어올 때마다 파도처럼 출렁일 것이다. 지금은 황량하게 텅 비어 있지만 조금 있으면 이 언덕과 구릉들은 차의 잎으로 뒤덮이고 하늘 위로는 정다운 산새들이 울며 지저귀면서 떼지어 날아가고 있을 것이다.

다케니시는 무심코 손으로 흙더미를 털어내렸다.

그러다가 그의 시선은 그가 손으로 무심코 파헤친 흙더미의 구덩이 속에 멎어섰다. 그 속에는 무언가 까만 덩어리 같은 것이 엉겨 붙어 있었다.

다케니시는 그 검은 덩어리를 손으로 긁어보았다. 손으로 긁어내리자 가볍게 부서지면서 검은 물건은 파편으로 조각나버렸다. 다케니시는 그 물건을 손끝으로 들어올려보았다.

이것이 무엇일까.

어둑어둑 저물어가는 석양빛에 다케니시는 조심스럽게 그 검은 물건을 비춰보았다.

이 검은 물건은 무엇일까.

다케니시는 곧 그 물건이 무엇인가를 알아차릴 수 있었다.

다케니시는 중얼거렸다.

"목탄이다. 숯이다."

다케니시는 흙더미 속에 묻혀 있는 숯더미를 손으로 파헤쳐가면서 중얼거렸다.

"아니 이 밭에 웬 숯더미가 이처럼 묻혀 있는 것일까."

그로서는 도저히 그 원인을 헤아릴 수가 없었다. 평소 그곳은 차를 가꾸는 밭이 아니었고 상단 부분의 황토흙과 잡초더미로 형성되어 있는 밭의 가장자리 부분이었다. 그러니 그곳에서 숯이 나올 리는 없는 것이다.

다케니시는 무심코 손끝으로 검은 숯덩이를 파헤쳐보기 시작했다.

그는 생각했다. 어쩌다 우연히 목탄 몇 개가 땅속에 파묻혀 있던 것이라고 가볍게 생각했다. 그러나 파도 파도 검은 숯더미는 계속 이어지고 있었다.

다케니시는 손끝으로 검은 숯의 파편을 집어올려보았다. 해질녘의 석양빛이 어두웠으므로 자세히 관찰할 수는 없었지만 목탄의 질은 썩 훌륭해서 당장에라도 약간만 건조시키면 사용할 수 있을 만큼 충분히 탄화되어 있었다.

오랫동안 흙더미 속에 파묻혀 있어서 습기에 젖어 있었지만 햇볕에 말리면 화력이 강한 숯이 될 가능성이 충분히 있었다.

날이 저물었으므로 다케니시는 그날은 더 이상 흙을 파헤쳐나가지 못하고 집으로 돌아왔다.

그날 밤 그는 아버지에게 차밭의 맨 윗부분 언저리에 혹시 목탄을 묻어둔 일이 없었는가고 물어보았었다.

그의 아버지는 나이가 몹시 들었지만 정신만은 또렷해서 지난 일들을 꼼꼼히 기억하고 있었다.

특히 차밭에 관한 기억은 미세한 현미경처럼 낱낱이 마음속에 새기고 있었다.

그의 아버지는 목탄을 구워서 그곳에 파묻어둔 적은 전혀 없다고 머리를 저었다. 다만 원래 그곳은 울창한 삼림이었는데 오래 전에 차밭으로 개간하기 위해서 잡목들을 베어내고 우거진 잡초들을 베

어낸 일만 있을 뿐, 그곳은 삽질 한 번 해본 일이 없는 싱싱한 처녀
토라고 대답해주었었다.

이상한 일이다.

아버지가 그곳에 목탄을 구워서 파묻어두지 않았다면 어째서 그
곳에 양질의 숯더미가 파묻혀 있을 수 있을 것인가. 어쩌다 불에 탄
나무들이 흙 속에 파묻혀 있는 것은 아니었다. 목탄의 파편으로 보
아 당장에라도 사용할 수 있는 고급의 숯이었다.

다케니시는 주워 온 숯의 조각을 다시 한 번 밝은 불빛에 비춰보
고는 마음속으로 다짐했었다.

내일은 하루 종일 차밭에 나가리라. 나가서 그 구덩이 속에 매달
려보리라. 한겨울이었으므로 따로 밭일이 없으니까 그 이상한 구덩
이에 매달린다고 해서 시간을 낭비하는 일은 아닐 것이다.

다케니시는 어제 아침 일찍 밥을 먹자마자 삽을 들고 차밭으로 나
갔었다. 그는 삽을 들고 집을 나서서 한참 걸어간 후에야 자기가 가
장 요긴한 물건을 갖고 오지 못했다는 사실을 느낄 수가 있었다.

그는 한참 걸어나온 길을 되돌아 걸었다. 그리고 집에 들러서 낡
은 사진기를 들고 되돌아 나왔다.

그의 아내는 밭일을 나가는 남편이 새삼스레 사진기를 챙겨드는
일을 이해할 수 없는 낯빛으로 바라보고 어처구니없는 목소리로 물
었었다.

"……사진기는 무엇에 쓰시게요?"

"알 필요 없어."

"소풍이라도 나가시나요."

"……알 필요 없다니까……."

다케니시가 사진기를 챙겨들고 다시 길을 나선 것에는 이유가 있
었다.

그의 차밭이 있는 곳은 예부터 고대국가의 수도 서울이었었다. 그래서 그의 밭을 중심으로 야마토 고원의 곳곳에는 한때 사원이었다가 지금은 폐사된 절터라든가, 고분, 화장묘들이 지천으로 산재되어 있었다. 밭일을 하던 사람이 우연히 삽 끝에 뭔가 걸려 파보면, 고대국가의 옹관이 그대로 발굴되어 나오기도 했고, 그의 마을 동편에는 광인천황(光仁天皇)의 무덤이 실제로 존재하고 있기도 했었다.

말하자면 야마토 고원의 차밭 일대가 지금은 차를 가꾸는 전원이 되어 있지만, 고대국가의 수도 시절에는 문화의 요람지였던 것이다.

때문에 밭일을 하던 농부가 우연히 밭 가운데서 이상한 물건이나 토기의 파편 같은 것이 나오면 즉시 일을 멈추고 현청에 보고하게 되어 있었던 것이다.

다케니시는 새벽녘에야 분명한 결론을 내릴 수 있었다.

아버지의 말이 사실이라면 그 구덩이 속은 분명히 고대국가의 어떤 유적과 관계 있을 것이다. 가령 고대국가의 주민들이 숯과 목탄을 굽던 유적일지도 모른다. 만약 그곳이 고대국가의 유적이라면 나는 자칫하면 중요한 사적을 내 손에 의해서 파괴하고 훼손하는 우를 범하고 있을지도 모른다. 그러므로 시시각각 구덩이를 파 들어갈 때마다 변하는 그 형태를 매순간 카메라의 필름에 담아둘 필요가 있을 것이다.

다케니시의 생각은 적중되었다.

그는 어제 하루 종일 그 구덩이에 매어달렸었다. 파도 파도 목탄은 계속 나오고 있었다. 당장에라도 쓸 수 있는 양질의 숯이었으므로 다케니시는 파헤친 목탄들을 햇볕에 말리기 위해서 양지바른 곳에 널어놓았다. 생각 같아서는 듬성듬성 삽을 들이대고 한꺼번에 숯더미를 파헤쳐 그 안의 내용물을 확인하고 싶었지만 다케니시는 용케도 그런 조급한 마음을 절제하고 있었다.

이런 작업은 서둘 일이 아니었다.

이 작업은 시기를 놓치면 안 되는 밭일이 아니다. 어쩌면 나는 내 밭 가운데서 고대국가의 중요한 유적을 발견하게 될지도 모른다. 고대인들의 숯 가마터가 내 밭 가운데서 발견된다면 그 이상 영광스런 일이 어디 있겠는가.

다케니시의 작업은 참을성 있게 조심조심 진행되었다. 그는 조금씩 목탄의 지층을 벗겨내고 형태가 변할 무렵이면 그 봉토의 모습을 일일이 사진기로 촬영해서 담아두곤 했었다.

그는 당장에라도 현청에 보고해서 어떻게 할 것인가 행정적인 지시를 받고도 싶었지만 아직은 때가 되지 않았다고 생각했다.

아직 검은 숯 덩어리만 나오는 이상 그 사실만을 현청에 보고할 필요는 없다고 생각하고 있었다. 자칫하다가는 파견 나올 관리들에 의해서 웃음거리가 될지도 모르는 일이었기 때문이었다.

어제 하루 종일 다케니시는 그 구덩이에 매어달려 있었다. 그가 파낸 목탄의 양이 작은 봉분을 이룰 만큼 엄청난 양에 이르고 있었는데도 그 검은 구멍은 끝을 보이지 않고 있었다. 그가 파낸 목탄의 양이 많으면 많을수록 구멍의 크기는 넓어져서 거대한 길짐승처럼 입을 벌리고 있었지만 아직 목탄의 맥은 끊이지 않고 있었다.

별수없이 다케니시는 집으로 돌아왔다.

해가 지자 작업을 더 할 수도 없었고 무엇보다도 빛의 광량이 부족해서 사진을 찍을 수가 없었기 때문이었다.

그러나 다케니시는 이제 분명한 결론을 내릴 수가 있었다.

이곳은 고대국가의 목탄을 굽던 거대한 가마터임에 틀림이 없다. 숯은 고대인들에게 가장 중요한 땔감이었을 것이다. 땔감뿐 아니라 추위를 물리치는 화기로, 취사의 재료로 흔히 쓰이고 불씨를 살리기 위한 도구로도 중요한 물건이었을 것이다.

그는 저녁을 먹으면서 그의 아버지에게 조심스럽게 물어보았다. 그의 아버지는 나이가 들어 가는귀가 먹었기 때문에 대화를 나누기 위해서는 소리쳐서 크게 물어보아야 했다. 그래서 영문을 모르는 사람이 그 형상을 보면 다정한 부자끼리의 대화가 아니라 버릇없는 젊은이와 노인이 함께 엉켜서 말싸움이라도 하고 있는 모습을 연상시켰었다.

　　"아버님, 차밭 위쪽 그루터기에 한때 숯을 굽던 가마터가 있다는 소리를 들은 적이 없으셨던지요?"

　　그의 아버지는 아들의 질문에 분명한 대답을 해주었다.

　　우리 집은 대대로 맛있는 차를 가꾸었지, 숯을 굽거나 목탄을 굽던 천박한 일꾼들은 아니라는 것이 아버지의 대답이었다.

　　그는 더 이상 아버지와의 대화로 뭔가 역사적 사실을 끄집어낼 수는 없다고 결론을 내렸다.

　　내일은 끝을 보리라. 좀더 일찍 아침을 먹고 집을 나서서 그 구덩이의 끝을 확인하리라.

　　다케니시는 휘파람을 불면서 언덕길을 오르고 있었다.

　　나라 시 동쪽의 약초산(若草山)과 고원산(高圓山) 등의 높은 산을 넘어서면 해발 4백 미터 전후의 고만고만한 고원지대가 바다처럼 펼쳐져 있다. 그의 밭은 행정적으로는 나라 시 차뢰정(此瀨町) 473번지와 3465번지에 해당되는 곳이며 이 지방 사람들은 그의 밭이 있는 구릉을 속칭 '잠자리산'이라고 부르고 있었다. 멀리서 보면 그의 밭이 있는 산은 마치 잠자리가 날개를 내리고 앉아 있는 모양새를 취하고 있었다. 언덕을 따라서 산간도로를 오르던 다케니시는 차밭 사이의 오솔길로 접어들었다.

　　차밭은 텅 비어 있었다.

　　맑은 하늘 위에는 경비행기 한 대가 햇빛에 금속 부분을 반짝거리면서 코멘 소리로 날아가고 있을 뿐, 주위는 적적하고 조용했다.

오솔길을 오르자 그 자신이 주인인 그의 차밭이 나타났다. 이 근처의 차밭 중에서도 가장 좋은 위치를 차지하고 있는 노른자위의 자리였다. 이 흙에서 나는 차의 맛은 야마토 차 중에서도 제일의 맛이다.

아버지로부터 전해들은 그 말은 그가 어렸을 때부터 귀에 못이 박히도록 들어왔던 말이었다. 이 자랑의 말은 아버지의 아버지로부터, 아버지의 아버지의 아버지로부터 줄곧 이어져 내려오고 있었을 것이다.

다케니시는 밭의 가장자리로 걸어 올라갔다.

어제의 작업은 그대로 펼쳐져 있었다. 파헤쳐진 목탄더미는 습기라고는 전혀 없는 찬 한겨울의 메마른 날씨로 바싹 건조되어 이제라도 당장 쓸 수 있는 땔감처럼 널려져 있었다.

어제까지 파헤쳤던 목탄의 공동(空洞)은 그를 당장에라도 잡아먹을 듯이 기분 나쁠 정도로 시커먼 아가리를 벌리고 있었다.

다케니시는 어깨에 둘러메었던 삽과 사진기를 꺼내 건조시키고 있는 목탄더미 위에 올려놓았다. 그리고 주머니에서 수건을 꺼내 땀을 닦은 다음 머리에 질끈 수건을 동여매었다.

오늘은 끝을 보겠다고 다케니시는 결심을 하면서 가래침을 뱉었다.

그는 삽을 들고 구덩이의 목탄더미를 파헤쳐나가기 시작했다.

설혹 그것이 고대국가의 숯 가마터가 아니라고 밝혀진다 해도 질 좋은 취사용 땔감이라도 벌어두면 나쁜 일은 아니니까.

그때였다.

갑자기 거세게 저항하던 목탄더미가 돌연 무릎을 꿇고 맥이 끊겼다. 뭔가 딱딱한 삽 끝에서 허전한 느낌이 일었다. 다케니시는 힘차게 흙을 내리찍었다. 동시에 그가 내리찍은 목탄의 지층이 한꺼번에 무너져내리고 텅 빈 공동이 나타났다. 깊이를 알 수 없는 검은 구멍이 뱀의 아가리처럼 입을 벌리고 느닷없이 나타난 것이었다.

다케니시는 순간 놀라서 손에 들었던 삽을 흉측한 벌레를 쥔 듯 집어던졌다. 전혀 상상할 수 없는 곳에서 구멍이 나타난 셈이었다. 그러니까 흙과 숯과 목탄이 뒤섞인 교란토(攪亂土) 뒤끝에 이번에는 속이 텅 빈 구멍이 나타난 셈이었다.

다케니시는 몸을 떨면서 심호흡을 했다.

구멍이다.

그는 헐떡였다.

구멍이 나타났다.

그는 떨리는 손으로 카메라를 집어들었다. 새로운 형태가 나타난 이상, 사진을 찍어서 그 최초의 모습을 찍어두지 않으면 안 된다고 그는 생각했다. 이유를 알 수 없는 공포와 두려움으로 렌즈의 뚜껑을 벗기는 다케니시의 손은 와들와들 떨리고 있었다. 그는 카메라의 렌즈를 벗기고 초점을 맞추었다. 그는 만일의 사태를 대비하기 위해서 연거푸 서너 장 사진을 찍었다. 사진을 찍자, 어느 정도 마음이 안정되었다. 그러나 아직 느닷없이 나타난 구멍의 속을 확인해보고 싶은 호기심과 용기는 일지 않고 있었다. 그는 떨리는 마음을 진정시키기 위해서 담배를 피워 물었다. 갑자기 공동이 나타난 이상, 이곳은 예로부터 숯과 목탄을 굽던 가마터가 아닐지도 모른다. 가마터가 아니라면, 그렇다면 이곳은 무엇인가.

그는 대동아전쟁에 참전했다가 수백 번의 죽음의 위기에도 살아났던 자신의 운을 새삼스럽게 떠올려보았다. 나는 운이 좋은 사람이다. 그때의 그 공포와 두려움에 비하면 이것은 아무것도 아니다.

그는 아가리를 벌린 구멍으로 다가갔다. 허물어져 흩어진 숯더미들을 들어올리자, 어두운 암흑이 어느 정도 눈에 익었다. 이제는 밝은 햇살 속에만 길들여져 있던 눈이 어둠에도 익숙해져 있었으므로 넓은 구멍의 내부가 분명히 보였다.

다케니시는 손으로 흙더미를 씻어내리면서 허리를 굽혔다. 공동의 중앙 부분에 소복이 흰 먼지가 쌓여 있었다. 그것은 마치 저절로 타오르다가 완전 연소되어버린 흰 재처럼 보였다.

다케니시는 무심코 그것을 손으로 더듬어보았다.

손끝에 부드러운 감촉이 있었다. 그것은 분명히 재였다. 다케니시는 그 재를 손으로 쓸어보았다. 부드러운 재 속에서 뭔가 딱딱한 물건이 만져졌다.

다케니시는 그 딱딱한 물건을 집어들었다. 그리고 밝은 햇살 앞에서 자세히 들여다보았다.

그것은 뼈였다.

흰 잿더미 속에서 뼈를 건져 올린 순간, 다케니시는 머리가 쭈뼛해지면서 일제히 곤두서는 것 같은 공포를 느꼈다.

이것은 뼈다. 뼈도 그냥 예사의 뼈가 아니라 인골이다. 사람의 뼈가 이곳에 재와 함께 있다는 것은 화장한 사람의 재와 뼈가 그 속에 고스란히 남아 있었다는 이야기다.

그렇다면…… 다케니시는 사람의 뼈를 가만히 들여다보았다. 이 공동은 목탄을 굽던 가마터가 아니라 사람의 무덤이라는 것이 밝혀진 셈이다.

이곳은 무덤이다. 내가 좀전에 무심코 쓸어버린 흰 잿더미는 이 무덤에 묻혔던 사람의 시신일 것이며, 손에 들린 이 뼈는 그 무덤에 묻혔던 사람의 뼈였을 것이다.

이곳은 화장묘다.

다케니시는 떨리는 손으로 그 뼈를 건져 올렸던 흰 잿더미 속에 다시 올려놓았다.

다케니시의 가슴은 두려움으로 물결치고 있었다. 지금껏 단순히 목탄을 굽던 고대의 가마터라고만 생각하고 있던 차밭의 구덩이가 화장한 사람의 재와 뼈를 모아둔 묘지라는 것이 발견된 순간 다케니시는 우선 두려움으로 몸을 떨었다.

이따금 차밭을 일구는 동네 사람들이 밭 가운데에서 인골을 우연히 주워 올리는 일이 있었다. 이 차밭 일대가 고대국가의 중심지였다면 흔히 있을 수 있는 일이었지만, 마을 사람들은 밭에서 사람의 뼈를 주워 올리면 그 뼈의 임자였던 영혼이 살아 있는 사람에게 악귀가 되어 달라붙기 전에 마을 근처에 있는 절에 장납(葬納)해주고 약간의 공양을 해주는 제례를 올리곤 했었다.

그러면 오히려 지상을 방황하던 죽은 원귀들이 편안하게 극락의 세계로 떠날 수 있다고 마을 사람들은 믿고 있었다.

다케니시는 손에 들었던 부삽을 내려놓았다.

더 이상 일을 계속하고 싶은 심정이 못 되었다. 목탄의 맥이 끊어지고 큰 공동이 나온 이상, 그 구멍 속에서 사람의 시신을 태운 재와 인골이 나온 이상, 그리하여 이곳이 사람의 무덤이라는 것이 밝혀진 이상 더 이상 작업을 하는 것은 무리였었다.

그렇다면 이곳은 고대의 숯을 굽던 가마터가 아니라 고분인 것이다. 이 고원 일대에 산재되어 있는 능과 고분들처럼 그중 하나의 새로운 화장묘가 새로 발견된 것이다.

다케니시는 담배를 피워 물었다.

어차피 자신의 밭 가운데에서 고대국가의 화장묘가 나왔다는 것은 기분 나쁜 일은 아니고 오히려 축하할 만한 일이다. 자신의 밭 가운데에서 중요한 국가 지정의 문화재가 나온다면 그래서 그 묘지 주위에 철책이 세워지고 참배객들의 발길이 끊어지지 않는다면 이는 경사 중의 경사일 것이다. 토지에 대한 값은 국가에서 대신 변상해줄 것이며 자신의 밭은 일약 야마토 고원에서 새로운 명물로 떠오르게 될 것이다.

그러나 밭 가운데에서 화장묘를 발견했다고 해서 다 그런 문화재로 지정받는 것은 아니다. 문제는 이 무덤의 임자가 어떤 사람인가가 중요한 요점일 것이다.

천황이나 중요한 고대국가의 인물들의 화장묘라면 이 차밭은 일약 명소로 부상하게 될 것이다.

누구일까.

다케니시는 이미 어둠에 익은 눈으로 구멍 속을 들여다보았다.

화장해 재가 되어버린 저 흰 먼지는 누구의 시신이었을까. 저 재 속에 드문드문 숨어 있는 사람의 인골은 누구의 뼈였을까.

순간 다케니시는 가와바타(川端) 영감님의 모습을 떠올렸다. 어차피 정신이 혼미하고 가는귀까지 먹은 아버지에게 밭에서 발견한 묘지에 관한 질문을 한다고 해도 명쾌한 해답을 내려줄 리는 만무하고, 마을의 모든 일이라면 가와바타 영감에게 여쭤보는 것이 가장 합당한 일이라고 다케니시는 생각하였다.

가와바타 노인은 이 마을 일대의 밭에 관한 고대의 모든 일들과 마을 사람들의 사소한 인생 문제 같은 것까지도 귀담아 들어주고 성의껏 해결해주는 존경받는 노인이었던 것이다.

가와바타 노인에게 가서 이 일을 상의하자.

다케니시는 질끈 이마에 동여매었던 수건을 풀어내리면서 중얼거렸다. 이미 정오가 되었으니 집으로 돌아가 점심을 먹고 가와바타 노인을 찾아가서 이 일을 상세히 말씀드리고 자문을 구하기로 하자.

다케니시는 빠른 걸음으로 언덕길을 뛰듯이 걸어 내려왔다.

그는 단숨에 집으로 돌아와서 점심을 드는 둥 마는 둥 마친 다음, 서둘러 가와바타 노인을 찾아갔었다.

마침 가와바타 노인은 집에서 정원을 가꾸고 있었는데 얼굴이 창백하게 질려서 헐떡거리며 뛰어드는 다케니시를 본 순간, 눈이 휘둥그레져서 웬일로 이렇게 서두르느냐고 물었다. 그러자 다케니시는 빠른 소리로 대답하기 시작했다.

이 이후부터 기록은 이로부터 2주일 후 1979년 3월 3일 토요일 가시하라(疆原) 고고학 연구소에서 행한 '오오노 야스마로 묘(太安萬侶墓) 발굴조사 제2회 검토회'에서 최초의 발견자〈다케니시의 분묘 발견시의 상황〉을 직접 인용해보기로 하자.

이 녹음에 참석한 사람은 박물관장인 야마구치 요시유키 고고학 연구 소장인 스에나가 마사오이였으며 다케니시의 증언은 다음과 같다.

……(전략)……10시 반인가 11시경입니다. 돌연 전면 둘레의 목탄이 허물어지고 한꺼번에 공동이 나타났습니다. 그래서 지금까지 숯을 굽던 가마터라고 생각하고 있었지만 점점 나 자신도 이상해져서 허물어진 목탄을 다시 줍고 그 속을 자세히 들여다보니 구멍의 중간 부분에 소복이 쌓인 재가 보였습니다. 그래서 재를 손으로 쓸어내리니 그 속에 뼈 같은 것이 보였습니다. 그것은 분명히 인골이었고 그렇다면 이곳은 틀림없이 사람의 묘라는 것을 처음으로 알게 되었습니다. 그렇지만 드물게 보는 묘라고 생각하면서 점심을 먹기 위해서 집으로 돌아갔습니다. 그래서 여기 앉아 계시는 가와바타 씨에게, 가와바타 씨는 이 부근에서 일어나고 있는 옛날의 일들을 곧잘 알고 계시는 노인이라서 내가 찾아가서 여쭤보니 노인은 이렇게 말씀하셨습니다.

'그와 같이 목관으로 둘러싸인 묘가 옛날에는 많이 있었지' 하고 말씀하시면서, 그렇다면 좌우간 함께 가서 보자고 하시길래 그분이 점심을 마친 후 같이 가보았습니다.

무덤을 보신 후에 가와바타 씨는 이곳은 화장묘임에 틀림없다고 하였습니다. 그렇다면 이것은 누구의 묘일까. 옛날에 이 부근에 살고 있던 사람의 묘일 것이다. 그런저런 일로 그날 20일의 토요일은 그대로 지나갔습니다.

그날 밤이 되어서 집안 사람들에게 이야기를 하니, 아내가 밭 가운데에서 사람의 묘를 발견한다는 것은 기분좋은 일이 아니니 하루라도 빨리 그 뼈를 추려서 마을의 절인 십륜사(十輪寺)에 가져가서 장납을 하고 약간의 공양을 하자고 주장하였습니다. 아내의 말은 참으로 합당한 말이었습니다.

또한 그날 밤 공교롭게도 천리교(天理教)의 '고츠도매(小務)'란 의례가 매월 우리 마을에서 행해지고 있었는데, 그 의례가 1월 20일 밤에 우리 마을 부인회의 주최로 열리고 있었습니다. 그때 나의 처가 그의 강석(講釋)에 출석해서 이상한 묘가 우리 차밭 한가운데에서 발견되었으니 누구든 여기 오신 다케니시 씨에게든, 아는 사람이나 현청에 연락을 취해달라고 부탁을 하였지요. 그렇게 20일의 밤이 끝나고 1월 21일 일요일이 되었습니다요…….

1월 21일 일요일 아침 제가 십륜사 스님에게 연락을 했지요. 우리 밭에서 사람의 뼈가 나왔으니 어떻게 인수해주실 수 없느냐고 여쭤보았지요. 그랬더니 스님이 말씀하셨습니다. 물론이지요, 가져오시지요. 그러나 오늘은 우리 절의 대사강(大師講)으로 형편이 좋지 않으니 내일 아침에 갖고 오라는 것이었습니다. 그래서 그대로 하루를 더 두어보기로 하고 잠시 부근에서 차밭의 개식(改植) 작업을 하였습니다.

같이 작업을 하고 있던 가와바타 씨도 내게 또 무엇이 달리 나온 것이 있느냐고 물어왔습니다. 그래서 나는 잘은 모르지만 어쨌든 귀한 사람의 묘인 것 같으니 함부로 그 속을 허물어뜨릴 수가 없다고 대답했으며, 그날 사진을 따로 촬영했고 다음에는 공동의 크기를 계측하였고 뼈도 집어내어서 측정했으며 뼈는 십륜사에 가져가는 것으로 하고 그 후에는 무덤을 다시 묻어버리려고 생각을 했었습니다.

그래서 그 다음날인 22일 일요일 아침 다시 절의 스님에게 연락을 취해보았습니다. 스님의 대답인즉 지난밤에는 치통으로 잠을 한숨도 못 잤으니 낮에는 병원에 갔다 올 테니까 저녁 무렵에 가지고 오라고 말씀하셨지요.

저녁 무렵에 갖고 간다고 해도 좌우간 나의 작업이 급하므로 뼈를 일시라도 빨리 모아서 마무리해두자고 생각했기에 아침 9시경부터 뼈 줍기를 시작하였습니다······.

오전 무렵 타오르는 햇살은 차밭 뒤편의 대나무 숲 위에서 은종이처럼 부서지고 있었다. 다케니시는 손에 들었던 과자상자를 무덤 위에 조심스레 올려놓았다.

그는 왜 자기가 조금 시간이 걸리더라도 백목상자(白木箱子)를 만들어두지 않았던가를 몹시 후회하고 있었다. 비록 저 재와 뼈의 임자가 누구인지를 모른다고 하더라도 내 밭의 경계선에서 나온 이상 지금이라도 나무를 다듬어 인골을 담을 백목상자를 만들 시간은 충분히 있을 것이다.

그러나 일단 이곳에 온 이상 또다시 상자를 만들기 위해서 돌아갈 수는 없다고 생각했다. 그는 그 나름대로 세심한 정성을 기울여서 뼈와 재를 담을 상자를 준비해온 셈이었다.

비록 과자를 담았던 상자였지만 그는 안의 내용물을 깨끗이 털고 성스러운 인골을 담을 만큼 정성들여 손질을 해두었었다. 비록 백목상자가 아니더라도 이 뼈의 영혼은 자신을 성스러운 절에 장납시키려는 나의 성의를 무시하지만은 않을 것이다.

다케니시는 손에 흰 장갑을 끼었다.

그러고 나서 조심스럽게 구멍 속에 쌓여 있는 재와 뼈를 상자 속에 담기 시작하였다. 벌써 그 무덤을 본 지 이틀이 지났으므로 처음에 느꼈던 공포와 두려움은 많이 가셔서 가라앉아 있었다. 오히려 그의 마음은 평화롭게 안정되어 있었다.

과자상자 속에 재와 뼈를 조심스럽게 건져 올리다 말고 다케니시는 순간 그 재 속에서 뭔가 날카로운 빛 하나가 자신의 눈을 찌르는 것을 느꼈다. 다케니시는 그 놀라운 빛은 무엇 때문일까 손끝으로 집어올려보았다.

그것은 둥근 형태를 취하고 있었다. 희고 투명한 구슬이었다. 진주다. 다케니시는 하마터면 손끝에 들고 있는 진주를 떨어뜨릴 뻔했다. 이것은 진주다. 사람의 화장재 속에서 진주가 나왔다.

진주는 한 알이 아니었다. 대충 눈에 잡히는 대로 목산해봐도 서너 개 정도는 되어 보였다. 그중 한 개가 유난히 겉면이 매끄럽고 찬란한 광채를 내어뿜고 있어 눈을 찔렀던 것뿐이었다.

다케니시는 뭐가 뭔지 알 수 없는 기분이 되어버렸다. 화장된 사람의 재 속에서 보석이 나온 것이다. 혹시 이것은 진주가 아니라 사람의 몸 속에서 나오는 사리가 아닐까. 훌륭한 사람들의 유골에서는 흔히 광채 영롱한 사리가 쏟아져나온다고들 하지 않는가.

그러나 그것은 분명한 진주였다.

다케니시는 일단 내친 걸음이었으므로 재 속에 진주가 섞여 있다 해도 따로따로 골라두지 말고 한꺼번에 과자상자 속에 옮겨두자고 생각했다.

그는 정성들여서 무덤 속에 들어 있던 화장재를 모두 상자 속에 옮겨 넣었다. 아침에 약속했던 대로 저녁 무렵 십륜사로 주지스님을 찾아가서 공양을 하면 가엾은 넋은 이제 자신의 육신마저 찾았으므로 안심하고 극락세계로 떠나버릴 것이다라고 생각했다.

다케니시는 혹시 뭔가 빠뜨린 것이 없는가 다시 한 번 구멍 속을 들여다보았다.

그때였다. 재가 쌓여 있던 자리 밑바닥에 뭔가 낯선 물건이 누워 있었다. 그것이 눈에 띄었던 것은 검은 숯과 붉은 점토로 형성된 지층에 유난히 그 물건만은 푸른 빛을 띠고 있었기 때문이다.

다케니시는 그 물건을 집어들었다. 꽤 큰 물건이었다. 뭔가 부서진 나무조각 위에 푸른 빛이 감도는 물건이 견고하게 부착되어 있었다. 다케니시는 그 푸른 빛이 감도는 물건이 무엇인가를 곧 알 수 있었다.

그것은 구리로 만들어진 동판이었다. 그 동판 위에 푸른 녹이 슬어 있는 것이었다. 아직 딱딱한 진흙이 나무조각 위에 다닥다닥 붙어 있었다.

다케니시는 손바닥으로 대충 흙을 문질러 닦아내리고 동판을 물끄러미 들여다보았다. 동판 위에는 뭐라고 흠집이 나 있었다. 문자다.

다케니시는 동판 위에 새겨진 흠집이 단순한 상처가 아니라 어떠한 글자를 새기고 있음을 직감적으로 알아차렸다.

그렇다면 이것은 인식표가 아닌가. 대동아전쟁 때 그는 군인으로 참전하였으며, 출전할 때 그는 천보전(天保錢)이라는 인식표를 목에 부착하고 있었다. 그것은 요즈음 군인이 자신의 이름과 군번이 새겨진 군표를 목에 걸고 있는 것과 마찬가지의 의미를 갖고 있는 일종의 인식표인 것이었다. 이를테면 전쟁터에서 싸우다 비명에 죽어갈 때 그 죽은 사람의 신원을 확인하기 위해서 언제나 몸에 차고 있었던 것으로, 살아 있는 사람의 묘비명인 셈이었다.

언제인지 잘 모르지만 어쨌든 아득히 먼 옛날 우리의 조상들은 이곳에 죽은 사람의 시신을 화장해서 묻고 그 죽은 사람의 이름을 기리기 위해서 화장대 밑에 이 인식표를 안치시켜놓고 있었던 것이다. 이것을 읽을 수 있다면 이 무덤의 임자가 누구인가를 알아낼 수 있을 것이다.

다케니시는 동판 위에 씌어진 문자를 읽기 시작했다. 문자에는 까막눈이 아닌 그였지만 워낙 낡은 동판 위에 새겨진 희미한 문자의 모양을 판독해 내려가는 것은 여간 어려운 일이 아니었다.

"뭘 하고 있는가?"

동판 위에 새겨진 문자를 판독하느라고 정신을 집중하고 있었기 때문에 곁에 다가오는 사람의 인기척을 전혀 느끼지 못하고 있었다.

다케니시는 다가온 사람을 보았다. 가와바타 노인이었다.

다케니시는 가와바타 노인을 보자 그가 참 알맞을 때 잘 와주었다고 생각하였다.

"유품을 모으고 있었습니다."

다케니시는 과자상자 속에 들어 있는 유골을 가리키면서 대답했다.

"저녁때까지 절의 스님이 유골을 모아오면 공양을 받아주겠다기에 서둘러 유골을 모으고 있었습니다."

가와바타 노인은 말없이 상자 속에 담긴 유골을 들여다보았다.

"이 뼈의 임자가 누군지는 모르지만 자네를 만나서 아들을 삼게 되었군. 이제 자네는 좋은 일을 했기 때문에 많은 복을 받게 될 걸세."

가와바타 노인은 쿨럭쿨럭거리면서 기침을 했다. 대나무 숲 저 너머에서 송전탑의 금속 부분이 타오르는 한낮의 햇살을 받아 빛나고 있었다.

"하지만 오늘 오후에 현청에서 나온다고 하던데. 그들은 가능하면 자기들이 나와서 확인하기 전에는 무덤을 훼손치 말고 그대로 보존해주었으면 하고 바라고 있던데. 내 생각이 틀림없는 것은 아니지만 이 차밭 근처에서 목탄총의 무덤이 나왔다면 아주 중요한 사람의 무덤인지도 모르거든."

"물론입니다, 가와바타 어른."

다케니시는 머리를 끄덕여 수긍을 했다.

"하지만 집사람이 우리 집 차밭에서 인골이 나왔다는 것을 여간 꺼려해야지요. 그래서 우선 유골이나마 장납하기로 마음을 먹었습니다요. 한데."

다케니시는 화제를 돌리기 위해서 유골 속에서 진주를 집어들었다.

"유골에서 이게 나왔습니다."

가와바타 노인은 그것을 받아들었다.

"이건 진주가 아닌가."

"……그렇습니다."

"유골 속에서 진주가 나왔다면 뭔가 더 부장품이 있었을 터인데."

"……그래서 말입니다."

다케니시는 그늘에 놓아두었던 푸른 동판의 인식표를 가와바타 노인에게 내밀었다.

"이게 나왔습니다, 가와바타 어른. 유골을 모두 모았더니 바로 그 밑자리에 이게 놓여 있었습니다요."

"이게 뭐지?"

가와바타 노인은 그가 내미는 동판을 받아들었다.

"동판인 것 같은데요."

"그래서 퍼렇게 녹이 슬어 있었군."

"그런데 동판 위에 무슨 글자 같은 것이 새겨져 있던데요."

"뭐라구!"

깜짝 놀란 목소리로 비명을 지르듯 가와바타 노인이 말을 받았다.

"글자가 새겨져 있었단 말인가."

"보세요, 가와바타 어른."

순간 아이쿠 하는 소리를 내면서 가와바타 노인이 신음했다.

"이게 뭘까요. 혹시 싸움터에 나가는 군인들에게 주는 천보전 같은 인식표가 아닐까요."

"바로 맞았어."

가와바타 노인은 떨리는 소리로 대답했다.

"인식표는 인식표인데 이것은 소위 묘지(墓誌)라는 것이지. 옛날 사람들은 묘 앞에 이름과 비문을 세우거나 비명을 새기는 것보다는 묘지라 하여 죽은 사람의 이름과 사망시기를 적어 죽은 사람의 시신과 함께 매장하는 풍습이 있었거든. 무덤을 파보면 묘지가 나오고 묘지에 새겨진 명문을 읽어보면 죽은 사람의 신원을 알 수 있게 되었지."

가와바타 노인은 손에 들린 푸른 동판을 가리켰다.

"이게 바로 묘지일세. 이 묘지 위에 새겨진 글씨는 바로 명문(銘文)이고 이 명문을 판독할 수 있다면 이 무덤의 임자가 누구인가를 알 수 있게 되지. 아아 이것은 아주 중요한 물건이야. 이것이 출토되었다면 이 무덤의 임자는 굉장한 사람이라고 할 수 있지."

다케니시는 맥이 풀려서 과자상자 속에 과자 대신 들어 있는 재와 뼈를 물끄러미 바라보았다. 저것이 그처럼 굉장한 사람의 뼈라니.

"아, 보인다, 보여, 글자가 보인다."

가와바타 노인은 동판 위에 새겨진 문자 하나를 가리켰다.

"이것은 양로(養老)라는 문자야."

가와바타 노인은 자기가 말하고 자기가 대답했다.

"이것은 시대를 말하는 연호인데 아마도 원정(元正)천황인가 성무(聖武)천황인가 잘 기억되지는 않지만 지금으로부터 천삼백 년 전에 사용되었던 연호이지. 그러니까 다케니시 상, 이 무덤의 임자는 지금으로부터 천삼백 년 전에 이곳에 살았던 훌륭한 귀인일세."

다케니시는 흥분해서 들떠 있는 가와바타 노인의 얼굴을 넋없이 바라보았다. 가와바타 노인의 말이 그렇다 하면 그것은 사실이었다. 가와바타 노인은 마을에서 가장 유식했으며 특히 고대 역사에 관한 지식은 전문가를 능가할 정도였다.

"자네 차밭에서 귀인의 묘가 발굴된 거야. 다케니시 상, 그보다도 이 명문을 판독하세. 그러면 이 무덤의 임자가 밝혀질 터이니까."

가와바타 노인은 주머니에서 종이와 연필을 꺼내들었다. 그는 안경을 고쳐 끼고서 글자 하나하나를 손끝으로 짚어내리면서 판독하였고 종이 위에 그 글자를 한 자 한 자씩 서사(書寫)하기 시작하였다.

다행히도 동판 위에 새겨진 글자들은 천 년이 넘은 세월의 풍상에도 또렷하게 남아 있었다. 모르는 글자가 두어 군데 남아 있었지만 가와바타 노인은 명석한 논리로 그 글자를 추리해나갔다.

흥분과 정열을 억누를 수 없는 듯 가와바타 노인은 이따금 신음소리를 내면서 뭐라고 중얼대면서 명문을 종이 위에 필사해나갔다.

그의 판독 작업은 오랜 시간이 경과되었다.

처음에는 호기심을 보였던 다케니시는 작업이 지리해지고 너무 시간이 걸렸으므로 그만 수습한 유골을 들고 집으로 돌아가고 싶었을 정도였다. 그는 배가 고팠다. 이미 정오가 훨씬 지나 있었으므로 점심때는 벌써 지난 셈이었다. 그러나 워낙 가와바타 노인이 일에 열중이었으므로 그를 방해할 수는 없을 것 같았다.

대나무 숲에서 일제히 까마귀 떼들이 하늘을 향해 날아올랐다. 뭔가 놀라운 것이라도 보았는지 당황한 까마귀 떼들은 음산한 소리로 울부짖으면서 하늘을 맴돌았다.

"……이젠 가시지요, 가와바타 어른."

참다 못해서 다케니시가 입을 열었다.

"점심때가 훨씬 지났습니다요. 가와바타 어른."

"곧 끝나네. 음음, 조금 있으면 끝난다니까. 음음."

어린아이처럼 연필 끝에 침을 묻히면서 가와바타 노인은 골치 아픈 산수시험을 풀듯 묘지에 바짝 달라붙어 있었다. 푸른 하늘에는 경비행기 한 대가 어항 속에 노니는 금붕어처럼 한가로이 떠가고 있었다.

그때였다. 가와바타 노인이 조용히 몸을 일으키면서 중얼거렸다.

"다 됐네, 다케니시 상, 판독이 다 끝났어."

가와바타 노인이 명문을 낱낱이 필사한 종이를 들고 다케니시 곁으로 다가왔다. 노인의 손은 흥분과 감동으로 와들와들 떨리고 있었다.

그는 판독한 명문의 글자를 처음에서부터 짚어 내려가면서 읽기 시작했다.

"재경사조사방(左京四條四坊) 종4위하훈5등(從四位下勳五等) 태조신안만려(太朝臣安萬侶) 이계해년 7월 6일졸지(以癸亥年七月六日卒之) 양로7년 12월 15일기사(養老七年十二月十五日己巳)."

명문 읽기를 끝내고 나서 가와바타 노인은 흙 묻은 손을 털면서 말을 이었다.

"중간에 두 글자는 애매모호하지만, 내가 필사한 글자가 맞을 걸세. 내 눈은 틀림없으니까."

"그렇겠지요."

다케니시가 가와바타 노인의 비위를 맞췄다. 노인은 자기가 난해한 일을 누구의 도움 없이 혼자의 힘으로 당당하게 해치웠다는 자부심과 기쁨으로 얼굴에 미소를 가득 머금고 있었다.

"하지만 저로서는 그 말의 뜻이 무엇인지 도저히 모르겠습니다요. 가와바타 어른."

"……그렇겠지."

약간은 거만한 표정으로 가와바타 노인은 머리를 끄덕였다.

"까다로운 한자니까 그 뜻을 모르는 것은 당연한 일이지. 더구나 고대의 한문도 섞여 있으니까 모르는 것은 당연하지."

가와바타 노인은 헛기침을 하면서 다케니시를 보았다.

"이제부터 내가 해석을 해줌세. 잘 보아두게. 처음의 여섯 자, 재경사조사방(左京四條四坊)은 아마도 죽은 사람이 살고 있던 주소나 지번을 가리키는 말이겠고, 다음 일곱 자 종4위하훈5등(從四位下勳五等)은 죽은 사람의 관명이나 생전의 지위를 말하는 것이겠고, 다음 여섯 자인 태조신안만려(太朝臣安萬侶)는 죽은 사람의 이름을 말하는 것이겠고 다음 글자들은 죽은 날짜와 이곳에 화장해서 묻은 날짜를 말하는 것이겠지. 그러니까 처음부터 해석을 하면 이렇게 되지."

가와바타 노인은 눈이 침침한 듯 안경을 벗어들고 눈가를 손끝으로 비볐다. 주머니에서 수건을 꺼내어 안경알을 닦고 나서 노인은 안경을 고쳐 끼었다.

"그러니까 전체 문장의 뜻은 이렇게 되네. 재경사조사방에 살고 있던 종4위하훈5등의 태조신안만려님께서는 계해년 7월 6일에 돌아가셨습니다. 그래서 양로 7년 12월 15일 이곳에 매장하였습니다, 라는 뜻이지. 그 내용을 묘지에 새겨서 이 무덤 속에 함께 매장해버린 것일세. 그러니까 다케니시 상, 자네의 무덤 속에 파묻혀 있던 사람의 유골은 바로 '태조신안만려' 님의 유골일세."

태조신안만려.

다케니시는 넋없이 가와바타 노인의 말을 되받아 중얼거려보았다. 다케니시는 과자상자 속에 들어 있는 흰 재와 인골을 물끄러미 바라보았다. 저것이 '태조신안만려'의 유골이란 말인가. 그는 누구인가. 나하고는 하등의 상관도 없는 사람의 뼈가 아닌가.

"양로의 연호라면 지금으로부터 천 년도 훨씬 넘는 고대국가의 연호이며, 그러니까 저 유골은 천 년도 훨씬 넘는 고대 사람의 유골이지. 살아생전에 종4위하훈5등의 벼슬까지 했었던 훌륭한 사람이네. 그 지위가 뭔지 나도 잘 모르지만 어쨌든 높은 벼슬이었던 것만은 분명하네. 그러니까 이처럼 두꺼운 목탄층 밑에 묻혀 있었을 게 아니겠는가. 묘지(墓誌)까지 들어 있는 형태로 말일세. 어쨌든 이따 오후에 현청에서 나온다고 했으니 그 사람들이 확실히 밝혀주겠지. 그 사람들이 나올 때까지는 그 유골은 이곳에 안치시켜놓는 게 좋겠네. 절에 가서 상납하는 것보다는……."

다케니시는 난처한 입장에 빠졌다고 생각했다. 이제는 이럴 수도 저럴 수도 없는 진퇴양난의 지경에 빠진 셈이었다. 그는 처음의 기쁨과는 달리 공연히 자신의 밭 가운데에서 지체 높은 옛 사람의 유골이 나와서 나를 골치 아프게 하고 있다고 생각했다. 이렇게 골치 아픈 일들은 죽은 사람도 원치 않을 것이다. 산 사람이나 죽은 사람이나 그저 편안히 잠들고 휴식을 취하고 싶은 생각뿐일 것이다.

"……가만 있자."

가와바타 노인이 순간 뭔가 이상하다는 듯 혼자서 중얼거리면서 쭈그리고 앉았다. 그는 맨땅 위에 손끝으로 뭔가 한자를 써내려갔다.

"태조신안만려라."

그는 혼 나간 사람처럼 땅 위에 글씨를 계속 썼다가는 지우고 썼다가는 지우고 있었다. 다케니시는 노인의 뜻 모를 행동에 지쳐버렸다. 그는 현청에서 오건 말건 이제는 더 이상 기다릴 필요 없이 수습한 유골을 들고 절로 가리라 마음을 굳히고 있었다. 절에 가서 공양을 하면 그것으로 끝이다. 태조신안만려님이 누군지는 모르지만 그의 유골은 그것으로 편안히 극락세계에서 생사윤회의 번뇌를 벗어나고 영생을 얻게 될 것이다.

"저, 가와바타 어른."

다케니시는 땅에 뭔가 글자를 썼다가는 지우고 지웠다가는 써내리는 뜻 모를 가와바타 노인의 행동을 보면서 조용히 입을 열었다.

"저, 가와바타 어른……."

"가만, 가만히 가만히 있으라니까."

순간 날카로운 소리로 가와바타 노인이 말을 잘랐다.

"내 생각이 틀림없다면…… 이봐 다케니시 상."

가와바타 노인의 얼굴이 긴장으로 뻣뻣하게 굳어져 있었다.

"예."

"아직 잘은 모르지만 내 생각이 틀림없다면, 아직 확인된 것은 아니지만 내 기억이 틀림없다면 이 무덤은 굉장한 무덤일세. 다케니시 상."

"……굉장한 무덤이라니요."

"자네가 긁어모은 그 화장재와 인골의 임자는 어마어마한 사람일걸세."

"……그렇다면."

다케니시는 떨리는 소리로 물었다.

"……천황폐하의 무덤이었던가요."

"그건 아니야. 다케니시 상. 그러나 어쩌면 천황폐하의 무덤보다도 더 값어치 있고 더 소중한 사람의 무덤일지도 모른다."

"천황보다도 더 소중한 사람이 따로 있다는 말씀인가요."

"물론 있지."

가와바타 노인이 확신을 내리면서 몸을 일으켰다.

"이 무덤이 태안만려님의 무덤이라면."

"태안만려, 태안만려라니요?"

다케니시는 그 이름이 무엇을 뜻하는가 필사적으로 머리를 모았다. 그러나 아무런 기억도 연상도 떠오르지 않았다.

"이보게, 이 명문에는 '태조신안만려'라고 씌어져 있네. 이것을 줄이면 우리는 '태안만려'라고 읽지. 태안만려란 이름을 들어본 적도 없나. 어디서 많이 들었던 이름이라고 생각지 않나? 다케니시 상. 잘 기억해보게. 태안만려란 이름은 우리 일본 사람들이라면 누구든 알고 있는 이름일세. 누구든 알고 있고 누구든 외고 있어야 할 이름이지. 이처럼 엄청난 기적이 자네의 밭 가운데서 일어나다니."

가와바타 노인이 무릎을 꿇고 맨땅 위에 앉았다. 노인의 얼굴은 창백하게 질려 있었다. 그는 마치 친조상의 묘 앞에 꿇어앉아서 절을 드리는 참배객처럼 보였다.

"아직 확인된 것은 아니지만 내 기억은 틀림없네. 다케니시 상. 문헌적 자료를 통해서 결론을 내리는 일은 현청에서 하겠지만 내 생각은 정확하네. 다케니시 상. 이 무덤은 위대한 사람의 무덤이네. 자네의 밭 가운데서 기적이 일어났어."

"……기적이라니요."

다케니시가 우물거리면서 간신히 말을 받았다.

"태안만려님은《고사기》와《일본서기》를 지으신 분이지. 그래도 기억나지 않는가, 다케니시 상."

순간 다케니시의 흐릿한 머릿속으로 한줄기 광명이 스며들었다. 안개가 낀 것처럼 혼탁하고 혼돈되었던 머릿속은 한줄기 광명으로 분명하게 밝아졌다.

"아."

다케니시는 가볍게 탄성을 발했다.

아무리 오래 전 학교 시절에 배운 역사책이었다고는 하지만《고

사기》와 《일본서기》를 잊을 수가 있을 것인가. 지금도 생각난다. 서기 712년에 일본 최초의 역사책인 《고사기》가 완성되었다. 그것을 완성한 사람의 이름은 오오노 야스마로(太安萬侶), 그로부터 8년 뒤 720년에는 일본에서 가장 방대한 역사책인 《일본서기》가 완성되었다. 태안만려는 그 《일본서기》의 편찬에도 저자로서 참여하였던 사람의 이름이다.

오오노 야스마로, 그 사람이 '태조신안만려' 란 이름을 가지고 있었단 말인가. 역사책에 나오는 이름, 역사를 공부할 때면 으레 나오는 가장 기초적인 이름, 일본 사람이라면 누구든 잠꼬대를 할 만큼 유명한 고대 사학가의 이름.

그 사람, 그 유명한 사람, 그 위대한 사람이 이 무덤 속에 파묻혀 있었단 말인가.

저 유골이, 과자상자 속에 담아넣은 초라하고 빈약한 유골이 오오노 야스마로의 유골이란 말인가.

갑자기 다케니시의 두 다리가 와들와들 떨리기 시작해서 제대로 서 있을 수 없을 것 같았다.

"그, 그렇다면, 저 유골이 오오노 야스마로님의 유골이라면 이 무덤은 그분의 무덤임에 틀림없다. 그, 그렇다면, 앞으로는 어떻게 됩니까? 가와바타 어른."

"그 자네의 밭 근처는 대화고원 일대에서 가장 유명한 명소가 되어버리겠지. 자네의 밭에서 나는 차는 이 고원에서 나는 차 중에서도 가장 유명하고 맛있는 차로 소문나겠지. 아아 다케니시 상, 자네의 밭은 천 년의 기적을 이루었어. 이제 수많은 참배객들이 일본 각지에서 줄을 지어서 자네의 밭으로 몰려들겠지. 태안만려님이라면 우리 일본의 '문(文)'의 신(神)이시므로 글을 배우려 하는 학생들이라면 누구든 이곳에 와서 무릎을 꿇고 배를 올리겠지. 《고사기》와

《일본서기》를 쓰고 편찬하신 그 뛰어난 문재를 나누어달라고 사람들은 다투어 꽃을 바치고 향을 피우겠지. 다케니시 상. 우선 우리 두 사람이라도 먼저 배를 올리세."

두 사람은 약속이나 한 듯이 나란히 섰다. 가와바타 노인이 먼저 무너지듯 무릎을 꿇고 무덤 앞에 배를 올렸다. 다케니시도 그에 질세라 허둥지둥 무릎을 꿇고 머리를 조아렸다.

다케니시와 가와바타 노인이 무덤 속에서 묘지를 발견한 지 이틀 뒤인 1979년 1월 24일 도하 각 신문의 일간지들은 서로 다투어서 다케니시가 자신의 차밭에서 태안만려의 묘를 발견해낸 사실을 1면 톱기사로 다루고 있었다.

아사히, 마이니치 신문 등 각 신문사의 조간신문들은 경쟁적으로 이 역사적 발굴사실을 대대적으로 보도하였으며, 신문사는 물론, TV 보도국, 잡지, 통신사 등 전 일본의 매스컴이 흥분에 들떠서 이 한촌의 차밭으로 몰려들었던 것이다. 그리하여 야마토 고원의 조용하던 조그만 차밭은 일약 뉴스의 초점으로 떠오르고 우연히 차밭의 개식작업 중 화장묘를 발견한 다케니시는 뉴스의 주인공으로 등장하게 되는 것이다.

다음은 1979년 1월 24일 수요일, 마이니치신문의 1면 톱기사의 내용이다.

총 20페이지의 조간신문은 1면 톱기사로 전면을 이 기사로만 메우고 있음은 물론, 그 밖에도 3면과 19면에 상세한 해설과 보충기사를 기재하고 있다.

그 기사내용을 자세하게 전재하기로 한다.

제1면 톱기사.
태안만려(太安萬侶)의 무덤 발견.

《고사기》편자 나무상자〔木櫃〕에 동제묘지(銅製墓誌)와 골편도 함께 발견.

《고사기》《일본서기》의 편자 태조신안만려(오오노 아손야스마로, 安麻侶라고도 씀)의 이름이 기록된 묘지가 나라 시 동부의 차밭에서 발견되었다.

나라 현립 가시와라 고고학 연구소가 23일 오후에 발표한 것으로 동판제의 묘지 '태조신안만려'의 문자를 비롯하여 41개의 한자가 새겨져 있다. 묘지와 함께 유골도 발견되었으며, 납골용의 나무상자에 넣어져 있었던 것으로 보여진다.

묘지에 새겨져 있는 사망 연월일과 《속일본기》에 쓰여져 있는 태안만려의 사망 연월일이 하루밖에 차이가 없다고 하는 것 등에서 그 나무상자는 태안만려를 매장한 것임에 틀림없다고 단정하였다.

이번의 묘지 발견으로 태안만려가 실재의 인물이었다는 것이 이 물건에 의해서 뒷받침이 되었으며, 또 《속일본기》의 기술이 정확하였다는 것이 입증이 된 의미는 매우 크다.

오랫동안 논쟁이 되고 있는 《고사기》의 서문을 태안만려가 직접 썼는가 어떤가를 둘러싼 《고사기》의 정서, 위기 논쟁에도 중대한 물증이 가해진 것은 논쟁을 더욱 발전시킬 계기가 되는 것이다.

723년 화장해서 매장.

이 묘지가 발견된 것은 나라 시(奈良市) 차뢰정(此瀨町) 444번지, 농부, 다케니시 히데오(竹四英夫, 61) 씨의 차밭.

다케니시가 이곳 중심부에서 동남쪽으로 약 8km 정도 떨어져 있는 자택 뒤편의 차밭 남쪽 경사를 20일에 개식작업 중 직경 0.8m의 흙만두형의 성토를 약 30cm쯤 쌓았던 바 두께 20cm의 목탄층이 출토, 그 목탄층의 밑에 깊이 42cm의 공간이 있었고 그 밑이 또한 목탄층으로 되어 있었다. 밑의 목탄층 표면에 길이 10~20cm의 약 50개

정도의 골편이 있었다.

다시 22일 다케니시가 공양을 위해서 뼈를 주워 모으던 중 글자가 새겨진 동판을 찾아냈다고 한다…….

동판은 길이 29cm, 폭 6cm, 두께 1mm. 표면에는 '재경사조사방(左京四條四方)에 살던 종4위하훈5등(從四位下勳五等)의 태조신안만려(太朝臣安萬侶)님께서 양로(養老) 7년(723년) 7월 6일에 사망하여 그 해 12월 15일에 매장하다' 라고 이해될 수 있는 41문자가 인각되어 있다.

이면에는 나무상자의 일부로 생각되는 나무의 파편이 붙어 있었다. 묘지의 길이는 당척(唐尺)의 거의 1척에 해당된다. 공간이 되어 있는 부분은 길이 42cm, 폭 20cm, 길이 85cm로 나무궤는 썩었고 목탄의 층에 의해서 보호되어져 있었던 것 같다.

이 묘지를 해독한 현립 고고학 연구소는 동판에 새겨져 있는 문자, ① 태조신안만려(太朝臣安萬侶)라는 문자, ② 고사기 편찬의 공적에 의해서 주어졌다고 하는 '종4위하훈5등' 의 관위(官位), ③ 사망한 연월일이 《속일본기》의 태조신안만려의 기술과 겨우 1일밖에는 차이가 없다는 것에서 태조신안만려를 장사 지낸 묘라고 단정했다.

이 연구소의 설명에 의하면, 이 유골과 묘지를 나무상자 위에 투입한 뒤에 방부와 방습을 위해서 나무궤 전체를 목탄으로 덮었을 것이라고 한다.

일본에 있어서 화장은 문무천황 4년(700년) 3월 10일에 죽은 도조화상(道照和尙)이 최초. 화상은 천수를 마친 후 72세로 좌선을 한 채 죽었다고 말해진다.

묘지는 사망자의 이름, 생몰 연월일, 생존시 지위, 경력, 업적 등을 금속이나 암석에 기록한 것으로 중국이 그 기원. 우리 일본에서는 이번 것이 16번째의 발견으로 어느 것이나 7세기 후반에서 8세기 말까지로 한정되어 있다.

이제까지 묘지가 있었던 유명인은 의외로 적었다.

또한 태안만려의 묘지는 문장이나 기술내용이 이제까지 발견된 시기의 것과 흡사, 동판의 세로 가로의 비율도 일치하고 있다.

태안만려는 고대로부터 야마토(大和)에 있었던 다(多)씨의 일족. 다씨의 중심 거주지역은 야마토분지의 중심부인 나라현 기성군 전원본정(奈良懸 磯城郡 田原本町)의 다신사(多神社) 주변이라고 하며, 이 근처에 지금까지 안만려의 것이라고 전해져오던 무덤도 있다.

그런데 '진짜 무덤'은 나라시 중심부에서 약 8km 동방의 산간에 있었던 것이다. 이 점에 대해서 우선 생각되어지는 것은 양로 2년의 양로율령에 있는 황도상장령(皇都喪葬令), 즉 '능이나 묘를 계도역 안이나 도로 곁에 만들어서는 안 된다'라는 조항에 따라서 이처럼 산간지에 무덤을 만들었다고 생각한다.

더욱이 이 묘지는 태안만려가 죽은 날은 7월 6일로 하고 있으나 《속일본기》에는 '양로 7년' 가을 7월 7일 민부경 종4위하태조신안마려졸(民部卿 從四位下太朝臣安麻侶卒)로 되어 있어서 하루가 늦어져 있을 뿐이다. 이 점에 대해서 동 연구소는 다음과 같이 설명하고 있다.

6일에 죽었지만 7일에 공식적으로 계출되어, 공식적인 계출에 의해서 사망 연월일이 기록되어 남겨져 있는 게 아닐까.

······(중략)······

현장은 차의 특산지로, 산의 경사면을 따라서 차밭이 넓게 퍼져 있었다.

차뢰정은 민가가 겨우 19채. 묘지가 발견된 곳은 집이 산재되어 있는 곳에서 급경사를 약 20m 올라간 남향의 전망이 좋은 곳에 위치하고 있다······.

태안만려는《일본서기》도 편찬했다. 태안만려는 일본 최고의 역사 책인《고사기》의 편찬에 종사했던 사람. 672년에 임신란(壬申亂) 후에 황위에 오른 천무천황은 황실의 계도(系圖), 제기(帝紀)나 옛날이야기를 쓴 당시의 역사책인《본사(本辭)》에는 사실과 다른 면이 많이 있고 허위가 깃들어 있다는 소문을 듣고 이를 바로잡기 위해서라도 새로운 역사책을 편찬해야 한다는 야심을 갖고 있었다.

천황은 도네리(舍人)로서 측근에 데리고 있던 패전아례(稗田阿禮)에게 명령하여 제기나 본사를 암기시켰다. 천무천황이 돌아가신 후 천명천황이 화동 4년(711년)에 태안만려에게 명하여 패전아례가 암기한 역사적 사실을 편찬토록 명하여 태안만려는《고사기》3권에 필록하여 이듬해 5월 천황에게 헌상하였다.《고사기》의 서(序)에 이 책의 성립경위를 이렇게 말하고 있는데, 하무진연(賀茂眞淵) 등은 이 서문이 후세의 조작이며 위작이 아닌가 하는 의문을 던지고 있다.

태안만려의 생년(生年) 등에 대해서는 명백하지 않으나 임신의 난에서 천무천황을 위해서 크게 활약한 다신부(多臣夫)의 아들이라고도 알려져 있다.

······(하략)······

이상은 제1면의 거의 전면을 차지하고 있는 톱기사의 내용 중 불필요한 부분 몇 줄만 제외하고는 거의 모든 부분을 전재한 기사의 내용이다.

같은 신문의 3면에는 학술담당 기자 강본건일의 상세한 해설이 실려 있다. 다소 길고 장황한 인용이 되겠지만 일단 그들의 의견을 알아둘 겸 전재하기로 한다.

제3면의 해설기사.

태안만려의 묘지 발견에는 세 가지의 의의를 들 수가 있다.

첫째로 '일본의 헤로도토스(Herodotus)', 태안만려의 실재가 물증에 의해서 처음으로 확인된 일이다.

이제까지 태안만려의 존재를 의심하던 사람은 없었고 《고사기》의 편찬자로서 고대사상 제1급의 저명 인사임에도 불구하고 《고사기》 위서설(僞書說)이 간헐적으로 대두되곤 했었기 때문에 우리나라 최초의 역사 편찬자로서의 지위는 반드시 안정되어 있지 않았다.

원래라면 우리나라의 '역사의 아버지'로서 존경받아야 마땅했었겠지만 수상쩍은 위서의 작자로 의심쩍은 인물이라는 식으로 왜소화되기가 십상이었다. 그런 탓인지 《고사기》의 연구서나 논문은 많이 있었을지라도 막상 그 편찬자인 태안만려의 연구는 거의 없었다. 이번의 묘지 발견으로 부당하게 경시되어온 '일본의 헤로도토스'가 마땅한 지위와 명예를 회복할 계기가 될 것으로 생각된다…….

헤로도토스는 BC 5세기의 역사가 키케로에 의해서 '역사의 아버지'라고 불려졌던 그의 저서 《역사》(전9권)는 산문 사상 최초의 걸작으로 평가받고 있다.

……안만려는 《고사기》 필록 후에는 사인친왕(舍人親王, 천무천황의 황자)이 주재하는 《일본서기》의 수사국(修史局)에 들어가서 720년 이것을 완성하였다.

이 사인친왕의 이름을 쓴 목간(木簡)이 작년 11월, 아스카(飛鳥) 등원궁적발굴조사단(藤原宮跡發堀調査團)의 손으로 등원궁 안에서 발굴되었다. 두 사람, '일본 역사의 아버지'의 이름이 나란히 출토된 일 자체는 전혀 우연한 일에 지나지 않으나 일종의 극적인 느낌을 갖게 하는 것이다.

둘째로 태안만려의 묘지 발견으로 '수수께끼의 다씨'라 말하여지는 태안만려 일족의 해명의 단서가 될 수 있다는 점이다. '다(多)'씨는 신무천황의 아들의 자손이라고 칭하면서 북구주(北九州)와 상륙(常陸)에서 살면서 그 세력을 떨쳤다. 이상한 일은 다씨가 있는 곳과 벽화(장식)고분의 분포지도와는 공간적으로나 시간적으로나 일치된다. 그래서 '벽화고분은 다씨들이 휘하의 도래계(渡來系) 화공을 지휘하여 만든 것이다'라는 가설이 고고학자인 대장반웅(大場盤雄) 박사에 의해서 주장되었다.

아스카의 고송총(高松塚) 벽화고분도 물론 다씨들이 거주했던 바로 이웃한 곳에 있다. 대장 박사의 매력이 넘치는 가설이 묘지 발견을 계기로 하여 어떻게 전개될 것인가.

벽화고분 프로듀서, 혹은 디자이너로서 다씨가 했던 역할에 새로운 빛이 조사(照射)되는 것도 기대될 수 있을 것 같다.

셋째로는 많은 고대 사가들이 지적하는 바와 같이 동시대의 문헌(구체적으로 말하면《고사기》《일본서기》《속일본기》)의 정확성이 뒷받침되었다는 것을 들 수 있다.

《고사기》《일본서기》와《속일본기》는 말하자면 같은 시대 사서이므로 정확하다는 것이 판명되더라도 별로 놀라운 것은 못 된다.

불행하게도《고사기》《일본서기》의 두 역사책은 황실 본위의 정치적 윤색이 짙다고 알려져왔으며, 달리 의지할 곳이 없는 한 전적으로 신용을 할 수 없다고 믿어 내려져오고 있었다. 때문에 고고학자들은 특히 두 역사책에서는 몸을 멀리해왔었다.

……(후략)…….

이 밖에도 같은 날짜의 신문 제19면에는 태안만려 묘지 발견으로 야기된 학자들간의 칼럼과 논쟁이 상세하게 실려 있었다. 그들의 논쟁을 전재할 필요성은 느끼지 않으므로 생략하겠지만, 어쨌든 자신의 차밭을 개간하던 중 우연히 태안만려의 화장묘를 발견한 다케니시의 쾌거는 온 일본을 강도 높은 지진으로 뒤집어놓은 듯 흥분의 도가니로 몰아넣고 있는 셈이었다.

그렇다.

학술담당 강본건일 기자의 말처럼 '일본 역사의 아버지' 인 태안만려의 묘가 발견된 것이다. 참모본부의 요원들이 '가츠라' 가 '요코이' 가 '구리스' 가 '사코오' 중위가 그토록 매어달렸던 《일본서기》의 기록. 그리하여 그들은 마침내 광개토왕의 비문 위에 날카로운 망치와 끌을 들이댄다. 오로지 하나의 목적만을 위하여.

700년대에 씌어진 낡은 역사책. 그 역사책에 씌어진 낡은 조항을 현실화시키기 위해서 천 년이 지난 후, 수많은 사람들은 치밀한 계획과 완벽한 조작으로 완전범죄를 저지른다.

그뿐이랴.

간 마사토모(管政友) 역시 천 년 전에 씌어진 낡은 역사책을 현실화시키기 위해서 칠지도(七支刀)의 명문을 지워버린다.

오로지 '일본 역사의 아버지' 가 쓰고 편찬한 낡은 역사책의 명문화(明文化)를 위하여.

일본 역사의 아버지.

오늘날 일본에 남아 있는 최고(最古)의 역사책 《고사기》와 《일본서기》, 그 두 책을 편찬한 사람 태안만려, 그는 누구인가.

이 날 각 신문에 보도된 태안만려에 관한 그 어마어마한 기사의 내용을 훑어보아도 그가 누구이며 어떠한 신분의 사람인가 하는 점에 대해서는 모두들 침묵으로 일관하고 있는 것이다.

태안만려는 다씨의 족장(우두머리)이었으며 그 다씨를 '수수께끼의 다씨' 라고 표현하고 있을 뿐인 것이다.

그나마 마이니치신문의 기자는 다음과 같은 의미심장한 내용의 기사를 흘려버리고 있는 것이다.

둘째로는 '수수께끼의 다씨'라 말하여지는 안만려 일족의 해명의 단서가 될 수 있다는 점이다. 다씨는 신무천황의 아들의 자손이라고 칭하면서 북구주와 상륙에 옮겨 살면서 그 세력을 떨쳤다.

이상한 일은 다씨가 있는 곳과 벽화(장식)고분의 분포지도와는 공간적으로나 시간적으로나 일치된다. 그래서 '벽화고분은 다씨들이 휘하의 도래계 화공을 지휘하여 만든 것이다'라는 가설이 고고학자인 대장반웅(大場盤雄) 박사에 의해서 주장되었다……

이 기사를 유심히 살펴보면 매우 의미심장한 뜻을 내포하고 있는 것이다. 요약해서 말하면 다음과 같다.

① 안만려가 살던 '수수께끼의 다씨'는 벽화고분이 있는 곳과 일치된다.

② 때문에 벽화고분은 다씨들이 자신들의 부하였던 도래인들을 지휘해서 만든 무덤들이다.

벽화고분, 혹은 장식고분으로 불려지는 무덤의 양식은 우리나라의 독특한 무덤 양식이다.

이 세상에 태어나 활동을 하다가 세상을 떠난 고분의 주인공이 유계(幽界)에서 편안히 영생하기를 기원하기 위해서 무덤의 벽에 온갖 그림들을 그린 이 독특한 무덤 양식은 주로 고구려와 백제를 통해 내려온 우리 민족의 중요한 조묘(造墓) 양식인 것이다. 우리나라의 전역에서 57기가 발견되었는데, 57기 중의 대부분은 고구려의 고분들이고, 이 무덤 양식은 백제와 가야를 거쳐 일본으로 건너갔는데, 때문에 일본에서 발견되는 고분들은 전부 한반도에서 건너간 한민족들의 무덤이랄 수밖에 없는 것이다.

죽은 사람의 넋을 기리기 위해서 살아 생전의 주인공의 모습, 그의 부인의 모습, 주인공이 살아 생전에 놀던 모습, 죽은 영혼을 편히 잠들게 하기 위해서 귀신들이 유택(幽宅)을 침범하지 못하도록 무덤벽에 그린 청룡, 백호, 주작, 현무 등 사신(四神)들을 즐겨 그리던 벽화의 양식은 고스란히 일본으로 건너가게 된 것이다.

'수수께끼의 다씨'가 살던 곳과 벽화고분의 분포지도가 일치하고 있다는 것은 '수수께끼의 다씨'가 한반도에서 건너간 민족임을 뜻하는 결정적인 증거인 것이다. 고고학상 묘제(墓制)만큼은 그 민족의 독특한 양식으로 가장 뿌리 깊게 보존되고 있는 풍습인 것이다.

차마 일본인 학자는 그 '수수께끼의 다씨'가 한반도에서 건너간 민족이라고 말할 수 없었고, 그렇다면 그들 일본정신을 대표하는 《고사기》《일본서기》를 쓴 태안만려가 한반도에서 건너간 사람이라는 결론을 내릴 수밖에 없었으므로 다음과 같이 교묘하게 도망가고 있었던 것이다.

벽화고분은 다씨들이 휘하의 도래인 화공들을 지휘하여서 만든 것이다.

벽화고분이 다씨들이 살던 곳에서 계속 나온다는 것은 벽화고분은 한반도의 독특한 무덤 양식이고 그 벽화고분 자체를 부정할 수 없었으므로 다씨들이 한반도에서 건너온 사람들이라고 말하기보다는 그들이 한반도에서 건너온 도래인들을 지휘해서 벽화고분을 만들었을 뿐이라는 교묘한 논리로 초점을 흐리고 있는 것이다.

그렇다.

'수수께끼의 다씨'는 한반도에서 건너간 민족들의 집단이며, 그렇다면 그 다씨의 족장이었던 태안만려 역시 한반도에서 건너간 사람인 것이다.

일본인들도 물론 이 사실을 모르고 있을 리는 없다. 다만 그들은 이 '다씨'들이 한반도에서 건너온 민족이며, 《고사기》와 《일본서기》를 쓴 태안만려가 실은 한반도에서 건너간 사람이라는 사실을 밝히기가 부끄럽고, 자존심이 허락지 않는 것이다. 그러므로 이렇듯 애매모호하게 핵심을 흐려버림으로써 행간(行間)에만 진실을 교묘하게 위장시켜버리고 있는 것이다.

태안만려, 그는 누구인가.

이제야 분명히 말할 수 있다.

그는 백제에서 건너간 백제인이었던 것이다.

태어날 때부터 비극적인 운명을 지고 태어날 수밖에 없었던 태안만려는 660년, 그 무서운 전란의 강풍이 몰아치던 백제의 서울 사비성(泗泌城, 오늘의 부여)에서 태어났다. 태어날 때의 기쁨도 잠시뿐이었고 그가 태어나자마자 그의 조국은 나당 연합군에게 짓밟혀서 초토화되고 나라를 빼앗기는 비극의 운명을 맛보게 되었던 것이다.

이 위대한 백제인은 723년 숨을 거둘 때까지 생전에 위대한 역사책 두 권을 완성하였다. 《고사기》와 《일본서기》가 그것이다.

키케로에 의해서 역사의 아버지라 불리던 헤로도토스의 일생도 망명과 피신의 비장한 운명이었다. 중국 역사의 아버지라고 말할 수 있는 사마천(司馬遷)도 궁형(宮刑)에 처해지는 비장한 일생을 마쳤으나 그들이 쓴 역사책들은 위대한 업적으로 평가받고 있는 것이다.

마찬가지로 '일본 역사의 아버지'인 태안만려도 그들처럼 비참한 운명을 타고난 사가(史家)였었던 것이다. 조국을 잃었으며, 망명을 했었던 백제인 태안만려는 마침내 야마토 고원의 차밭에서 천이백년 만에 농부 다케니시의 우연한 작업에 의해서 천 년 이상 품어왔던 비참한 생의 한(恨)을 백일하에 드러내게 된 것이었다.

사비성에서 태어난 그는 어째서 이 험준한 야마토 고원의 양지바른 능선 위에서 잠들고 있지 않으면 안 되었던가.

그는 무엇 때문에 어떠한 운명으로 두 권의 역사책을 완성하지 않으면 안 되었는가. 그가 쓴 두 개의 역사책은 공교롭게도 천 년이 지난 메이지시대 때 군부와 학자들에 의해서 바로 그가 태어난 고향, 한반도를 침범하는 명분이 되었다.

태안만려.

가엾고도, 위대했던 백제인. 그는 누구인가. 어디서 와서 어디로 흘러갔는가. 그의 운명은 어떠했으며, 그는 왜 일본인들에게 구약성서와 같은 두 역사책을 쓰지 않으면 안 되었는가.

그렇다. 그는 이스라엘 사람들을 이끌고 애굽을 탈출했던 모세와 같은 선지자였다. 앞을 가로막은 바다를 향해 손을 펼치자 홍해가 갈라지듯 그의 운명은 파도 높은 현해탄을 두 갈래로 갈라놓았다.

태안만려. 계백장군의 심복 부하로 황산벌의 격전에서 마지막으로 죽어간 무장(武將) 다신부의 아들, 태안만려.

이 비극의 역사가인 태안만려가 태어났을 무렵의 한반도는 어떤 일들이 벌어지고 있었던가.

그가 태어났던 시기로 돌아가보자. 그가 태어난 시기는 바야흐로 고구려, 백제, 신라 삼국이 한데 엉켜 으르렁거리고 있었던 풍운의 계절이었다.

제2장 풍운

1

때는 서기 642년 7월.

신라는 선덕여왕 11년이었고, 백제로 보면 의자왕 2년이었다.

연전에 선왕 무왕(武王)을 여의고 왕위에 오른 의자왕은 왕위를 계승하자마자 신라에게 빼앗겼던 구토(舊土)의 탈환을 평생의 업으로 삼았다.

80여 년 백제는 수백 년 동안 자신들의 동맹국이었던 가야(伽倻) 제국들을 신라에 빼앗겼다. 6개의 가야국 중 가장 마지막으로 남아 있던 대가야(大伽倻, 지금의 고령)는 562년 신라의 진흥왕 때의 장수 이사부(異斯夫)와 그의 부장 사다함(斯多含)에게 멸망되었다. 예부터 가야제국들은 백제의 혈맹(血盟)이었고, 국가가 창기된 이래 몇 번의 예외만을 빼놓고는 견원지간이었던 백제와 신라는 가야제국이라는 완충지대를 놓고 그나마 힘의 균형을 유지하고 있었다.

그러나 마침내 가야제국들이 신라에 의해서 병합되자 신라의 힘은 막강해졌으며 두 견원지간의 국가는 낙동강을 사이에 두고 직접 으르렁대는 풍전등화의 나날을 보내고 있었다.

선왕 위덕왕(威德王) 때 백제와 가야의 동맹국은 필사적으로 신라의 군사와 싸움을 벌였지만 마침내 가야는 멸망하였고 백제군은 쓰라린 패배를 맛보고 퇴각할 수밖에 없었던 것이다.

그로부터 혜왕(惠王), 법왕(法王) 그리고 의자왕 아버지였던 무왕에 이르기까지 신라에게 빼앗긴 가야의 구토를 회복하는 것이 백제의 숙원이었다.

젊은 나이에 왕위에 오른 의자왕은 위에 오르자마자 휘하의 대장군 윤충(允忠)에게 군사를 일으킬 것을 명령하였다. 무왕이 재위 42년 동안 줄곧 신라를 공격하고, 번번이 치명적인 손상을 가하면서도 마침내는 패하고, 뚜렷한 소득을 얻지 못하고 회군함으로써 한을 품고 눈을 감은지라, 일찍이 어버이 섬기기를 효도로써 하고 형제간의 우애가 각별한 것으로 해동증자(海東曾子)라고 일컬어지던 의자왕은 상중(喪中)에 피울음을 토하여 부왕에게 다음과 같이 맹세하였다.

'내 마땅히 신라를 쳐서 이겨 선대(先代)로부터의 고토(故土)를 백제국으로 회복하지 않으면 눈을 감지 않겠나이다.'

왕의 맹세에 감히 머리를 들어 이의를 제기하는 사람은 없었다. 상이 채 끝나기도 전에 군사를 일으킴은 불가하다고 좌평(佐平) 성충(成忠)이 간하였지만 의자왕의 의기를 꺾을 수는 없었다.

그리하여 마침내 의자왕의 명령을 받은 대장군 윤충은 군사를 일으켰다.

장군 의직(義直)을 선봉장으로 삼고, 장군 계백(階伯)을 부장으로 삼은 일만의 군사가 백제의 서울 소부리성(所夫里城, 오늘의 부여)을 출발한 것은 의자왕 2년 7월이었다.

의자왕은 친히 마상에 올라 갑옷을 입었으며 갑옷 속에는 상복을 겹쳐 입었다.

"대야성(大耶城, 오늘의 합천)을 쳐서 복속시키지 않으면 돌아오지 않겠다."

출전을 앞서 장수들에게 친히 술잔을 돌리고 나서 의자왕은 몸소 백마의 목을 자신의 칼로 베었다.

왕을 둘러싼 장수 윤충·의직·계백 등은 왕이 따라주는 말의 피를 각오의 표시로서 함께 나누어 마시고 이마에 피를 발라 승리를 맹세하였다. 마시고 남은 말의 시체는 백강(白江)에 던져졌다.

친히 마상에 앉은 왕의 뜻을 따라서 장수들은 모두 갑옷에 흰 상복을 받쳐 입었었다.

"대야성을 쳐서 복수하지 않는 한 돌아오지 않겠나이다."

여러 장수들은 말의 피를 머리에 바르며 맹세했었다.

대야성.

그곳은 신라가 백제를 견제하기 위해 만든 최전방의 전진기지였다. 원래 신라가 가야를 병합할 때는 완산주(完山州, 오늘의 창녕)에 전진기지를 구축하고 백제와 가야의 연합군을 쳐서 완전히 속국으로 굴복시켰었다. 가야제국이 멸망하자 신라는 완산주를 폐하고 조금 더 백제 쪽으로 서진(西進)하여 오늘날의 합천지방에 대야주(大耶州)를 설치하였던 것이다.

대야주는 그러니까 옛 가야제국에 설치된 신라의 도독부(都督府) 였던 것이다. 그러니까 대야성을 빼앗는다면 신라의 전진기지를 초토화시키고 신라의 심장부인 달구화(達句火, 오늘날의 대구)를 직접 노려볼 수 있는 전략상의 요충지를 점거하는 셈이 되는 것이었다.

의자왕의 군대는 승승장구 눈깜짝할 사이에 40여 개의 성을 탈환하였다. 의자왕의 백제군이 한 달이 채 못 되는 짧은 시간 안에 40여 개의 성을 쳐서 이길 수 있었던 것은 의자왕의 전세가 유리하고 백제군의 군대가 막강한 탓도 있었지만 원래 낙동강 유역의 땅들은 예부터 가야의 땅으로서 그 지방 사람들은 옛날의 고국을 그리워하고 자신들의 정복자인 신라를 증오하다가 백제국의 군사들이 이르매 다투어서 성문을 열고 환영하였기 때문이었다.

의자왕의 군대는 순탄하게 낙동강 유역의 40여 개의 성을 빼앗고 마침내 8월, 공격의 최종 목적지인 대야성에 도착하였다. 소부리성을 떠날 때는 장마였고 싸움다운 싸움 없이 무혈(無血)로 옛 고토를 전진해나가는 동안 찌는 듯한 여름에 접어들었다. 날씨는 예년답지 않게 무더웠고 비는 자주 내렸다. 오늘날에도 합천, 고령 지역은 깊은 산간지역에 속한다. 난공불락의 산맥이 겹겹이 천연의 요새를 만들고 있는 이곳은 산이 높고 계곡 역시 깊었다. 적병과의 싸움으로 군사가 지치는 것이 아니라 무더위와 비, 겹겹이 병풍처럼 산과 험한 길로 말미암아 전진하는 군사들은 지쳐 있었다.

그러나 상중의 군사들의 사기는 높고 질서정연하였다.

의자왕은 최후의 공격지점인 대야성에는 함께 행군하지 않았다. 워낙 길이 험하고 계곡이 깊어서 의자왕은 빼앗은 미후성(彌猴城)에 머물러 있었다.

그는 대야성으로 마지막 진격을 떠나는 윤충에게 깃발을 전해주고, 가을을 넘기지 말고 돌아오라고 어명을 내렸다. 의자왕은 대야성만큼은 쉽사리 굴복되지 않으리라는 것을 잘 알고 있었다.

그곳은 신라군의 본영(本營)이었으며, 성주는 도독인 김품석(金品釋)이었다. 품석은 대단히 용맹한 장수로서 신라가 아끼고 자랑하는 화랑(花郞) 출신이었다. 그의 아내는 고택소랑(古阤炤娘)으로 김춘추(金春秋)의 딸이었다. 그러니까 품석은 춘추 공의 사위인 셈이었다. 게다가 품석의 막하에는 용맹한 부장인 죽죽(竹竹)과 용석(龍石)이 함께 있었으며, 성을 지키는 신라군 역시 숫자는 일만의 백제군에 비해 열세에 있었지만 백전노장들의 정예군들이었다.

왕으로부터 깃발을 받은 대장군 윤충은 그 길로 말을 몰아 대야성으로 총진군하였다.

대야성은 첩첩산중의 천연요새로 둘러싸여 있어서 성은 높고, 벽은 두꺼웠다. 백제군은 즉시 성 주위를 포위하고 싸움은 장기전으로 들어설 수밖에 없었다. 백제군은 어차피 성 안에 갇혀 있을 바에는 후방에서 군량미가 도착하지 않도록 퇴로만 차단하면 마침내 오래지 않아 식량이 떨어져 신라의 군사들은 스스로 성문을 열고 싸움을 걸어오든지, 아니면 항복해올 것이라고 굳게 믿고 있었다.

성미 급한 대장군 윤충은 즉시 성채를 공격하자고 주장하였지만 선봉장 의직은 그리하면 희생자가 커질 것이니 좀더 기다려보자고 만류하였고, 계백도 의직의 말에 동의하였다.

한시라도 빨리 공을 세워 기다리고 있을 대왕에게 돌아가 개선하고 싶은 윤충도 두 부하 장군의 말을 무시할 수는 없었다.

의직의 예상은 적중하였다. 백제군이 성 밖을 포위하고 좀체로 허를 보이지 않자 성 안에서는 양곡이 차츰 떨어져가고 차차 민심이 동요하기 시작했다.

이때 성 안에서는 싸움을 주장하는 죽죽과 가을이 올 때까지 기다리자고 주장하는 서천(西川)으로 의견이 양분되어 있었다. 죽죽은 어차피 싸움은 피할 수 없는 운명이니 적군이 먼 길을 와서 지쳐 있을 바로 이 시간에 일어나 싸움을 하는 것이 유리하다고 주장하였고, 서천은 이곳의 산은 깊으니 조금만 참으면 가을이 오고 먼 길을 온 그들 역시 식량도 떨어지고 추위가 닥쳐오면 이쪽에서 달리 손을 쓰지 않고서도 스스로 퇴각해 물러가리라고 주장하고 있었다.

서천의 주장은 아직 창고에 식량은 많이 남아 있으니 가을이 올 때까지는 아껴 먹을 수 있다고 말하고, 그때 가서 싸워도 늦지 않을 것이라고 우기고 있었다.

품석은 서천의 의견을 좇아 성문을 굳게 잠그고 출입을 금하였다. 그러나 파멸은 의외의 곳에서부터 비롯되었다. 품석의 휘하에 검일(黔日)이라는 막객(幕客)이 있었다.

그는 사지(舍知)라는 하찮은 벼슬에 있었는데, 그의 아내는 빼어난 미인이었다. 어느 날 성 밖으로 사냥을 나갔다가 우연히 그녀의 미색에 홀린 품석은 그녀가 자신의 부하인 검일의 아내라는 사실을 알자 탄식을 하면서 아쉬워했었다.

성주의 내심을 눈치챈 서천이 어느 날 품석에게 다음과 같이 말하였다.

"검일의 아내는 원래 가야의 유민으로 전쟁 중에 검일이 취한 여인입니다. 그러므로 정복자인 우리들에게 노비와 다름없는 여인입니다. 비록 검일의 아내라고는 하나, 노비와 다름없습니다. 성주님께서 취하셔도 법도에 어긋나는 일은 아닐 것입니다."

서천은 품석의 흉중을 알고 검일을 금성(金城, 오늘의 경주)으로 보내었다. 그 틈을 타서 서천은 검일의 아내를 품석에게 데리고 갔다. 품석은 검일의 아내를 유혹하며 말하였다.

"그대의 미색에 내 넋을 빼앗겼으니 원컨대 내 청을 받아주시오."

품석의 말을 듣고 나자, 검일의 아내가 낯색 한 번 바꾸지 아니하고 단호하게 답하였다.

"여인의 몸으로서 두 남자를 섬김은 불가하다고 어릴 때부터 배워왔습니다. 비록 제가 천한 계집의 몸이라 하나 이미 한 지아비의 소첩으로서 정혼까지 올린 아녀자가 되었습니다. 어찌 성주님께서는 법도(法道)를 아시면서도 그 법도를 깨뜨리려 하십니까."

품석은 검일의 아내의 말을 듣고 나자 부끄럽긴 했지만 솟아오르는 욕정을 도저히 참을 수 없었다. 그는 강제로 그녀의 몸을 탐하였다. 검일의 아내는 강제로 품석에게 몸을 더럽히고 정조를 유린당하게 되자, 그 길로 황계폭포(黃溪瀑布) 밑 깊은 물에 빠져 죽어버렸다.

금성에 다녀온 검일은 돌아오고 나서야 아내가 물에 빠져 자살한 사실을 알게 되었고 아내의 자살이 다름아닌 성주의 음욕 때문임을 알게 되었다.

그는 아내의 원수를 갚기 위해서 품속에 비수를 품고 다녔다. 기회를 봐서 도독의 심장을 찔러 죽은 아내의 원수를 갚고 자신도 자진해서 죽어버리리라 한을 품고 있었다. 그러나 이러한 소문을 일일이 서천을 통해 듣고 있던 품석은 자신의 행실을 몹시 부끄러워하고 후회하면서 검일을 멀리 경계하고 있을 무렵이었다.

백제군이 대야성 주위를 빙 둘러 포위하고, 진을 치고 있음을 알게 된 검일은 이때야말로 죽은 아내의 원수를 갚고 성주 품석에게 치명타를 가할 좋은 기회라고 생각했다.

그는 밤을 새워서 창고에 불을 질렀다. 창고에 가득 찼던 군량미와 성 안의 백성들을 먹일 양곡들은 하룻밤 사이에 홀랑 타버렸다. 그렇지 않아도 흉흉하고 풍전등화의 형세로 위태로웠던 민심은 일시에 흔들리고 말았다.

병사들의 사기는 말이 아니었고 남몰래 성 밖으로 도망치는 사람들의 숫자가 늘어만 가고 있었다. 먹을 양식이 떨어진 상태로 사기충천한 백제군과 장기전을 벌일 수는 없는 노릇이었다.

품석 휘하의 장수들과 보좌관들이 함께 모여서 의논하였다. 아랑(阿浪) 서천은 지금 이런 상태로 적과 싸운다는 것은 계란으로 바위를 쳐서 깨뜨리는 일이니, 성문을 열어 항복하는 길이 최선의 방책이라고 간하였다. 그러나 사지(舍知) 죽죽이 반대하고 나섰다.

"아랑의 말은 불가하오. 우리 군량은 이미 전소되어 싸울 힘조차 없으나 싸우기도 전에 굴복하여 항복한다면 반드시 그들이 우리를 죽일 것이오. 항복해서 죽으나 싸우다 죽으나 어차피 죽는 것은 정해진 일이므로 차라리 싸우다가 죽어버리겠소."

품석은 마음이 혼란하여 갈피를 잡을 수가 없었다. 그러자 서천이 말하였다.

"제가 가서 제장(濟將) 윤충의 의중을 확실히 헤아리고 돌아오겠습니다."

그 길로 서천은 성 위로 올라가 흰 깃발을 세워들고 소리쳐 말하였다.

"제장 대장군 윤충은 들으시오. 제장 대장군 윤충은 들으시오."

성 밖에서 망을 보고 있던 백제군의 병사가 서천의 말을 전하기 위해서 나는 듯이 진영으로 달려갔다. 곧 대장군의 깃발을 받쳐든 서너 명의 장수들을 거느리고 윤충이 직접 말을 타고 나타났다.

"내게 할 말이 있는가."

"나는 대야성의 성주 김품석의 부하인 아랑 서천이라 하오. 나는 성주의 말을 전하기 위해서 이곳에 나왔소. 성주께서는 성을 들어 항복하기를 청하시고 있소."

대장군 윤충은 간밤에 성 안에서 불기둥이 치솟아 오르는 것을 보았다. 밤이 대낮처럼 밝고 불길 속에 곡식 타오르는 냄새가 섞여 있는 것으로 보아 양곡 창고가 타고 있음이 분명했었다. 그와 동시에 동이 틀 무렵 성 안에서 한 명이 제 발로 투항하여 도망쳐 나왔다. 망을 보던 병사들에 잡혀 온 장수는 자신이 간밤에 양곡 창고에 불을 지르고 도망쳐 나온 품석의 막객인 검일이라고 고백하였다.

검일은 대장군 윤충에게 낱낱이 고하였다.

"성 안의 민심은 흉흉하고 사기는 땅에 떨어져 있습니다. 간밤에 밤새워 타오른 불길로 양곡과 군량은 한 톨도 남아 있지 않아 단 하루도 버티지 못할 것입니다. 이제 대야성은 대장군님의 것입니다."

검일의 말을 듣고 나자 윤충은 마음이 매우 흡족하였다. 검일의 말이 사실이라면 이제 대왕의 어명에 따를 수 있게 되었다. 가을이 오기 전에 대야성을 빼앗게 되었고 소부리성을 떠날 때 백마의 목을 베어 말의 피를 마시며 맹세했듯 이제 구토(舊土)를 모두 되찾아 선대로부터의 숙원을 이루게 되는 것이다.

그런데 신라군의 진중에 있는 아랑 서천의 말은 무엇인가. 제 스스로 성문을 열어 항복하려 함이 아닌가.

서천은 소리쳐 물었다.

"그 대신 청이 있소. 항복을 한다면 우리 모두의 생명을 보존케 하고 안전을 보장해줄 수 있겠소이까?"

그러자 윤충이 흔쾌히 대답하였다.

"만일 제 스스로 항복해 성문을 열고 나온다면 공(公)과 더불어 다정히 살 것을 저 백일(白日)의 태양을 두고 맹세하겠소. 절대로 약속은 어기지 않을 것이오."

윤충은 하늘에서 타오르고 있는 눈부신 태양을 손끝으로 가리키면서 답하였다.

"알았소. 곧 성문을 열겠소."

서천은 곧 성주인 품석에게로 돌아와 고하였다.

"제장 윤충은 백일을 두고 맹세하였습니다. 성주께서는 지체하지 마시옵고 성문을 열고 나가심이 옳은 줄로 아뢰오. 제가 먼저 성문을 열고 항복하겠사오니 만약 그들이 저를 환대하여 맞아들인다면 성주께서도 성 밖으로 나오시고, 만약 그들이 약속을 깨뜨리고 제 목을 벤다면 성문을 닫고 계속 싸우시옵소서."

한편 대장군 윤충은 적들이 스스로 성문을 열고 항복해서 나온다고 하는 전갈을 듣고 몹시 마음이 흡족해 있었다. 그러나 간밤에 투항해온 검일이 반대하고 나섰다.

"아랑 서천은 제가 잘 알고 있는 사람입니다. 사람됨이 간교하고 사악하여 믿을 수가 없습니다. 제 스스로 성문을 열고 굴복해서 나온다 함은 뭔가 다른 흉계가 있을 것입니다. 그의 항복을 받아들여서는 안 됩니다. 장수와 군사들이 지켜보는 가운데서 그의 목을 베어야 할 것입니다. 어쩌면 서천은 대장군님을 단독으로 만나 척살(刺殺)하려 할지도 모릅니다."

검일은 아내의 죽음이 서천의 간계에 의해서 비롯되었음을 잘 알고 있었다.

검일의 말이 윤충의 마음을 움직였다.

자진해서 항복해오지 않는다고 해도 이미 성은 내것이다. 성은 허물어지고 함락되어 내것이나 틀림없다. 적들의 목을 베어 선왕 대대로의 원수를 피〔血〕로써 갚아주는 것도 나쁘지 않을 것이다. 어찌 선왕들의 원한을 무혈로 진혼시킬 수 있을 것인가.

바뀐 윤충의 의중을 모르는 성 안에서는 서천이 앞장서서 성문을 열고 있었다. 품석은 이미 서천의 뜻을 좇아 성 밖으로 흰 기를 들고 나가기로 마음을 굳히고 이를 따르고 있었다.

성 밖에서는 백제군의 장병들이 일사불란하게 도열하여 성문을 열고 나오는 신라군의 행렬을 맞아들이고 있었다. 앞장서 나오던 서천이 맨 처음 백제군에게 사로잡히는 바 되었다. 뒤따라 행렬을 따르던 도독 품석에게 죽죽이 마지막으로 탄원하였다.

"백제는 원래 반복(反覆)을 잘 하는 나라이므로 믿을 수가 없습니다. 적장 윤충의 말이 그토록 달콤함은 반드시 우리를 꾀어 스스로 성문을 열게 하고 손 하나 쓰지 않고 세 치의 혀끝으로만 성을 취하려 함일 것입니다. 원컨대 성주님께서는 성 밖으로 나아가지 마시옵소서."

그러나 이미 마음을 굳힌 품석은 말굽을 돌리지 아니하였다. 그는 좌우에 처자들을 거느리고 성 밖으로 나아가고 있었다.

사지 용석은 죽죽과 마찬가지로 부장이었으며, 그와 더불어 오랜 친구 사이였다. 용석은 이미 대세가 기울어 형세가 그르쳐진 사실을 깊이 느끼고 있었다. 용석은 죽죽에게 다음과 같이 말하였다.

"지금 전세가 이렇게 되었으니 반드시 목숨을 보전할 수 없을 것이다. 살아서 항복하였다가 후일을 도모하는 것이 나을 것이다. 싸우다 죽느니보다는 살아서 때를 보아 원수를 갚는 것이 상책일 것이다."

용석의 말을 듣자 죽죽은 눈을 부라리고 친구를 노려보았다. 그의 두 눈에서 핏물이 뚝뚝 흐르고 있었다.

"그대 말이 당연하나 나는 그를 따를 수 없다. 살려고 하면 죽고 죽기를 각오하면 살 수 있을 것이다. 설혹 죽음이 눈앞에 보인다고 하더라도 이를 피해 도망칠 생각은 꿈에도 없다. 우리 아버지가 내게 죽죽이라고 이름 지어준 것은 나로 하여금 세한(歲寒)에도 퇴색지 않고 꺾어도 굴하지 않게 함이었다. 내 어찌 죽음을 겁내어 살아서 항복할 것이냐. 그대가 살아서 목숨을 보전하고 싶으면 성주의 뒤를 따르라. 나는 성 안에 남아 싸우다가 죽을 것이다."

용석은 죽죽의 결의가 굳은 것을 알자 잠시 마음이 변하였던 것을 뉘우치고 스스로 갑옷을 여며 입었다.

한편 백제군 진중에 사로잡힌 아랑 서천은 애초 약속과는 달리 결박되어 무릎 꿇려 앉혀졌다. 계백과 의직이 대장군에게 간하였다.

"적의 원수라고 하더라도 스스로 백기를 들고 온 항장(降將)의 목을 베는 법이 아닙니다. 더구나 대장군께서는 조금 전에 백일을 두고 맹세하였지 않습니까. 만약 서천의 목을 벤다면 남은 군사들이 성문을 닫고 결사적으로 항전해올 것입니다."

그러나 대장군 윤충의 마음은 이미 정한 바가 있었다. 선왕 대대로의 원수를 갚는 데 어찌 피를 보지 않으려는 그의 의중은 바위처럼 굳었다. 또한 윤충의 의중은 다른 뜻을 함께 갖고 있었다. 그는 대왕에게 자신의 무공으로 난공불락의 대야성이 함락되었음을 자랑하고 싶었다. 선대로부터의 위업이었던 대야성이 적들의 항복으로 무혈입성되어 손끝 하나 쓰지 않고 고스란히 수중에 들어온다는 것은 차라리 수치스러운 일이었다. 그는 후방 미후성에서 승전을 기다리고 있을 대왕에게 적의 수급(首級)을 창 끝에 세워들고 당당한 개선장군으로 돌아가고 싶었다.

윤충은 검일에게 직접 칼을 들어 서천의 목을 벨 것을 허락하였다. 검일이 서천의 목을 벤다면 검일의 원수도 갚는 셈이 될 것이며, 백제군에 의해서 죽지 아니하고 동족끼리의 상잔으로 죽이는 결과가 되므로 약속을 저버리는 것은 아닌 것이기 때문이었다.

검일은 원수를 갚기 위해서 늘 가슴에 품고 다니던 비수로 서천의 가슴을 찔러 그를 죽여버렸다. 그의 목은 베어져 창 끝에 매어달려서 허공에 치올려졌다. 백제의 군사들이 사기를 올리면서 소리쳐 고함을 치고 있었다.

서천이 죽었다는 소식은 뒤를 따라 성 밖으로 나가려던 품석의 귀에 곧 전해졌다. 품석은 성 밖의 백제군 진영에서 창 끝에 꽂힌 서천의 수급을 확인할 수 있었다. 그는 이미 형세를 그르친 것을 통탄하였다. 백제군들이 애초 약속을 깨뜨리고 신의를 저버린 사실을 품석은 깨달았다. 이제는 돌아가 싸울 수도 없고, 나아가 항복할 수도 없는 진퇴양난의 지경에 이르렀음을 그는 느꼈다.

나아가 항복한다면 그들은 서천의 목을 베듯 자신의 목을 베어 창 끝에 매어달 것이 분명하고, 가엾은 아내와 자식들은 적에게 사로잡힌 바 되어 아내는 그들에게 윤간당하고 아이들은 노비로 팔려다닐 것이 명약관화한 사실이었다.

나아가도 죽고 물러서도 죽을 것이 분명하다는 판단이 서자, 품석은 미련 없이 칼을 빼들었다. 그는 마상 위에 앉은 자식들의 목을 베었다. 그리고 마지막으로 아내 소랑에게 물었다.

"산 채로 사로잡혀 적의 노리개가 되는 것이 낫겠소. 아니면 이 자리에서 나와 그리고 자식들과 더불어 함께 죽는 게 낫겠습니까."

이미 죽어 피투성이가 된 자식들의 모습을 면전에서 바라본 소랑의 얼굴은 살아 있는 사람의 형상이 아니었다. 소랑은 품속에서 조그마한 금불상을 꺼내어 손에 들고 두 손을 합장하였다.

품석은 염불을 외고 있는 아내의 목을 베었다. 그리고 아이들과 아내를 죽인 피문은 칼로 자신의 몸을 찔렀다.

성주의 가족이 죽었다는 소문이 성 안으로 퍼지자 백성들은 다투어 성문을 열고 도망치기 시작했고 그나마 칼을 들고 성 주위를 지키던 병사들은 갑옷을 벗고 창을 버리고 성 밖으로 도망쳐버리기 시작했다.

"성주가 죽었다."

"도독 김품석이 스스로 목숨을 끊었다."

성 안은 아비규환의 소용돌이로 변해버리고 말았다. 다투어 성 밖으로 항복하여 도망치려는 사람들로 무서운 혼란이 일어나고 있었다.

저녁 무렵 성문이 닫혔다. 도망쳐 나갈 사람들이 이미 모두 빠져나간 성 안은 죽은 사람들의 무덤처럼 적적하고 괴괴하였다. 도망쳐 나가는 사람들이 여기저기 질러놓은 불길과 약탈의 방화로 성 안은 어둠이 내려오는 저녁 무렵이었는데도 대낮처럼 밝았다. 마침 보름이었으므로 달은 밝았다.

죽죽과 용석은 남은 사람들을 헤아려보았다. 성 안에 남은 사람 중 늙어 기동을 못 하는 노인들과 병자들을 빼놓고 싸움을 할 수 있는 사람들은 수십 명에도 못 미치고 있었다.

"성주님은 자진해서 목숨을 끊으셨다. 이제 성을 빠져나갈 수 있는 사람들은 모두 나갔고 남은 사람들은 우리들뿐이다. 너희들은 지난 낮에 스스로 살 길을 찾아 굴복해서 나아갔던 서천이 적의 칼에 죽었음을 두 눈으로 똑똑히 보았을 것이다. 또한 성주님께서는 스스로 처자의 목을 베고 자진해서 명을 끊는 것도 보았을 것이다. 우리에게 남은 것은 싸움뿐이다. 지금이라도 늦지 않으니 나갈 사람은 나가라."

그러나 그 누구도 나가려 하지 않았다. 이미 성 밖으로 나갈 사람은 모두 나간 뒤끝이었으므로.

"좋다."

남은 사람의 결의가 굳고 단단한 것을 알게 되자 죽죽은 소리쳐 외쳤다.

"남은 것은 싸움뿐이다. 살기를 각오하면 죽겠고 죽기를 각오하면 살 수 있을 것이다."

밤이 되자 싸움이 벌어졌다.

백제의 장수들은 성 안에 단 몇십 명의 병사들만이 남아 있음을 잘 알고 있었다. 그러므로 날이 새기 전에 성을 함락시킬 수 있을 거라고 믿고 있었다. 그러나 그 생각은 오산이었다. 날이 새기 전에 성채를 빼앗을 수 있으리라던 장수들은 당황하기 시작했다. 몇 안 남은 신라군의 저항이 불처럼 뜨거웠기 때문이었다. 죽기를 각오한 신라군은 한 사람이 능히 백을 당하고 있었다.

성채로 달라붙으면 화살이 날아오고 운제를 걸쳐놓으면 숨어 있던 적병이 나타나 무서운 반격을 가해왔다. 깎아지른 절벽과 가파른 산등성이를 이용해서 지은 성벽은 사람의 침입을 용이하게 허락지 않고 있었다. 성채를 먼저 타넘어 적의 후미를 공격했던 것은 계백의 군사술이었다. 부장 계백의 군사들은 산등성이를 타고 깎아지른 절벽을 올라서 반격하고 있는 적의 등뒤를 급습하였다.

계백의 군사들은 지친 적들을 완전히 무찔렀고 마침내 용장 죽죽과 용석은 사로잡히기 직전에 스스로 목숨을 끊었다.

그리하여 대야성은 완전히 백제군의 수중에 넘어가버리고 말았다. 성 안을 평정한 계백은 성문을 열어 대장군 윤충을 영접하였다.

성 안은 완전히 초토화되어 있었다.

밤을 새워 싸운 신라 군사들의 시체가 새벽 여명 속에 널려 있었고 아직 숨이 끊어지지 않은 병사들의 신음소리가 참담하게 새벽의 침묵을 찢어버리고 있었다. 숨이 남아 있는 병사들의 고통은 백제군의 칼날에 의해서 잠재워졌다.

이미 전란에 의해서 제 정신을 잃어버린 굶주린 개들이 이리저리 떠돌아다니면서 죽은 시체의 살점을 물어뜯고 있었고, 이긴 병사들에 의해서 아직 남아 있는 몇몇 건물들은 새로이 불태워지고 있었다. 병사들의 사기를 위해서 약탈과 방화가 허락되고 있었으므로 성 안은 타오르는 불길과 연기로 가득 차 있었고, 적 신라의 가신들과 아녀자들은 병사들에 의해서 유린되고 있었다. 여기저기서 울부짖는 소리, 비명 소리, 남보다도 빨리 아녀자를 건져올려 굶주린 성욕을 채우려는 병사들의 고함 소리와 이미 술에 취한 병사들의 광기들로 성 안은 난무하고 있었다.

성주 품석의 시신은 복수에 불타고 있는 검일에 의해서 성채 밑 부분에서 발견되었다. 품석의 수급은 검일에 의해서 베어졌다.

도독 품석의 수급은 대장군 윤충에게 보내어졌다.

"안녕하신가, 김 공."

술에 취한 윤충이 품석의 수급을 보고 말하였다.

"내 너를 살아서 만나지 못함이 분하고 원통하도다."

윤충이 김품석 옆에 있는 소랑의 수급을 보고 한마디했다.

"그대의 아버지가 김춘추라고 들었는데, 그대의 아버지는 무고하신가."

죽어 있는 사람이 대답하지 못함을 알고 있는 윤충으로서는 대답을 기다렸다기보다는 스스로의 개선을 즐기는 기분이었으리라. 승전의 주연이 벌어지고 있는 자리에서 행하는 대장군의 희롱을 의직은 내심 못마땅해하였다.

의직은 술맛이 떨어지고 있었다.

"적의 도독 품석과 그의 아내 소랑의 수급은 이만 물리도록 하시지요."

선봉장 의직의 말을 듣자 윤충이 비웃는 얼굴로 얼굴을 돌려 그를 노려보았다.

"왜 술맛이 떨어지는가."

"그렇습니다."

"난 이걸 대왕께 가져가겠네. 대왕께서도 그것을 원하시고 계실 것이야. 선대의 원한을 풀었다는 증거로 나는 이 두 모가지를 대왕께 선물로 바치겠네. 미후성에 계신 대왕께 대야성을 함락시켰다는 증거로 이 두 모가지를 소금에 절여 갖고 가겠네. 대왕께서는 이제야 선왕의 한을 풀었다고 흔쾌히 자리에서 일어나 소부리성으로 돌아가실 걸세."

"안 됩니다."

묵묵히 술을 들던 계백이 입을 열었다.

"대야성은 대장군의 말씀대로 이제 우리 수중에 들어왔습니다. 적의 도독은 어쨌든 싸움에 지고 죽었다 하나 죽어서도 도독의 예우는 받아야 한다고 생각합니다. 원컨대 대장군께서는 두 수급을 곱게 목궤에 담아 신라에 돌려보내는 것이 가하다고 생각합니다."

"천만의 말씀."

윤충이 콧수염을 만지작거리면서 머리를 흔들었다.

"우리는 이기고 그들은 졌다. 갑옷 속에 상복을 받쳐 입은 대왕의 마음을 기쁘게 해드리기 위해서라도 나는 이것을 대왕께 가져갈 것이다."

"저 여인은 신라의 김춘추의 딸입니다. 김춘추는 신라 진지왕의 손자이며 막강한 힘을 지닌 신라의 귀족입니다. 이제 만약 우리들이 저들의 수급을 개선의 징표로 가져간다면 반드시 신라는 군사를 일으켜서 원한을 갚으려고 우리가 빼앗은 대야성으로 쳐들어오고, 또한 나라와 나라 간의 커다란 전란이 일어날지도 모릅니다."

윤충은 의직의 말을 듣고 빙그레 웃으면서 술잔을 들었다.

"그것은 우리들이 바라던 바가 아닌가. 오늘 우리는 대야성을 함락시켰다. 하지만 우리의 목표는 이 대야성이 아니다. 저 신라의 국중으로 쳐들어가 왕성을 쳐부수고 신라의 왕을 말먹이의 노예로 만드는 것이 아닌가. 하찮은 신라의 무리들이 군사를 일으킨다 한들 무엇이 두려울 게 있겠는가."

"물론 두렵지는 않습니다."

의직이 떨리는 목소리로 답하였다.

"하지만 김춘추 공이라면 좀 다릅니다. 그는 이찬(伊湌, 신라 17등 관계 중 두 번째 벼슬) 용춘(龍春)의 아들로서 할아버지는 진지왕이었고 어머니는 진평왕의 딸 천명부인(天明夫人)입니다. 또한 신라의 장군 김유신(金庾信)과는 처남 매부 지간의 인척입니다."

윤충도 김춘추와 김유신의 이름은 익히 들어 알고 있었다. 특히 신라의 장군 김유신에 대해서는 오래 전부터 알고 있었다. 십여 년 전 기축년(己丑年)에 신라와 고구려가 낭비성(娘臂城)을 사이에 두고 싸움이 벌어졌을 때 고구려의 기세에 신라가 도저히 당하지 못하고 패하기 직전에 김유신이 아버지 앞에 나아가 투구를 벗고 고하였었다.

"지금 우리 군사가 패하였습니다. 내가 평생에 충효로써 기약하였으니 싸움에 임하여 용맹하지 않을 수 없습니다. 들은즉 옷깃을 들면 갑옷〔皮依〕이 바로 되고 벼리(綱, 그물 위쪽 코를 잡아당기는 동아줄)를 당기면 그물이 펼쳐진다 하니 내가 옷깃과 벼리가 되겠습니다."

말을 마치자마자 김유신이 말 위에 올라 적진을 들락날락하면서 적군을 유린했었다. 이후부터 신라의 장군 김유신에 관한 소문은 고구려와 백제 안에서 파다하게 번져나갔었다.

"싸울 때 싸운다 해도 적에게도 법도가 있는 법이며 지켜야 할 예우는 지켜줘야 하는 법입니다. 이제 대장군께서 두 사람의 수급을 돌려준다 하면 그들도 대야성에서의 패배를 패배로 받아들이겠지만 소금에 절여 수급을 가져가 무덤을 만들 만한 명분마저 앗아간다면 그들은 반드시 군사를 일으켜서 쳐들어오게 될 것입니다."

의직이 분명하게 말을 꺼내었다.

그러자 윤충은 껄껄 웃으면서 답하였다.

"그것은 차라리 내가 바라던 바이다. 김춘추건 김유신이건 그들이 군사를 일으켜서 우리를 감히 엿보려 한다면, 나는 그들의 모가지까지 베어 소금에 절여 대왕께 바칠 것이다. 오늘 대야성을 쳐서 국토를 회복함은 이제 시작에 지나지 않는다. 이제부터 신라와의 싸움은 시작된 것이다."

도독 품석과 그의 아내의 수급은 대장군의 영에 따라 소금에 절여져서 목궤에 담겨졌다.

　대야성을 함락시킨 백제군은 선봉장 의직을 새로이 대야성의 도독으로 임명하고 군사를 풀어 성을 굳게 지키게 하고 곧바로 미후성에서 기다리고 있을 의자왕에게 회군하기 시작했다.

　승전의 소식은 전령에 의해서 이미 대왕께 전해졌고, 의자왕은 성문을 활짝 열어 개선장군을 몸소 맞아들였다. 그날 밤 의자왕은 친히 전 장병들을 세워놓고 갑옷을 벗고 제를 올렸다. 갑옷 밑에 받쳐 입었던 흰 상복에 머리를 풀어헤친 의자왕은 부왕의 영전에 술잔을 받쳐 들고 슬피 울며 곡하였다. 대왕이 곡을 하자 따라 울지 않는 장병이 없었다.

　곡을 끝낸 의자왕은 신령 앞에 흰 종이를 세워들고 말하였다.

　"이제 선왕 대대로의 원한을 풀었나이다. 대대로 내려오던 원한을 이 종이로 태우려 하나이다. 원컨대 신령께오서 한이 풀렸다 생각되오시면 단번에 타올라 이 종이를 태울 일이오, 아직도 한이 남아 원통하고 분하다 생각되오시면 불길을 막아 재를 남기옵소서."

　말을 마친 의자왕은 종이에 불을 붙였다. 소지(燒紙)에 불이 댕겨졌다. 밤이 대낮처럼 밝아지고 수많은 장병들은 숨을 죽이고 불붙은 종이를 노려보았다. 그들은 그들의 빛나는 전공에도 불구하고 행여 어디엔가 부정한 구석이 있어, 신령들이 분노를 일으킬 만한 사실은 없었던가 몹시 걱정하고 있었기 때문이었다.

　그러나 소지는 단번에 타오르고 재 한 줌 남기지 아니하였다.

　올린 소지는 깨끗이 밤하늘로 타올라 사라졌다. 숨죽여 지켜보던 장병들은 일제히 소리 질러 신령에게 감사를 드렸다.

　"선대의 신령들이 우리들의 소원을 들어주셨다. 이제 우리들은 안심하고 돌아갈 수 있게 되었다."

제를 마친 의자왕은 마침내 상중(喪中)의 군대가 그 소기의 목적을 달성했음을 선포하였다.

다음날 백제의 군사들은 온 길을 거슬러서 소부리성으로 빛나는 회군을 시작하였다. 떠날 때는 초여름이었지만 돌아갈 무렵에는 초가을이었다. 불과 3개월도 못 되는 짧은 기간 동안이었지만 그들은 40여 개의 성을 빼앗았으며 마침내는 적의 전진기지인 대야성까지 함락하고 백여 년 전에 빼앗긴 옛 가야제국들의 영토를 모두 탈환한 빛나는 전공을 세우고 돌아가는 길이었다.

왕도(王都)가 가까워올수록 왕의 행렬을 맞는 사람들의 숫자는 늘어만 가고 있었다. 그들은 빛나는 무공을 세우고 돌아오는 젊은 대왕을 맞기 위해서 다투어 길가로 나와서 무릎을 꿇었다.

떠날 때와는 달리 마상 위에 앉지 않고 수레에 앉아서 돌아가던 젊은 의자왕의 가슴에는 환희의 기쁨이 흘러넘치고 있었다. 왕위에 오르자마자 승리를 쟁취한 젊은 왕에게 주어진 빛나는 영광은 너무 성급한 은사(恩賜)가 아니었을까.

2

백제의 군사들이 승전의 기쁨에 도취되어 개선의 행군을 하고 있을 바로 그 무렵에 신라의 왕도 궁성에는 국경을 지키는 봉인(封人)에 의해서 패전의 비보가 날아들었다.

이찬 비담(毗曇)은 이 비보를 접하자마자 이 사실을 어떻게 여왕에게 아뢸 것인가를 고민고민했다.

여왕 치세 12년에 크고 작은 전란이 없었던 것은 아니었다. 백제와도 작은 전란은 있어왔었고, 고구려와는 큰 전란도 있어왔었다.

그러나 뚜렷한 승리는 없었다고 하지만, 그렇다고 뚜렷한 패배 역시 없었다. 이기고 짐은 분명치 않았으니 얻은 것도 잃은 것도 없는 무사무사(無事無事)의 세월이었다.

그만하면 태평성대라고 할 수 있는 세월이었었다.

그러나 이번 대야성의 함락은 치명적인 패배였다. 대야성을 비롯한 40여 개의 성을 빼앗기고 도독 김품석의 수급까지 적군에게 빼앗긴 것은 수치스러운 일이었다. 여왕의 바로 밑에서 대신 염종(廉宗)과 더불어 권력을 장악하고 있는 비담으로서는 패전의 책임이 자신에게 돌아올 것을 두려워하고 있었다.

비담은 여왕에게 아뢰기 전에 염종에게 이 사실을 의논하였다. 비담과 염종은 둘 다 금성 태생으로 중앙귀족 출신들이었으므로 뜻과 마음이 언제나 일치하고 있었다.

"이 비보를 어떻게 알렸으면 좋겠습니까."

대신 염종은 비담의 고민을 전해 듣자 곧바로 답하였다.

"이찬께서는 너무 상심치 마시기 바랍니다."

"상심치 말라니요. 옛 가야국의 모든 영토를 빼앗겼는데두요. 도독 김품석의 수급까지 빼앗겼어요. 이것은 입이 열 개라도 말할 수 없는 비참한 패배입니다."

"패배는 패배입니다."

염종은 솔직히 시인할 것은 시인하였다.

"하지만 도독 품석은 항복하려 했다가 제 스스로 목숨을 끊었다고 하지 않습니까. 부장 죽죽과 용석은 용감히 싸우다가 죽었구요. 패전의 책임은 싸우지도 않고 스스로 성문을 열어 항복하려다가 죽은 도독 김품석이 질 일이지 이찬 어른께서 지실 일은 아닙니다. 더구나 품석은 김춘추의 사위이고 품석의 아내는 김춘추의 딸이 아닙니까."

염종은 비담과 김춘추와의 사이가 원수처럼 나쁘다는 사실을 잘 알고 있었다. 비담은 중앙귀족들의 세력을 대표하고 있는 사람이었고, 김춘추는 역시 중앙귀족 출신이었지만 지방의 토호세력과 옛 가야국에서 흘러들어온 가야 귀족들간에 떠받쳐지고 있는 비교적 나이 젊은 신흥세력을 대표하고 있는 화랑 출신의 대신이었다.

김춘추의 사위 김품석을 먼 지방의 도독으로 보내버린 것도 비담의 치밀한 작전 때문이었고, 어떻게 해서든 김춘추를 중심으로 하는 세력들을 금성의 중앙권력 핵심부에서 먼 곳으로 떨어뜨려 분산시키려 했던 것도 비담의 사전 포석이었던 것이다.

염종의 말은 단비(甘雨)와도 같았다. 품석은 염종의 말대로 싸우려 하지도 않고 제 스스로 성문을 열었으며, 명예롭지 못하고 비겁하게 자살을 했었다. 신라의 명예를 더럽혔고, 화랑의 명예를 더럽혔고, 장인인 김춘추의 명예를 더럽혔고, 결과적으로는 비담의 반대 세력인 신흥 토호세력의 명예를 더럽힌 셈이었다. 패전의 책임은 그러므로 자신이 질 일이 아니라 싸우지도 않고 비참하게 죽은 김품석이 질 일이며, 그의 장인이 질 일이며, 신흥세력들이 질 일인 것이다.

비담은 처음의 근심 걱정과는 달리, 뛸 듯이 기뻐하면서 왕궁으로 들어갔다. 그는 어전에서 여왕을 배알하였다.

"황고(皇姑)마마, 황송하오나 좋지 않은 소식을 아뢰올까 하옵니다."

비담은 비통한 목소리로 여왕 앞에서 입을 열었다. 그의 목소리가 애절하고 슬픔에 가득 차 있었으므로 여왕은 불길한 표정으로 비담을 바라보았다.

"무슨 일인가, 비담 공."

"아뢰옵기 황송하오나 며칠 전 대야성을 백제에 빼앗겼다고 하옵니다. 방금 봉인에게서 급보로 온 소식입니다."

"무엇이."

여왕은 담박 낯색을 흩뜨리면서 놀라는 표정으로 말을 이었다.

"어서 무슨 일인가 상세히 말하도록 하라."

비담은 봉인이 갖고 온 전갈을 낱낱이 여왕에게 고하기 시작했다. 옛 가야의 거의 모든 영토를 백제에게 빼앗겼다는 이야기, 대야성의 도독 품석은 싸우려 하지도 않고 비겁하게 항복하려다가 자진해서 죽어버렸다는 이야기, 품석의 부장 죽죽과 용석만이 분투하다가 전사하였다는 이야기 등을 상세하게 일러 고하였다.

비담을 통해 모든 이야기를 전해 듣고 나자 여왕은 얼굴에 눈물을 흘리면서 길게 탄식을 하였다.

"이 어인 변고인고, 이제 무슨 얼굴로 선조들의 면면들을 마주할 수 있을 것인가. 선대의 빛나는 위업들이 내 당대에 이르러 그 빛을 잃어버리고 말다니, 슬프고 원통하도다."

여왕의 얼굴에서 흐르는 눈물이 갑자기 자리를 숙연하게 만들었다. 상대등(上大等) 수품(水品)을 비롯한 대신들은 신하의 앞에서 눈물을 흘리는 여왕의 애통한 태도에 어쩔 줄 몰라했다.

나라가 터를 닦은 이래로 위에 여왕이 등극한 것은 유사 이래 없는 일이었지만, 신하의 앞에서 왕이 눈물을 보인 것도 처음 있는 일이었다. 그만큼 여왕은 위에 오른 지 10년 동안, 여자의 몸으로도 풍전등화의 위기를 태연하게 버티고 꿋꿋이 전국을 다스려나아가고 있었던 것이었다. 신하들은 여왕의 비애가 자신들의 죄인 것만 같아서 몸둘 바를 몰라했다.

"대야성의 성주 이찬 김품석은 춘추 공의 사위가 아닌가."

어느 정도 슬픔이 가라앉자, 여왕은 상대등 수품을 돌아보면서 물었다.

"그렇습니다. 김품석의 아내 소랑은 이찬 춘추 공의 여식이었습니다."

"딸과 사위를 잃은 춘추 공의 슬픔이야 일러 무엇하겠는가. 하늘이 무너지고 땅이 꺼진 것 같을 것이다. 춘추 공은 지금 어디에 있는가."

대신들은 서로 얼굴만 마주 볼 뿐, 누구 하나 나서서 대답하는 사람은 없었다. 그들 역시 이 자리를 빌려 처음으로 대야성이 함락되었다는 비보를 전해 들었으므로, 이찬 김춘추의 소식을 알고 있는 사람은 없었다.

"그를 당장 불러들이도록 하여라. 또한 용감하게 싸우다 죽은 죽죽에게는 급찬(級飡)을, 용석에게는 대내마(大奈麻) 벼슬을 내리고 그의 가족들은 모두 왕도에 들어와 함께 살게 하여라. 그리고 대장군 알천(閼川)은 어디에 있는가."

"대장군 알천은 우두주(牛頭州)에 순시를 나갔다고 하옵니다."

"그에게 사람을 보내어 곧 왕도에 들라 일러라. 알천에게 명하여 곧 군사를 일으키도록 하여라. 내 반드시 가까운 시일 안에 백제에 빼앗긴 성들을 되찾고 적장의 목을 베어 원수를 갚고, 선조들의 위업을 계승해나갈 것이다."

여왕이 내전으로 사라지자 상대등 수품이 비담을 향해 입을 열어 꾸짖었다.

"비담 공은 어찌 우리와는 아무런 상의 없이 홀로 이러한 사실을 황고마마에게 직접 고했는가."

수품은 비담의 고함이 충정에서 나왔다기보다는 개인의 사욕에서 나왔음을 잘 알고 있었다.

"이런 흉보들은 여러 대신을 불러 뜻을 모으고 중지(衆智)를 받들어 고함이 상책이 아니겠는가."

그러나 비담은 비담대로 비위가 몹시 상해 있었다. 물론 이찬인 자신의 지위보다는 상대등인 수품의 지위가 훨씬 높았으므로 그의 말대로 여러 대신들과 의논하고 중지를 모아 왕에게 고하는 것이 옳은 도리인 줄은 잘 알고 있었다.

그러나 지위만 높았을 뿐 실권은 이미 비담이 장악하고 있었다. 수품은 나이가 들어서 가끔 정신이 혼미하였지만 예우하는 뜻으로 비담을 비롯한 중앙귀족들에게서 옹립되고 있는 노대신에 불과하였던 것이다.

비담은 자신이 김춘추의 사위인 김품석에 대한 용렬하고 비겁한 배신 행위를 간하였음에도 불구하고, 여왕은 오히려 그를 꾸짖고 배신자의 장인인 김춘추를 꾸짖기 전에 춘추 공의 안위를 묻고 그를 위로하고 있지 않은가.

"여왕은 왕이 아니다."

비담은 오래 전부터 생각해온 흉중의 분노를 되새기면서 중얼거렸다.

여왕은 치마를 두른 할멈〔老嫗〕에 지나지 않는다. 사람으로 말하면 남자는 높고 여자는 낮거늘 어찌 계집을 세워 국가의 정사(政事)를 재단케 할 수 있겠는가. 덕만(德曼, 선덕대왕의 이름)은 계집이지 왕이 아니다.

비담은 노재상 수품의 말에 벌컥 역정을 내면서 말을 받았다.

"국가의 안위가 달린 화급한 전갈을 고하는데 앞뒤를 가릴 것이 있겠소이까. 시간을 다투는 화급한 일에 위아래가 따로 있겠소이까. 상대등께서는 공연히 나무라지 마시오."

상대등 수품의 얼굴이 분노로 경련하고 있었다. 아무리 실권이 비담에게 넘어가 있고 모든 정사의 힘을 비담이 쥐고 있다고는 하지만 어쨌든 상대등의 지위가 아닌가.

대신 염종이 수품의 뜻을 헤아려 넌지시 간하였다.

"너무 비담 공만 나무라지 마십시오. 상대등 어른. 비담 공은 할 도리를 다하였습니다."

그날 비담은 왕궁을 물러나오면서 서라벌의 가을 하늘 저편으로 물들어가는 저녁 석양을 물끄러미 바라보았다. 비담은 발길을 멈추고 오랫동안 낙조를 바라보면서 그 저물어가는 낙조의 핏빛 놀이 망해가는 신라의 운명인 것만 같아 못내 마음에 걸리고 있었다.

"아아."

비담은 길게 탄식하면서 중얼거렸다.

"시조(始祖)께서 커다란 알(大卵)에서 나와 박씨를 성으로 삼으시고 나라를 일으켜 국가를 창건하신 이래 이처럼 나라가 바람 앞의 꺼져가는 등불인 때는 없었다. 북으로는 고구려, 서로는 백제의 두 강국이 언제나 바다를 등져서 더 이상 물러설 곳이 없는 신라를 압박하고 있었지만 오늘날처럼 나라의 운명이 위태로울 때는 없었다."

이것은 모두.

비담은 이를 악물면서 결심했다.

치마 두른 여왕의 탓이다. 언젠가는 내 손으로 여왕 덕만의 목을 베고 계집의 품에서 놀아나고 있는 국가를 바로 세울 것이다. 양(陽)은 강(剛)하고 음(陰)은 유(柔)하거늘 어찌 유한 계집이 규방(閨房)을 나와서 국가의 정사를 재단할 수 있을 것인가. 언젠가는 내, 너 치마를 두른 요사스런 여왕 덕만의 목을 벨 것이다.

며칠 후 김춘추는 여왕의 부름을 받았다.

김춘추는 대야성에서의 비보를 전해 듣고 닷새 낮밤을 아무것도 먹지 않고 마시지 않고 듣지 않고 보지 않으며 어두운 방에 홀로 틀어박혀서 때로는 울고 때로는 침묵하고 때로는 자기의 머리카락을 쥐어뜯고 때로는 탄식하면서 식음을 전폐하였었다.

김유신이 그를 위로하러 다녀갔으나 그는 그를 문 안에 들여놓지 아니하였다. 부인이자 김유신의 누이인 문희(文姬)조차도 김춘추는 방에 들이지 아니하였다.

　김춘추는 처음에는 자신의 사위이자 성주였던 김품석이 싸우려 하지도 않고 제 스스로 성문을 열어 나가려고 했음을 전해 듣고 몸을 떨면서 수치스러워했었다. 그러나 그의 딸과 그의 손자들이 사위의 손에 직접 초개처럼 베어져 죽었음을 전해 듣고는 이를 슬피 여겨 머리를 풀고 밤을 세워 통곡을 하였다.

　슬피 울다 지친 새벽녘 그는 잠시 잠이 들었는가, 아니면 생시인가 분명치 않은 순간에 스르르 덧문이 열리더니 사위와 딸과 어린 손자들의 유령들이 손을 잡고 들어오는 것을 보았다. 어린 손자들은 무엇이 좋은지 방긋방긋 웃고 있었지만 온 옷이 붉은 피투성이였다. 그러나 사위와 딸은 가엾게도 목이 떨어져 없었다. 사위와 딸의 유령은 목은 없고 몸뚱아리만 남아 있을 뿐이었다.

　"저승으로 가기 전에 마지막으로 아버님께 인사하러 들렀다 갑니다."

　머리가 없는 딸의 유령이 그에게 무릎을 꿇고 절을 올렸다.

　김춘추는 자신의 면전에서 무릎을 꿇어 하직의 인사를 올리는 목 없는 사위와 딸의 유령을 보았다.

　"언젠가는 빼앗긴 목을 찾아 온전하게 눈을 감고 잠들도록 해주옵소서."

　마지막 작별인사를 고하는 사위 김품석은 그것이 자신이 살고 있던 현세에 대한 마지막 한과 소원인 것처럼 말씀드리고 나서 슬피 울기 시작했다. 그 곡성은 새벽닭이 울 때까지 계속되었다.

　새벽닭이 거푸거푸 울고 새벽 여명이 덧문 사이로 물처럼 배어들자 유령들은 연기처럼 녹아 사라지고 김춘추는 그만 피를 토하고 혼절하고 말았었다.

하루 낮이 지난 후에야 깨어난 김춘추는 다시 피를 토하였다.

처음의 수치스러움이, 그리고 애절한 슬픔이 이번에는 분노로 변하고 말았다. 딸과 사위 그리고 귀여웠던 손자들을 죽인 사사로운 분노와 개인의 감정은 서서히 국가에 대한 감정으로 확대되어가고 있었다.

딸과 사위의 원수를 갚아야 한다는 사사로운 감정은 곧 국가의 안위에 대한 걱정과 근심으로 확대되었다. 반도의 변방에 위치한 신라는 북으로는 고구려의 압박을 받아왔었고 서쪽으로는 백제의 압박을 받아왔었다. 더 이상 물러설 곳이 없는 신라로서는 전쟁은 곧 생존, 그 자체였다.

국가가 창시된 이래로 몇 번의 예외를 제외하고는 고구려와 백제는 언제나 손을 잡고서 동맹관계를 유지하고 있었다. 신라가 살아남기 위해서는 어떻게든 강대국이었던 고구려와 백제 사이에서 때로는 고구려와 때로는 백제와 손을 잡지 않으면 안 되었다. 그 사이에서의 힘의 균형을 취하는 것은 나라의 운명이 걸린 위태로운 줄타기와 같은 것이었다. 이 아슬아슬한 줄타기에서 나라가 멸망하지 않고 아직까지 보존될 수 있었던 것은 기적과 같은 일이었다.

그러나 이제는 막바지에 이르게 되었다.

김춘추는 탄식을 하면서 중얼거렸다.

북으로는 고구려와 싸우고 서쪽으로는 백제와 싸우게 되었다. 지금까지는 고구려와 싸울 때는 백제와 손을 잡고, 백제와 싸울 때는 고구려의 손을 잡았었다. 이처럼 한꺼번에 고구려와 백제를 상대로 싸워본 적은 일찍이 없었다.

더구나 수(隋)나라와 싸워 이를 물리친 고구려는 더 이상 북쪽의 한(漢)족들과의 싸움을 원치 않고 있었다. 고구려와의 싸움에서 국력을 소모시킨 수나라는 마침내 반란이 일어나 당(唐)나라에 의해서 멸망해버렸다.

비록 수를 이긴 고구려였지만 고구려 자체도 국력의 낭비는 대단한 것이었다.

때문에 고구려는 당나라가 서자 당나라와는 화친정책을 수립하고 그 대신 시선을 남으로 돌려 남진정책을 취하기 시작했다.

그들은 80년 전 신라의 진흥왕 때에 빼앗긴 한수(漢水, 한강) 유역의 땅을 탈환하기 위해서 신라를 위협하고 있었고 백제는 백제대로 원래 자신들의 영토와 다름없었던 낙동강 유역의 땅을 탈환하기 위해서 신라를 위협하고 있었던 것이다.

김춘추는 눈을 들어 밤하늘의 어둠을 노려보았다. 어쩔 것인가. 국가의 운명은 벼랑에 걸린 바윗돌과 같다.

닷새 낮 닷새 밤을 김춘추는 문을 걸어잠그고 나오지 아니하였다. 처음에는 사사로운 수치와 분노와 슬픔이 차차 확산되어 국가의 안위에 대한 근심과 걱정으로 김춘추는 잠을 이룰 수가 없었다.

이제 그의 나이는 40세에 접어들었으며 세상일을 보는 눈이 이제는 젊은 날의 혈기와 의분으로만 가득 차 있을 청년기는 지나 있었다.

이제는 오히려 매사가 신중하고 분수를 헤아리며 유혹에 넘어가지 않는 장년기에 접어들어 있는 나이였었다.

덧문을 열어제친 밤하늘에는 유난히 수많은 별들이 붙박혀 있었다. 때도 아닌데도 이따금 유성(流星)들이 꼬리를 끌면서 하늘을 가로질러 흘러내리고 있었다.

나라의 운명이 저와 같은 별처럼 잠시 밤하늘에 떠서 반짝였다 수명을 다해서 죽어버리는 것이 아닐까. 김춘추는 초조하고 근심스러워서 애간장이 끊어지는 듯하였다.

닷새 밤 닷새 낮이 지나고 엿새째가 되는 날 아침 김춘추는 여왕에게서 급히 왕궁으로 들어오라는 전갈을 받았다.

김춘추는 서 말의 쌀밥을 먹고 꿩 아홉 마리를 반찬으로 구워 밀린 식사를 끝낸 후 목욕재계를 하는 것으로써 때를 벗기고 더러운 몸을 닦아 예를 갖추었다.

예를 갖춘 김춘추는 왕궁으로 들어갔다. 여왕은 그를 친히 어전에서 맞아들였다.

"어서 오시오, 김 공."

여왕이 김춘추를 대하는 데에는 남다른 데가 있었다. 그도 그럴 것이 여왕의 아우가 바로 김춘추의 어머니로, 그러니까 여왕에게 있어 김춘추는 아주 가까운 피붙이였기 때문이었다. 오늘날의 촌수로 이야기한다면 이질(姨姪)간의 인척인 셈이었다. 게다가 김춘추의 어머니 천명(天命)은 유난히 어렸을 때부터 여왕 덕만과 각별한 사이였다.

"듣자하니 김 공은 일전의 흉보로 식음을 전폐하고 두문불출하고 있다고 전해 들었는데 너무 상심치는 마시오. 인륜(人倫)의 일들은 사람이 주관하는 것이 아니라 하늘의 뜻이므로 너무 슬퍼하거나 서러워할 것은 못 됩니다, 김 공."

김춘추를 향한 여왕의 위로에는 따사로운 혈육의 정이 넘쳐흐르고 있었다. 김춘추는 묵묵히 고개를 숙이고 여왕의 성음을 듣고 있었다.

"김 공의 원수는 내가 대신 갚아주겠소. 내가 우두주(牛頭州, 오늘의 홍천)에 나가 있던 대장군 알천을 불러 궁 안으로 들라 일렀소. 오늘이나 내일이면 알천은 금성으로 돌아올 것입니다. 돌아오는 즉시 군사를 일으키라 명하여서 빼앗긴 성을 도로 되찾고 제왕 의자의 수급을 베어, 내 김 공의 원수를 갚아주리다."

묵묵히 듣고 있던 김춘추가 고개를 들어 간하였다.

"이제 대장군으로 하여금 군사를 일으킴은 불가하다고 생각되옵니다. 이미 북변(北邊)의 칠중성(七重城, 오늘의 적성)을 상대로 고구려의 병들과 대치하고 있는 군사만으로는 힘에 벅찬 실정이옵니다. 만약 빼앗긴 옛 가야의 강토를 되찾기 위해서 다시 군사를 일으키려 한다면 국력은 고갈되고 민심은 흉흉하게 될 것입니다. 우리나라로서는 한꺼번에 고구려와 백제 두 나라를 상대로 싸울 수는 없다고 생각합니다."

"물론 그렇긴 하지요, 춘추 공."

여왕이 고개를 끄덕이면서 수긍을 했다.

"그러나 어쩔 수 없이 이번에는 두 나라를 상대로 한꺼번에 싸울 수밖에 없게 되었소. 두 나라는 서로 불가침의 동맹을 맺고 우리를 한꺼번에 압살시키려고 획책하고 있는 것이오. 벌써 오늘 아침에도 좋지 않은 비보가 날아들어왔소. 백제와 고구려가 서로 공모하여 당항성(黨項城, 화성군 남양면)을 취하려고 쳐들어왔다는 전갈이 들어와 있소. 얼마 안 가서 당항성마저 적에게 빼앗긴다면 이제 어느 바닷길로 해서 당으로 통할 수 있단 말인가."

여왕은 비통한 목소리로 한탄하였다.

"나라의 운명이 일촉즉발의 위기에 봉착하고 있소, 춘추 공."

여왕의 탄식으로 어전의 분위기가 일순에 암울하게 변하여버렸다.

"한꺼번에 고구려와 백제 두 나라를 상대로 싸우기에는 힘이 벅차고, 힘이 달린다는 것을 모르는 것은 아니지만 이대로 앉아서 당할 수만은 없지 않겠소. 내 반드시 제왕의 목을 베어 나라의 운명을 위기에서 구해내고, 춘추 공의 원한을 갚아주겠소. 힘이 모자란다면 친히 황룡사(皇龍寺)에 나아가 불도(佛道)의 길을 닦고 불법의 힘을 빌려서라도 내 반드시 이 원수를 갚을 것이오."

"황고마마."

김춘추가 고개를 들어 입을 열었다.

"옛 손자(孫子)의 병법(兵法)에 다음과 같은 말이 있습니다. 대체로 전략은 적국을 온전한 채로 포섭하는 것이 최상이며, 적의 국토를 파괴하고 얻는 것은 차선이라 하였습니다. 또 적의 군단을 온전한 채로 포섭하는 것이 최상이며, 그것을 파괴하여 얻는 것은 차선이라고 하였습니다. 그러므로 백전백승이 결코 최상의 방법이 아니라 싸우지도 않고 이기는 것이 최상의 방법이라고 말하였습니다. 손자는 또 최상의 전략은 적의 모략을 사전에 분쇄하는 일이요, 그 다음이 외교관계를 파괴하는 일이라 하였습니다. 손자는 가장 낮은 최하의 방법이 군사를 일으켜 적을 정벌하고, 적의 요새를 공격하는 일이라 하였습니다. 황고마마, 이제 저희가 할 수 있는 최상의 방법은 군사를 일으켜 한꺼번에 두 나라를 상대로 승산이 없는 싸움을 벌일 일이 아니라, 싸우지도 않고 이길 수 있는 방법을 구하는 일일 것입니다."

"싸우지 않고 이길 수 있는 방법이 있다면 내 무엇을 망설이겠는가. 공은 무슨 묘안이라도 갖고 있는가. 어서 일러 말하도록 하라."

김춘추는 닷새 낮 닷새 밤을 정침(正寢)에 앉아서 궁리하고 연구하였던 생각을 토해놓기 시작했다.

"가만히 앉아서 삼국을 둘러 바라보온즉 오늘날처럼 삼국의 이해가 날카롭게 엇갈리고 첨예하게 대치되어 있었던 적은 일찍이 없었습니다. 고구려의 왕 건무(建武)는 왕에 오르기 전에 벌써 을지문덕(乙支文德)과 더불어 수와 싸움을 벌여오는 데 지쳐서 왕위에 오르자마자 당과 화평을 맺고 북진정책을 철폐했습니다. 대신 남진정책을 벌여 고구려가 수나라를 상대로 싸울 때 우리 신라가 취한 한수 유역의 땅을 되찾기 위해서 혈안이 되어 있습니다. 백제의 왕 의자는 연전에 부왕을 잃고 위에 오르자마자 구토의 복원을 필생의 사업으로 삼고 상복을 갑옷 속에 받쳐 입고 낙동강 유역의 땅을 공격하고 있습니다. 고구려와 백제가 이처럼 같은 이해와 같은 목적으로 합심해서 신라를 쳐들어온 적은 일찍이 없었습니다. 두 나라의 이해가 함께 합치되는 한 우리가 군사를 일으켜 맞싸우려 한다면 우리는 반드시 패배하게 될 것입니다. 이제 우리들이 취할 최상의 방책은 군사를 일으켜 맞싸울 일이 아니라 두 나라의 모략을 사전에 분쇄하고 서로의 이해를 엇갈리게 한 다음 두 나라의 외교관계를 파괴해야 할 일일 것입니다. 신라가 승리하기 위해서는 우선 두 나라 간의 선린을 파괴하고 이간시켜야 합니다. 두 나라의 사이를 떼어놓고 서로 서로를 미워하게 할 수만 있다면 우리는 싸우지 않고서도 승리할 수 있을 것입니다. 황고마마, 물론 두 나라의 사이를 떼어놓기는 쉽지 않으리라 생각되옵니다. 그러나 머리를 들어 바라보면 두 나라가 모두 신라의 적이라 할지라도 제1의 적과 제2의 적으로 경중을 나눌 수 있을 것입니다. 신(臣) 춘추의 생각으로는 백제와 고구려 중 백제를 제1의 적으로 생각할 수 있을 것이고 고구려를 제2의 적으로 생각할 수 있을 것입니다. 그러므로 신이 고구려에 봉사(奉使)하여 그곳으로 찾아가 두 나라의 화평을 깨뜨리고 두 나라 사이를 이간시켜 적을 적의 힘으로 쳐서 싸우도록 유도하고 돌아올 것입니다. 만약 황고마마께서 윤허하여주시온다면 신 춘추는 군명(君命)을 받들어 이제 당장이라도 고구려로 들어가 왕 건무를 만나 세 치의 혀로 설득하고 고구려의 군사를 청하여 함께 백제를 치도록 설득하여보겠습니다. 원컨대 황고마마께서는 신의 청을 물리치지 마시고 허락하여주옵소서."

김춘추는 여왕 앞에 부복하여 청을 드렸다. 여왕은 입을 열어 말하지 아니하고 오랫동안 침묵을 지키면서 무엇인가를 숙고하고 있었다.

"이찬 춘추 공이 고구려로 세객(說客)이 되어 들어가려 함은 섶을 지고 불 속에 뛰어드는 일일 것이다."

오랜 침묵 끝에 여왕은 입을 열어 답하였다.

"여왕(麗王) 건무는 반드시 춘추 공을 산 채로 돌려보내지는 않을 것이다. 국서(國書)를 받들어 봉사한다 해도 그들은 반드시 공의 생명을 노릴 것이다. 내 어찌 죽음의 길로 공을 인도할 것인가."

"나라의 운명이 바람 앞에 등불이옵니다. 어찌 일신의 안위를 꾀하고 일신의 안락을 구하겠습니까. 신이 고구려에 들어가 비록 죽음을 당할지 모른다 해도 그들의 마음을 움직여 백제와의 관계를 끊게 될지도 모르는 일입니다. 황고마마께서 군사를 일으키려 하신다면 신의 일이 성공이 되건 실패로 끝나건 그런 연후에 일을 도모해도 늦지 않으리라 생각됩니다."

김춘추는 부복하여 말을 이었다.

"청컨대 황고마마께서는 소인이 고구려로 국서를 받들어 들어갈 것을 윤허하여주옵소서."

여왕은 묵묵히 아무런 말도 하지 않았다. 여왕으로서는 김춘추의 충정을 모르는 것은 아니었으나, 그의 가는 길이 워낙 험로라는 것을 알기 때문에 선뜻 입을 열어 이를 허락할 수는 없는 일이었다.

"나라의 운명이 백척간두에 이르렀습니다. 공연한 궁리로 시간을 지체한다면 나라의 사직은 존망의 지경에 이르고 말 것입니다."

"내가 이를 윤허한다면 김 공은 언제 고구려의 왕경(王京)으로 출발할 것인가."

여왕은 오랜 침묵 끝에 결심한 듯 입을 열었다.

"황고마마께오서 이를 윤허하신다면 궁성을 빠져나가는 즉시 떠날 채비를 차리겠나이다. 원컨대 마마께오서는 소인이 세객이 되어

국서를 받들어 고구려로 들어감을 여러 대신들에게 비밀로 해주옵
소서. 궁 안팎으로는 적국들과 내통하는 첩자들이 분명히 있을 것인
즉 만약 소인의 밀행이 그들에게 알려진다면 첩자들에 의해서 미리
적국으로 비밀이 새어들어가 서로 방비하고 모략을 획책하고 있을
지도 모르는 일이옵니다. 만약 황고마마께서 이를 허락해주신다면
소인은 쥐도 새도 모르게 단 한 사람의 몸종만을 데리고 고구려의
경내로 들어가겠나이다."

"알겠소, 김 공."

긴 침묵 끝에 마침내 여왕이 입을 열었다.

"가시오, 김 공. 내 이를 허락하였소. 그대의 충정이 하늘을 찌르
니 내 어찌 이를 마다할 것인가. 떠나시오, 김 공. 그러나 부디 온전
히 몸을 구하여 무사히 돌아오시오."

그날 김춘추는 여왕이 고구려 왕 건무에게 보내는 국서를 전해 받
고 왕궁을 빠져나왔다. 왕궁을 빠져나와 주작대로(朱雀大路)를 걸어
가는 김춘추의 마음은 형언할 수 없는 갈등으로 흔들리고 있었다.

닷새 낮 닷새 밤을 홀로 정침에 앉아서 궁리한 결과대로 여왕의
허락을 얻어낸 셈이었다. 그러나 이 밀사의 잠행이 얼마나 어렵고
힘든 일인가를 김춘추는 잘 알고 있었다. 소기의 목적대로 여제(麗
濟)의 동맹을 깨고, 둘 사이를 이간질시켜서 고구려에게 함께 백제
를 칠 수 있는 군사를 청병해 이를 성공시키는 일은 몹시 힘들고 어
려운 일이다.

그러나 이를 성공시켜야 한다.

김춘추는 소리를 내어 중얼거렸다.

"이를 성공시키지 않으면 나라는 멸망하고 만다. 그러므로 고구
려로 사절이 되어 들어가는 것은 빼앗긴 땅을 되찾고 마침내 백제를
정복하거나 굴복시키려는 뜻이 아니라 오직 나라가 백척간두의 위

태로움에서 벗어나 어떻게 해서든 난세에서 꿋꿋이 버티고 살아남을 길을 모색하는 자구책에 지나지 않는다. 어떻게 해서든 이 위기를 벗어나야 한다."

왕궁을 나와 집으로 향하는 김춘추의 마음은 무거운 사명감으로 착잡하게 가라앉고 있었다.

어느덧 세월은 늦가을로 접어들어 산야의 나무들은 붉고 푸른 단풍으로 변하였고 저무는 하늘가에는 무심한 기러기 떼들이 삼삼오오 짝을 지어 어두워져가는 저녁 하늘을 어지러이 날아가고 있었다. 철모르는 왕경의 어린아이들이 거리로 쏟아져 나와서 소리를 지르면서 뛰어놀고 있었다.

철모르고 뛰어노는 아이들을 바라보느라고 잠시 발길을 멈춘 김춘추는 전란에 휩쓸려 어미와 아비를 잃고 방황하는 그 아이들의 모습을 상상해보는 순간 몸서리를 치면서 갈 길을 서둘렀다.

그날 신라와 당나라를 잇는 서해의 요충지 당항성은 고구려와 백제의 동맹군에 의해 완전히 함락되었다.

그날 밤 김춘추는 아내 문희 부인에게 다음날 날이 밝으면 먼 길을 떠난다고 이르고, 밤이 새기 전에 채비를 차리라고 일러두었다. 그는 아내에게도 자신의 행선지를 알려두지 않는 편이 비밀을 지키는 첩경이라고 믿고 있었다.

"언제 돌아오실 예정인가요?"

문희 부인은 의아한 표정으로 물었다. 어디로 가는지, 언제쯤 돌아오는지, 가는 목적이 무엇인지 대충 그 뜻을 헤아려야만 갈 채비가 달라질 것이 아니겠는가. 그러나 김춘추는 대수롭지 않게 말을 흐렸을 뿐이었다.

"빠르면 한 달, 두어 달, 아니면⋯⋯."

아니면, 영영 돌아오지 않을지도 모른다는 말을 김춘추는 끊어 삼켰다.

"이제 곧 엄동설한인데."

말을 흐려 얼버무렸지만, 남편의 거동과 말 속에서 심상치 않은 뜻을 갈파한 문희 부인은 더 이상 캐어묻지 않았다.

당항성이 백제와 고구려의 동맹군에 의해서 함락되었다는 비보는 김춘추의 마음을 더욱 조급하게 만들고 있었다. 이제까지는 고구려는 고구려대로, 백제는 백제대로 일방적으로만 신라를 공격하고 있었다. 그러나 마침내 고구려와 백제의 동맹군들은 서로 힘을 합쳐서 신라를 협공해 쳐들어오고 있지 않는가. 당항성이 여제 연합군에 의해서 함락되었다면, 이제 당나라로 향하는 뱃길은 끊어진 셈이었다. 당나라로 향하는 뱃길을 끊어버린 것은 최후의 혈로를 미리 끊어놓으려는 심산이다. 이제 그들은 힘을 합쳐서 물밀듯이 신라의 국중으로 달려들어 올 것이다.

시각을 다투지 않으면 안 된다. 촌음을 아끼지 않으면 안 된다.

김춘추는 몰래 단 한 사람의 가신(家臣)인 훈신(訓信)을 불러 말하였다.

"사찬(沙飡) 훈신은 들으라. 내일 아침 동트기 전에 나는 먼 길을 떠나려 한다. 수행할 사람은 오직 사찬 그대뿐이다. 미리 말해두지만, 떠나기 전 그 누구에게도 이 사실을 말하면 안 된다. 어디로 가는지, 왜 무엇 때문에 가는지는 길을 떠난 연후에 가르쳐주겠다. 만약 미리 이 사실을 그 누구에게든 일러 비밀이 새거나 알려진다면 그대의 목을 베어 참하리라. 알겠는가."

"알겠습니다. 이찬 나으리."

훈신은 김춘추가 특별히 아끼는 가신 중의 한 사람이었다. 무예가 뛰어나고, 머리가 영특하면서도 입은 바위처럼 무거웠다. 주인인 김춘추를 신처럼 받들어 모셨으며, 비록 하찮은 8위의 사찬 벼슬이나

마 내려준 주인 김춘추를 하늘처럼 알고 있었다. 훈신은 물러나오는 즉시 마구간으로 달려가 내일 아침 여명에 타고 갈 말을 골라 배불리 먹였다.

김춘추는 소중히 여왕으로부터 직접 받은 국서를 품안에 모시는 한편, 조그마한 단도 하나를 따로 준비해두었다. 일이 뜻대로 되지 않아 적들에게 사로잡혀 포로가 되어 죽을 바에는 스스로 심장을 찔러 자진해서 죽어버리기 위한 비상 무기였다.

돌연 대야성에서 죽은 딸의 모습이 눈앞에 선명히 떠올랐다. 일이 그릇된다면, 나도 딸처럼 제 심장을 찔러 자진해서 죽지 않으면 안 될 것이다. 순간, 문 밖에서 아내 문희 부인의 목소리가 화살처럼 날아왔다.

"오라버니가 오셨습니다."

김춘추는 엉겁결에 손에 들린 단도를 칼집 속에 꽂아 품안에 집어넣으려 했다. 거의 동시에 문이 열리고 문희 부인의 오라버니인 유신 공이 들어왔다.

김춘추는 성급히 단도를 치우느라고 칼집 속에 들어 있는 칼을 그만 방바닥에 떨어뜨리고 말았다. 칼은 소리를 내면서 바닥에 굴러 떨어졌다. 김유신은 물끄러미 단도를 내려다보았다.

"웬 칼입니까. 국인(國人)께서 나를 척살(刺殺)이라도 하실 건가요."

김유신은 껄껄 웃으면서 앉았다. 김춘추는 말없이 칼을 주워 칼집에 꽂아 품속에 집어넣었다.

"들자하니 공께서는 압양주(押梁州, 오늘의 경산)의 군주(軍主)가 되셨다면서요."

김춘추는 화제를 바꾸기 위해서 김유신을 쳐다보면서 물었다. 그것은 며칠 전에 김유신이 당주(幢主)에서 군주로 승진했음을 기리는 뜻을 담고 있었다. 압양주는 왕경 바로 밑의 중요한 요충지대였다.

"그렇습니다. 국인."

껄껄껄껄 웃으면서 김유신은 대답했다.

"이 모든 것이 다 국인의 덕분입니다."

8살 연상의 김유신은 김춘추를 공(公)이라고 부르지도 않았다. 그는 김춘추를 꼭 국인이라고 부르고 있었는데, 이는 김춘추를 보다 높여 부르는 존칭이었다. 김유신은 김춘추를 손아래 누이동생의 남편으로 생각하기보다는, 또 같은 시대를 살아가고 있는 같은 귀족이라고 생각하기보다는 타고난 경략가로 높여 생각하고 있었다. 언젠가는 구국의 인물로 떠오를 것을 김유신은 예견하고 있었다. 사람을 식별하는 능력이 탁월하고, 용병에 능한 김유신으로서는 김춘추의 인물 됨됨이를 이미 그가 용화향도(龍華香徒)였을 때부터 꿰뚫어보고 있었다. 김유신은 나라가 살아남기 위해서는 무(武)의 힘만으로는 절대로 불가능하다는 사실을 깊이 깨닫고 있었다. 평생 무로 국가를 수호하려고 뜻을 세운 김유신으로서는 자신의 무로써는 이룰 수 없는 고도의 정치 경략을 갖춘 인물이 있을 때 비로소 문과 무의 균형이 맞아 조화를 이룰 것을 잘 알고 있었다.

고구려는 무의 나라이고, 백제는 문의 나라이다.

그것이 김유신의 무인으로서의 철학이었다.

그러므로 고구려는 강하나 부러지기 쉽고, 백제는 화려하나 무너지기 쉽다. 신라가 살아남기 위해서는 문과 무의 조화를 이뤄야 한다. 그 문을 대표할 수 있는 인물이 바로 김춘추였다.

김유신은 김춘추가 탐이 나서 계략으로 그를 자신의 누이동생의 남편으로 삼았다. 혈연의 끈으로 동맹을 맺음으로써 미구에 있을 난세를 예비해 힘을 낭비하지 않고 집중시키기 위함이었다.

"그러나 저러나 국인께서는 내일 아침 먼 길을 떠나신다면서요."

김유신은 긴 수염을 어루만지면서 대수롭지 않게 지나가는 말투로 물었다.

"누가 그러던가요. 부인이 그러던가요."

떨리는 목소리로 김춘추가 말을 받았다.

"아, 아닙니다. 국인. 오늘 당항성이 함락되었습니다. 당항성마저 빼앗겨 당나라와의 발길마저 막히면 적들은 국중을 자기의 안마당처럼 쳐들어올 것입니다. 오는 길에 집 마당에서 국인의 말이 배불리 먹이를 먹고 있는 것을 보았기에 이상하게 생각하였지요. 단도는 어인 일로 품으시려 하십니까? 국인. 국인이 떨어뜨린 단도를 보고 직감했지요. 당항성마저 빼앗긴 이즈음 국인께서는 그냥 앉아서 난국을 걱정만 할 리는 없다. 뭔가 말에 먹이를 먹여 밤을 도와 말을 타고 길을 떠나려 할 것이다, 그 짐작은 그 칼을 보고 확연해졌던 것입니다. 국인, 내 생각이 맞다면 아마도 국인께서는 내일 아침 고구려로 떠나려는 것이 아닌가요."

흰 눈썹 속에 가려진 두 눈빛이 번득이며 빛났다.

김춘추는 무거운 침묵으로 아무런 대답도 하지 않았다.

"내 말이 맞소이까, 국인."

"아닙니다."

김춘추는 낯색 하나 흐트리지 않고 대답하였다.

"나는 고구려가 아니라 백제로 들어갑니다."

그러자 김유신이 큰 소리로 웃었다.

"그럴 리가 없습니다. 국인, 나를 속이려 하지 마시오. 나는 적국의 첩자는 더더욱 아닙니다. 국인께서 고구려로 먼 길을 떠나심은 손바닥을 보듯이 명명백백한 일입니다."

"어떻게 그렇게 생각하십니까, 김 공."

김춘추가 태연한 표정으로 물었다. 그러자 김유신이 웃음을 멈추고 진지한 얼굴로 대답했다.

"고구려의 왕 건무는 수나라와의 항쟁으로 전쟁이라면 지긋지긋하게 염증을 느끼고 있소이다. 고구려의 왕 건무가 염전(厭戰)하고 있는 이상 백제의 왕 의자보다는 타이르기가 쉽겠지요. 건무는 직접 마상 위에 올라 을지문덕과 수십 년 동안 싸움을 해왔던 백전의 노장입니다. 그에 비하면 백제의 왕 의자는 나이도 젊고, 선왕의 업을 계승하려는 용맹으로 젊은 호랑이와도 같습니다. 그러므로 국인께서는 백제로 들어가실 리는 없습니다. 고구려의 왕 건무를 만나러 가실 것이 분명한 일입니다 국인, 이래도 내 말이 틀렸다고 하시겠습니까."

"바로 맞습니다, 유신 공."

김춘추가 솔직히 대답하였다.

"내일 아침 날이 밝기 전에 훈신과 단 둘이 고구려로 들어갑니다. 부디 부탁컨대 이 천기를 누설하지 마옵소서."

"국인께서는 제 입이 무거운 것을 모르시옵니까."

"이 한 몸 죽고 사는 것은 두렵지 않사오나 혹 일이 잘못되어 그르친다면 남아 있는 나라의 운명이 풍전등화와 같아 마음이 놓이지 않습니다. 나는 김 공과 일심동체로 나라의 고굉(股肱, 다리와 팔)입니다. 지금 내가 고구려에 들어가 해를 당한다 해도 공은 마땅히 나라의 수호신이 되어 후사를 이어줘야 할 것입니다. 나는 김 공 하나만을 믿고 있습니다."

그러자 김유신이 입을 열어 말을 받았다. 말을 하는 그의 눈썹은 곤두섰고, 긴 수염은 모두 빳빳이 서 있었다. 두 눈이 피를 토하듯 불을 뿜고 있었다.

"안심하고 돌아오소서, 국인. 만일 국인께서 고구려에 들어가 돌아오지 않는다면 나의 말발굽이 반드시 고구려와 백제 두 나라 안으로 쳐들어가 두 임금의 뜰을 짓밟고 두 임금을 반드시 말먹이의 노예로 만들 것입니다. 만약 정말 그렇게 하지 못한다면 장차 무슨 면목으로 국인을 대할 수 있겠습니까. 국인께서는 만근심 다 버리시고 가벼운 마음으로 떠나오소서."

밤은 깊어 먼 곳에서 어둠을 밝히는 첫닭의 울음소리가 괴괴하게 들려왔다. 어느덧 날이 새는지 덧문에 밴 어둠에도 조금씩 조금씩 새벽 여명이 접어들고 있었다.

김춘추와 김유신은 품 속에 품었던 단도를 꺼내어서 서로의 손을 베어 피를 흘려 종지에 가득 담았다. 섞은 피를 김춘추와 김유신은 나란히 나눠 마셨다.

"내가 날짜를 헤아려서 60일이면 돌아오겠습니다. 만일 이를 지나도 돌아오지 않으면 다시는 만나볼 기약이 없습니다."

이때였다.

정침 밖 뜨락에서 부르르 긴장해서 떠는 말들의 고함 소리가 들려왔다.

"이찬 어른. 이찬 어른."

훈신의 목소리가 조심스레 새벽 정적을 찢었다.

"준비가 다 되었습니다. 말을 대령하였습니다. 이찬 어른."

밖에는 가을비가 자옥이 내리고 있었다. 겨울을 재촉하는 찬 가을비였다. 일가권속들은 모두 잠들어서 누구 하나 얼씬거리는 사람조차 없었다.

"다녀오겠습니다."

건강한 말이 새벽 한기에 부르르 몸을 떨면서 진저리를 쳤다. 김춘추는 사뿐 마상에 올라탔다. 겨울을 재촉하는 가을비는 온누리를 적시고 있었다.

"다녀오십시오, 국인."

김유신은 못내 염려스러워서 말고삐를 잡아당겨 말 위에 올라앉은 김춘추의 얼굴을 우러러보았다.

"부디 몸조심하십시오."

채 말이 떨어지기도 전에 말들은 출발하기 시작했다. 새벽 여명이 밝아오는 빗줄기 사이로 갈 길이 바쁜 두 필의 말이 쏜살처럼 뚫고 달려 나갔다.

그들의 모습은 이내 캄캄한 암흑 속으로 사라졌다. 아직 지척을 알 수 없는 어둠 속에서 연거푸 새벽을 알리는 닭들의 울음소리가 들려오고 있었다.

나라의 운명이 그에게 달렸다.

김유신은 그들이 사라져버린 텅 빈 어둠의 공간을 묵묵히 지켜보면서 중얼거렸다. 그는 돌아올 것이다. 돌아오고야 말 것이다.

바로 이 무렵 또 한 필의 말이 어둠을 틈타서 김춘추와 훈신 두 사람보다 좀더 빨리 고구려의 국경으로 달려 나가고 있었다. 말 위에는 봉인(封人) 한 사람이 올라 앉아 있었다. 봉인의 품 속에는 황룡사의 중 덕창(德昌)이 고구려 왕에게 보내는 밀서가 들어 있었다.

덕창은 고구려에서 신라로 은밀히 숨어들어온 부도(浮屠, 중)로 신라의 국중에서 일어나는 모든 일들, 사사로운 일 모두를 낱낱이 적고 고구려에 고해 바치는 일종의 첩자(諜者)였다.

덕창은 불도(佛道)에 깊은 신심을 갖고 있는 여왕에게 지극한 총애를 받고 있었으며, 그로 인해 궁중에서 일어나고 있는 모든 정략들을 누구보다도 빨리 입수할 수 있었다. 그는 지난밤에 김춘추가 고구려와 백제의 동맹을 깨고, 고구려의 군병으로 하여금 신라와 더불어 백제를 치려는 계략을 갖고 고구려의 국중으로 은밀히 잠행한다는 사실을 재빠르게 알아내었다. 그는 사사로이 고용하고 있는 봉인을 불러 바람처럼 빠르게 밀서를 고구려의 경내(境內)에까지 전해주고 올 것을 명령하였다.

밀서의 내용은 대략 다음과 같다.

금번 여왕 덕만의 국서를 받들고 궁중으로 들어가는 신라의 사신 김춘추는 지략에 뛰어나고 경륜이 뛰어난 귀족입니다. 그가 이번 사행(使行)에서 노리는 것은 고구려와 백제의 여제동맹을 깨뜨리고 이간을 시키려는 것입니다. 신라의 운명은 바람 앞의 등불과 같고 국가의 힘은 쇠경(衰境)에 이르러 지탱하기 힘들 것입니다. 부디 김춘추의 혓바닥에 현혹되지 마옵시고 고삐를 늦추지 말기 바랍니다. 김춘추는 스스로 생간(生間)이 되어 적정을 살피러 국중으로 들어가는 것이니 부디 그를 살려 돌려보내지 마옵시고 그를 사로잡아 군기를 바로잡고 그의 목을 베어 널리 본(本)을 보이옵소서.

밀서보다 김춘추가 더 먼저 고구려의 경내로 들어갈 우려가 있었으므로 중 덕창은 날카롭게 봉인에게 명령하였다.

"단 한시라도 쉬지 말아라. 말이 피로하거든 갈아타는 한이 있어도 절대로 말에서 내려서는 안 된다. 말발굽이 부러지는 한이 있더라도 고삐를 당기고 채찍을 휘둘러야 한다. 알겠느냐."

그러니까 두 개의 다른 목적을 띤 밀사가 찬 가을비가 내리는 신라의 왕경 금성을 거의 동시에 출발한 셈이었다. 황룡사의 절을 빠져나온 필마는 무서운 속도로 아직 날이 채 밝아오지 않은 우중(雨中)의 거리를 미친 듯이 달려 나가기 시작했다. 자연 서로의 존재를 알지 못하는 두 밀사는 보이지 않는 선두다툼 경쟁을 벌인 셈이 되었다.

그러나 아무래도 첩자인 중 덕창의 밀명을 받은 봉인 측이 김춘추의 일행보다도 속력이 빨라 앞서 나갔다. 금성을 떠난 김춘추는 사벌(沙伐, 상주)을 지나 조령(鳥嶺)을 넘었다. 서원(西原, 청주)을 지나 모산성(母山城, 진천)에 접어들었을 때는 초겨울이었다.

일주일 낮 일주일 밤을 계속 달려온 김춘추의 필마는 남천(南川, 이천)을 지나 신주(新州, 광주)에 접어들었을 때 첫눈을 맞았다.

이미 가을은 완전히 저물어버리고 북풍한설이 몰아치는 한겨울이었다. 당항성(黨項城, 남양)이 지난 가을 여제 연합군에 의해서 함락된 이후로 한강을 끼고 있는 신주와 남천성 들은 언제 닥쳐올지 모르는 전운(戰雲)에의 공포로 전전긍긍하고 있었다. 당항성을 빼앗은 여제연합군들은 원래 고구려와 백제의 옛 땅이었던 한강 유역의 성들을 탈환하기 위해서 날카롭게 대치하고 있었다. 곳곳에 무시무시한 전운이 감돌고 있었다. 직접 보고 듣는 전란의 피해는 왕성에서 막연히 상상하던 피해와는 비교가 되지 않았다. 백성들은 헐벗고 굶주리고 있었으며, 군민들은 사기가 떨어져 전쟁만 일어나면 싸울 생각도 없이 스스로 성문을 열어 적에 투항할 정도로 전의를 잃고 있었다.

그 무렵 덕창의 밀서를 전해 받은 봉인의 말은 이미 소기의 목적대로 고구려의 경내로 넘어가 있었다. 그러니까 김춘추가 신라와 고구려의 국경인 대매현(大買縣)에 이르기도 전에 김춘추의 모략을 알리는 첩자 덕창의 밀서는 고구려의 경내에 넘어 들어가 있었던 셈이었다.

김춘추가 대매현에 이른 것은 금성을 떠난 지 열흘 남짓한 시일이 흐른 뒤였다. 대매현은 고구려와 신라가 국경을 마주하고 있는 변방의 작은 마을이었다.

김춘추는 대매현에 이르자마자 현주(縣主) 두사지(豆斯支)에게 자신의 소임을 말하고, 고구려 측에 자신이 왕의 사자(使者)로 들어가려 한다는 사실을 전해줄 것을 당부하였다.

그러자 두사지는 난처한 얼굴로 고개를 설레설레 흔들면서 말을 했다.

"이찬 어른께서는 고구려의 경내로 들어가는 않는 것이 좋을 줄로 압니다."

"어째서."

"잘은 모르지만 고구려의 국중에서 무슨 큰 변란이 일어난 것으로 알고 있습니다."

"큰 변란이? 그건 무슨 소리인가?"

김춘추는 난색을 표하면서 이어 물었다.

"글쎄요. 아직 확실한 것은 모르옵니다만 아무튼 커다란 변란이 일어난 것만은 분명하옵니다. 아직 확실히 밝혀진 것은 아닙니다만 고구려에서 변란이 일어나, 왕 건무가 신하에 의해서 척살당하고 새 왕이 위에 올랐다고 하온데, 아직 소문에 불과해서 어느 것이 사실이고 어느 것이 거짓인지 밝혀진 것은 아무것도 없습니다. 그러나 분명한 것은 큰 변고가 일어나 고구려의 나라 전체가 어지럽고, 민심이 흉흉한 것은 틀림없는 사실이옵니다. 이찬 어른께서는 어째서 이 난중에 고구려의 경내로 스스로 들어가려 하십니까. 신의 생각으로는 이곳에 잠시 머무르시면서 때를 보아 소문의 진위를 가린 연후에 고구려의 경내로 들어간다 해도 늦지는 않으리라 생각되옵니다."

건무가 죽다니. 고구려의 왕 건무가 신하의 손에 칼을 맞아 죽어 버리고 새 왕이 섰다니.

오직 고구려의 왕 건무의 염전만을 의지하고, 열흘 밤 열흘 낮 내쳐 달려온 김춘추로서는 맥이 탁 풀리는 기막힌 일이었다.

그렇다면 김춘추가 금성을 떠날 무렵 일어났던 고구려의 변란은 무엇인가. 잠시 그 변란의 진위를 알아보기로 하자.

고구려 제27대 영류왕(榮留王) 25년. 그러니까 서기 642년 10월. 고구려의 건국 이래 전혀 볼 수 없었던 참담한 궁중 비극이 벌어졌다. 오늘날로 말하자면 군부의 쿠데타가 일어난 셈이었다.

이 비극의 발단은 그 해 봄으로 거슬러 올라가지 않으면 안 된다.

이른 새벽 안개 낀 살수(薩水, 청천강) 입구 연안에서 한 척의 배가 돛을 올리고 하구를 빠져나갔다. 얼음이 녹아 흐르는 봄날의 강물 위는 안개로 한 치의 앞을 분간할 수 없을 만큼 어두웠다. 이처럼 안개 낀 날이면 배를 부리지 않는 것이 정도이거늘 한 치의 앞을 분간할 수 없는 운무(雲霧) 속을 조심스레 헤쳐가는 것을 보면 아마도 그 배는 주위의 눈을 피해 뭔가 은밀한 작업을 벌이고 있는 모양이었다.

바다와 연한 항구로 접어들자 물살이 빨라지고 파도가 높아졌다. 근해만 빠져나가면 곧 발해로, 발해까지만 나가면 모든 일은 순조롭게 진행될 것이다.

배 위에는 삼불제국(三佛齊國) 사자가 올라타고 있었다. 그는 삼불제국의 국왕으로부터 국서를 받들어 고구려로 들어왔던 사절이었다. 그러나 그가 들어올 때와는 달리 이처럼 안개 낀 날을 골라 몰래 바다로 빠져나갈 수밖에 없었던 것은 그의 정체가 이미 고구려 측에 간파당했기 때문이었다.

그는 당나라의 남쪽에 있던 남해의 삼불제국의 사절이었지만 실은 당나라 태종(太宗)의 밀사였었다.

수나라와의 전쟁은 꼬박 20여 년 동안 계속되었다. 598년 고구려의 선공으로 시작된 이 치열했던 싸움은 618년 당나라의 고조(高祖)인 이연(李淵)이 수나라를 무너뜨리고 당나라를 세우자 일단 종전으로 접어들었다.

고구려도 수나라와의 20년에 걸친 전쟁으로 싸움이라면 지긋지긋하리만큼 몸서리를 치고 있었고, 당나라의 고조 이연도 수나라의 그 엄청난 공격을 물리친 고구려의 저력을 두려워하고 있었다. 더구나 고구려와의 싸움으로 국력을 낭비한 탓으로 수나라를 쉽게 거꾸러뜨릴 수 있었던 이연은 자연 고구려에 평화공세를 취하고 있었고, 고구려도 이를 마다할 이유는 없었다.

그러나 626년 당의 고조인 이연이 죽고 그의 아들 이세민(李世民)이 왕위를 이으면서 20여 년 동안 계속되었던 모처럼의 고구려와 당과의 평화 분위기는 깨어져버리고 두 나라 사이에는 전운이 감돌기 시작했다.

아버지의 뒤를 이어 제위(帝位)에 오른 당태종 이세민은 아버지와는 달리 야심만만한 제왕이었다. 그는 동쪽의 돌궐(突厥), 서쪽의 고창국(高昌國), 동쪽의 고구려 등을 멸하여 당을 중국대륙뿐 아니라 전세계의 제국으로 키우려는 야심을 갖고 있었다. 그는 황제에 오르자마자 고구려에 사신을 파견하여 수나라와의 싸움에서 승리했던 기념으로 고구려에서 세운 전승기념물인 '경관(京觀)'을 헐어버리도록 명령했다.

그리고 자신은 수나라와 고구려와의 싸움에서 죽은 수나라의 장병들을 위해서 해골을 묻고 무덤을 만들어 제사를 지냄으로써 수나라가 다른 나라가 아니라 같은 한(漢)민족임을 은근히 암시하였다. 수나라가 미처 못다 한 원한을 대신 갚아주고 못다 이룬 위업을 계승하여 당대에 완성하겠다는 의지의 표현이었다.

고구려로서는 몹시 당황할 수밖에 없었다. 이세민의 아버지 고조 때는 서로 포로교환까지 하면서 당나라에서는 고구려인 포로를, 고구려에서는 중국인 포로 1만 명을 되돌려 보낸 일이 있었던 화평 무드가 왜 갑자기 냉각기에 접어들어 전승기념물인 경관마저 헐어버리라고 내정간섭을 하는지 고구려의 조정들은 당황하기 시작했다.

그러자 고구려에서는 유비무환의 정신으로 천리장성을 쌓기 시작했다. 동북은 '부여성(扶餘城)'에서부터 서남은 '발해'에 이르기까지 장성을 쌓음으로써 미구에 밀어닥칠 당나라의 공격을 방비하려는 것이었다.

당태종 이세민은 날이 갈수록 고구려가 탐이 나기 시작했다. 특히 서쪽의 고창국(오늘의 新疆)을 쳐서 멸함으로써 자신의 영토로 부속시킨 후 당태종은 노골적으로 고구려를 엿보기 시작했다. 그리하여 고구려의 태자가 당나라에 들어와 입조(入朝)한 사실에 대한 답례로 진대덕(陣大德)이란 사절을 보내었는데, 진대덕은 실은 답례사절이라기보다는 정탐을 위한 첩자였다.

그는 고구려의 경내로 들어와 지나는 성읍(城邑)마다 그 관리들에게 비단을 예물로 주면서 '나는 산수를 좋아해 이곳의 경치 좋은 곳을 보고 싶다'고 하며 고구려의 지세와 지리를 샅샅이 엿보았다.

고구려의 허실을 샅샅이 정탐하고 나서 진대덕은 당나라로 돌아가 태종에게 그가 보고 느낀 것을 모두 아뢰었다.

그러자 태종이 말하였다.

"고구려는 원래 4군(四郡)의 땅으로 우리들의 것이다. 내가 군사 수만을 내어 요동을 친다면 그들은 반드시 온 군사를 일으켜 이를 맞아 싸울 것이다. 이 틈을 노려 주사(舟師, 수군)를 내어 바닷길로 평양으로 가서 수륙군이 양쪽에서 공격하면 고구려는 쉽게 멸할 수 있을 것이다."

한편 고구려에서는 진대덕이 당나라로 돌아간 후에야 그가 사절 이라기보다는 첩자였음을 알게 되어 뒤늦게 국경의 방비를 강화하 기 시작하였던 것이다.

고구려에 대한 야심이 점점 더 커질수록 당태종은 고구려의 내정 을 감시하기 위해서 밀사들을 고구려에 보냈었는데, 그럴 때마다 고 구려의 나졸들에게 발각되어 붙잡히곤 했었다. 그러자 당태종은 작 전을 우회하여 남해의 삼불제국에게 뇌물을 보내어 고구려의 내정 을 정탐해줄 것을 부탁하였던 것이다.

배가 하구를 벗어나 바다로 접어들자 물결이 빨라지고 파도가 높 아지기 시작했다. 안개는 어느덧 밝아오는 햇살에 눈 녹듯 사라지고 시야가 청명하게 밝아졌다.

이제 하구를 벗어나 바닷가로 들어섰으므로 안심해도 좋을 것이 다. 아직 고구려의 영토인 발해를 벗어난 것은 아니지만 일단 바다 로 나온 이상 바다 위에서 고구려의 해라선(海邏船)을 만나기는 쉽 지 않을 것이다.

그러나 그의 생각은 오산이었다.

배가 순풍을 타고 바다를 가로질러 나아가는데 돌연 바다 저편에 서 군선 한 척이 쏜살같이 쫓아오면서 뱃길을 가로막았다. 뱃전에 붉은 깃발이 나부끼고 있는 것으로 보아 고구려의 해라선임에 분명하였다.

"서라."

병사를 가득 실은 군선이 뱃길을 막으면서 명령하였다. 그러나 삼불제국의 사자도 만만치 않았다. 그는 자신이 남해의 삼불제국의 사절로서 이제 무사히 진공(進貢)을 마치고 돌아가는 길이니 뱃길을 열어달라고 거만하게 말하였다. 그러면서 내렸던 돛을 다시 올리라고 명령을 하였다. 뱃사람 하나가 돛을 올리려는 찰나 해라선에서 휘익 바람을 가르는 소리 하나가 날아와 그의 가슴을 꿰뚫었다. 뱃사람은 화살을 맞고 그대로 갑판 위로 굴러 쓰러졌다.

그와 동시에 군선이 뱃머리를 밀고 들어와 돛배를 꼼짝 못하도록 나포한 다음 해라장이 배 위로 올라섰다. 그는 장검을 빼어들고 사절의 목을 찌르며 말하였다.

"꼼짝 마라. 꼼짝하면 내 너를 죽일 것이다."

해라장의 부하인 병사들이 사자(使者)의 몸을 뒤지기 시작했다. 사자의 몸에서는 당나라의 태종에게 갖다 바칠 각종 비밀문서가 나오기 시작했다. 고구려의 군액(軍額)을 적은 문서며, 군대의 배치도, 군용 지리, 산세 등 각종 고구려의 내정기밀들이 상세히 적혀 있는 기밀문서가 나오기 시작했다. 이미 자신의 정체가 드러난 이상, 사자는 더 이상 큰소리를 칠 수 없었다.

그는 해라장에게 낱낱이 사실을 고하기 시작했다. 그는 자기가 남해의 삼불제국의 사절로 고구려에 들어왔지만, 실은 당태종의 밀사로 그의 청에 의해서 고구려의 온갖 기밀과 허실을 정탐하여 당나라로 들어가고 있는 중이라고 고백하였다. 그러고 나서 그는 무릎을 꿇고 해라장에게 목숨만은 살려달라고 애원을 하기 시작했다.

해라장은 그의 온몸을 묶어 조정으로 압송하려 하였다. 빼앗은 문서는 조정에 받들어 올리고 삼불제국의 사자는 죄옥(罪獄)에 집어넣어야 할 것이었다. 그것이 그의 임무였었다.

그의 임무는 해라선을 타고 고구려의 바다를 지키며 바다를 오가는 온갖 병선과 범선들을 감시하는 일이었다. 그로서는 오늘 뜻하지 않은 대역 죄인 하나를 건져올려 빛나는 전공을 세운 셈이었다.

그러나 해라장은 머리를 흔들었다.

내가 설혹 이 자를 압송하여 조정으로 올려보낸다 해도, 그들은 도로 곱게 잘 먹이고 잘 재워 병위(兵衛)를 달려 당나라로 보내버릴 것이다. 이 자가 첩자이고 궁중의 비밀을 모두 정탐해낸 반역 죄인이라 해도 조정의 대인(大人)들은 당나라의 비위를 거역하지 않기 위해 곱게 살려서 돌려보낼 것이 분명한 일이다.

겁 많은 대인들에 의해서 움직이고 있는 조정에 이 죄인을 어찌 돌려보낼 수 있을 것인가.

"아서라."

해라장은 머리를 흔들었다.

그는 젊은 시절 수나라와의 전쟁으로 자신은 비록 살아남았으되, 처자권속을 모두 잃은 쓰라린 기억을 갖고 있었다. 그는 한나라족이라면 생간을 씹어삼켜도 분이 풀리지 않을 만큼 무서운 증오심을 갖고 있었다. 그는 한때는 용맹하던 군의 총수였던 왕 건무가 왕위에 오르자마자, 전쟁이라면 겁을 내고, 특히 당나라라면 무조건 화평책을 쓰는 사실에 몹시 분노를 느끼고 있었다.

"아서라. 대적을 보고도 치지 못하고 지레 겁부터 먹는 나라에 무슨 조정이 있겠는가. 너를 잡아 조정에 올린다 해도 너는 살아서 돌아갈 것이다. 차라리 내 너를 죽여 네 모가지를 바닷속에 집어던져 넣는 것이 좋을 것이다."

해라장은 애써 빼앗은 기밀문서들을 바다에 던져버렸다. 삼불제국의 사자가 다름아닌 첩자라는 증거품을 바다에 던져버린 이상, 이제는 그를 죽여 목숨을 빼앗는 일만 남았을 뿐이다.

사자 역시 문서를 바닷속에 집어던지는 것을 보는 순간, 얼굴이 하얗게 질리면서 해라장에게 매어달렸다. 해라장은 칼을 들어 허공으로 날카롭게 치켜올렸다. 순간 해라장은 무슨 생각이 났는지 목을 베려고 치켜올린 칼을 조심스레 내려놓았다.

"너는 이 뱃길로 당나라로 간다고 했던가."

"그, 그렇습니다."

사신은 말을 더듬으면서 말했다.

"당나라에 가서 당의 왕 이세민을 만난다고 했던가."

"그, 그렇습니다."

"그렇다면 너를 죽일 필요는 없겠다. 오히려 죽이지 않고 살려보내는 편이 낫겠다."

해라장은 무슨 묘안이 떠올랐는지 빙그레 웃으면서 칼을 내렸다.

"네 목을 베어 내 칼에 더러운 피를 묻힐 필요는 없지."

해라장은 순간 통쾌하게 복수할 수 있는 묘책을 떠올렸다. 그것은 겁 많은 조정의 대인들뿐 아니라 당나라의 왕 이세민을 한꺼번에 조롱하고 비웃을 수 있는 묘책이었다.

그는 사자의 얼굴에 먹실로 문신을 새기기 시작했다.

"당의 왕 이세민은 들으라."

사자의 얼굴은 몹시 작았으며, 쓸 말은 많았으므로 해라장은 작고 꼼꼼하게 먹실을 매기 시작했다. 이마에 코에 뺨에 얼굴 가득히 문신을 새기느라고 사자는 아픔을 참고 있었지만 그러나 어차피 죽는 것보다는 나았으므로 이를 악물고 굴욕을 당해내고 있었다.

얼굴에 먹실로 문신을 새기는 것은 노비들에게나 하는 풍습이었다. 노비들은 대부분 전쟁포로들이었는데 그들이 도망치지 못하도록 이마에 문신을 새겨서, 노비의 신분을 알리는 일종의 신분제도와 같은 것이었다.

"일단 이번에는 살려줘서 돌려보낸다만 만일 금년에 이 일을 사죄하고 진공(進貢)하지 않는다면 명년에는 문죄병(問罪兵)을 보내어 너를 직접 쳐서 네 모가지를 잘라버리겠다."

해라장은 이 사자를 살려준다 해도 평생 지울 수 없는 그 문신을 얼굴에 가득 새기고 살아 생명을 부지하느니, 가는 뱃길에 배 위에서 스스로 몸을 던져 죽으리란 것을 잘 알고 있었다. 하물며 원래의 목적대로 당나라의 태종에게 돌아가 자신의 그 추악한 얼굴을 보일 것이라는 것은 추호도 생각지 않고 있었다. 그래서 해라장은 자신의 원한과 증오심을 달랠 겸 그 자의 얼굴 위에 장난 삼아 문신을 새기고 있었던 것이다.

사자의 얼굴에 새긴 문신은 이미 뺨을 채우고 턱까지 가득 채워 더 이상 새길 여백이 없었다.

해라장은 자신의 신원을 그곳에 밝혀두고 싶었다. 그는 사자의 목 부분에 나머지 글자를 새겨 채워넣을 수 있다고 생각했다. 그래서 그는 그곳에 다음과 같이 글씨를 새겨넣었다.

'고구려 태대대로(太大對盧) 연개소문(淵蓋蘇文)의 졸(卒) 해라장(海邏長) 창리벌(倉利伐).'

문신을 새긴 해라장 창리벌은 껄껄 웃으면서 말했다.

"네 얼굴이 볼 만하도다. 이제 가거라. 목숨을 살려줄 테니 가서 네가 만나려던 당의 쥐새끼 이세민을 만나서 너의 그 얼굴을 보여라."

해라장은 사자의 범선을 풀어주었다. 부하들은 해라장의 변심을 이해하지 못하는 눈치였지만 해라장은 껄껄 웃으면서 범선이 발해를 벗어날 때까지 내버려둘 것을 명령하였다.

해라장 창리벌은 설마 그 사자가 당나라의 왕경으로 돌아가 당나라의 황제 태종을 알현하리라고는 꿈에도 생각지 않았었다. 명색이 한 나라의 사절이거늘 그 얼굴, 그 수치스러운 얼굴로 어찌 당나라의 황제의 면전에 나타날 수 있을 것인가.

그러나 해라장의 생각은 완전히 오산이었다. 삼불제국의 사자는 비굴하지만 이 굴욕을 이기는 길은 죽음이 아니라 사실을 사실대로 고하는 일이라고 결심하고 그 길로 배를 돌려 당나라의 서울인 장안(長安)으로 들어갔다.

당나라의 황제 태종은 어전에서 자신이 밀정으로 보낸 사자를 친히 영접했는데 황제는 그에게서 보고를 듣고 말고 할 필요가 없었다. 사자의 얼굴 그 자체가 하나의 문서였던 것이다.

당의 황제 이세민은 사자의 얼굴 위에 새겨진 조롱문을 친히 읽어보았다. 그리고는 격노하였다.

사신의 얼굴은 좁고, 자수는 많아서 면자(面刺)한 글자의 내용을 자세히 확인할 수는 없었지만 대충 그 얼굴에 새겨진 한시(漢詩)는 다음과 같았다.

'해동의 삼불제국의 사신의 얼굴에 면자하여 어린아이 이세민에게 몇 마디 말을 전하노라. 금년에 와서 조공을 바치지 아니하면 내년에는 마땅히 군사를 일으켜서 죄를 물으리라(面刺海東三佛齊國 寄語我兒 李世民 今年 若不東進貢 明年當起問罪兵).'

이 글을 본 당태종 이세민은 격노하였다. 그의 얼굴은 분노로 불타오르고 머리카락은 꼿꼿이 곤두섰다.

그는 그 얼굴 밑부분에 새겨진 글자를 읽어보았다.

'고구려 태대대로 연개소문 졸 창리벌.'

그는 즉시 어전으로 직방랑중(職方郎中) 진대덕(陣大德)을 들라 명하였다. 진대덕은 연전에 고구려의 사절로 들어가 실은 첩자 노릇으로 고구려 조정의 온갖 허실을 정탐하고 돌아온 자였다.

"직방은 고구려 국중에서 연개소문이란 자의 성명을 들어본 적이 있는가."

진대덕은 머리를 조아리면서 대답하였다.

"전혀 듣지 못하였던 성명이옵니다."

"이 자는 스스로 자신을 고구려의 대대로라고 칭하였는데 그 자의 이름조차 들어보지 못하였단 말이냐."

태종은 분노에 가득 차서 금방이라도 폭발할 것 같은 어조로 찔러 물었다.

"처음 들어보는 성명이옵니다만 그 자가 고구려의 대대로가 아닌 것만은 분명하옵니다."

"감히 이름도 없는 요동의 한 사졸(士卒)이 스스로 태대대로라 칭하면서 방자하게 짐을 농락하였단 말이냐. 내 반드시 이 자의 목을 베고 고구려를 멸하여 문죄하리라."

태종은 병위에게 명하여 즉시 삼불제국의 사자의 목을 베어버릴 것을 명하였다. 삼불제국 사신의 목은 즉시 참하여졌다. 또한 태종은 조서를 내리어 군사를 일으킬 것을 명하였다. 그러자 시신(侍臣)이 간하여 말하였다.

"직방의 말처럼 대대로의 성명이 연개소문이란 자는 아니라는 것이 밝혀졌습니다. 연개소문이란 자가 누구인지도 잘 모르는데 하물며 그의 부하의 사사로운 죄로 군사를 일으켜 맹약을 깨뜨릴 수는 없다고 생각됩니다. 군사를 일으켜 죄를 묻기 전에 우선 사자를 비밀리에 고구려의 왕에게 보내어 사실의 진위부터 분명히 알아보는 것이 가(可)하다고 생각되옵니다."

당태종 이세민은 화가 머리끝까지 치솟아 비상히 분노하였으나 듣고 본즉 시신의 말이 합당하였다. 일차적 분노는 삼불제국 사자의 목을 베는 것으로 어느 정도 가라앉았으므로 그는 시신의 말대로 군사를 일으키기 전에 우선 고구려에 밀사를 보내어 진위를 가리기로 결심하였다.

태종의 명을 받은 사자는 곧 고구려의 국중으로 들어왔다. 그는 밀서를 고구려의 왕에게 갖다 바쳤다. 고구려의 영류왕(榮留王)은 태종의 밀서를 받자마자 안색이 금방 하얗게 변하였다.

그로서는 청천벽력의 비보였다.

직접 마상에 올라 패수(浿水, 대동강)에서 수나라 장수 내호아(來護兒)의 수십만 병력을 일격에 섬멸시켰던 영류왕은 그러나 전쟁이라면 지긋지긋하게 생각하고 있었던 역전의 노장이었다. 수나라와의 이십 년 전쟁은 간신히 종전을 맞고 위태로운 평화를 간신히 유지하고 있을 무렵이었다. 그렇지 않아도 아버지 고조와는 달리 야심만만한 태종 이세민의 야욕을 알고 있던 영류왕은 유비무환으로 천리장성을 쌓고 있지 않았던가.

그런데 이 뜻밖의 날벼락은 무엇을 의미하고 있는 것일까.

영류왕은 즉시 금병(禁兵)을 보내 해라장을 잡아올 것을 명령하였다. 해라장은 즉시 잡혀 와서 옥에 갇혔다. 영류왕은 직접 그를 신문하였다.

이미 금병에 의해서 체포되어 옥에 갇힌 순간부터 죽음을 각오한 해라장은 순순히 입을 열어 실토하기 시작했다.

자신이, 반역하여 도망가는 삼불제국의 사신을 잡고서도 조정에 비밀문서를 올리고 그를 죄옥으로 압송하지 않은 것은, 그래봤자 조정에서는 그를 배불리 먹이고 위병을 딸려서 당나라로 호송하여 돌려보낼 것이 분명하므로 그리 하였노라고 입을 열었다.

영류왕은 그 자의 한쪽 팔을 자르라고 명령하였다.

해라장의 왼쪽 팔은 당장에 잘려졌다. 그러나 이미 죽음을 각오한 해라장은 신음 소리 하나 내지 않고 직고(直告)하기 시작했다. 자신

이 삼불제국의 사자를 죽이지 않고 얼굴에 면자하여 살려보낸 것은
차마 그가 생명을 부지하여 살아 돌아가리라고는 생각조차 못하였
고, 설혹 그가 살아 돌아가 당태종을 만난다 하더라도 기고만장한
그의 행동을 농락하기 위함이었으니 후회할 말은 없다고 그는 잘라
말하였다. 그리고 나서 해라장은 영류왕에게 다음과 같이 말하였다.

"대왕께서는 위에 오르시기 전, 싸움에서는 용감하였으며 적을
무서워하지 않기로 호랑이와 같으셨습니다. 그런데 왕위에 오르시
고 나서부터는 원수의 적들과 싸우시려는 생각보다는 용렬히 적들
과 화평하여 손을 잡으시고 일신의 안위만을 구하고 있습니다. 마
땅히 대왕께서는 원수의 적들과 싸우다 죽어간 수십만의 원혼들을
생각하셔서라도 이제라도 당을 치고 당의 태종 이세민을 말먹이의
노예로 삼아야 할 것입니다."

영류왕은 불같이 노해서 그의 다른 한쪽 팔마저 자를 것을 명하였
다. 그의 오른쪽 팔도 순식간에 잘리어졌다.

양쪽 팔을 자르고 나서 영류왕은 친히 물었다.

"어째서 너는 아직 서부대인에 불과한 연개소문을 태대대로라고
칭하였는가. 이는 연개소문이 스스로 반역하여 태대대로가 될 것을
꿈꾸고 있음을 뜻함이 아니냐. 만약 네가 입을 열어 스스로 연개소
문이 반역을 꿈꾸고 있음을 고백한다면 목숨을 살려줄 것이고 그렇
지 않으면 너를 죽일 것이다."

그러나 해라장은 왕의 명에도 조금도 굴하지 않았다. 그는 자신이
연개소문의 졸로서, 아직 그가 천리장성의 역사(役事)를 감독하는
한직에 머물러 있다고는 하지만 언젠가는 대대로가 될 것이 분명하
므로 그렇게 썼을 뿐이라고 태연하게 대답하였다. 그리고 나서 해라
장은 피를 토하면서 말하였다.

"청컨대 대왕께서는 서부대인을 버리지 마옵소서. 이 한 몸 죽고

사는 것은 한갓 미물이 죽고 사는 것과 조금도 다르지 않사오나 서부대인께옵서는 구국의 영웅입니다. 대왕께서는 간사하고 용렬한 시신들에게만 의지하지 마시옵고 대인을 불러 조정으로 맞아들이옵소서."

영류왕은 그의 다리를 자를 것을 명령하였다. 다리가 잘려도 해라장은 입을 멈추지 아니하였다. 해라장은 자신의 처와 자식들이 수나라의 병사들에게 윤간당하고 살육당했음을 울면서 말하였다. 수와 당은 비록 나라는 다르지만 그 나라를 이루는 민족은 같으므로 당은 곧 원수이며, 원수인 적은 화평할 것이 아니라 쳐서 멸함이 마땅하다고 울면서 말하였다.

"그의 목을 쳐라."

영류왕은 최후로 명을 내렸다.

해라장의 목은 병위의 칼에 의해서 단숨에 베어졌다.

그날 밤 영류왕은 서부대인 연개소문만을 제외한 모든 대인들과 대대로, 각 부의 대관(大官)들을 비밀리에 소집하였다.

영류왕은 은밀히 불러모은 각 부의 대인과 대대로, 대관들 앞에서 그간 있어왔던 일들을 상세히 말하기 시작했다. 야밤에 어전에서 회의가 열리는 것은 몹시 드문 일이었으므로 각 대신들은 영문을 몰라 했다가 친히 대왕으로부터 옥음(玉音)을 전해 들으니 심히 면구하여 몸둘 바를 몰랐다.

"이 일을 어찌하면 좋단 말인가."

영류왕은 비통에 찬 목소리로 입을 열었다.

"이십 년이나 계속된 국난을 그친 지 이제 겨우 십여 년이 지나 간신히 황폐했던 국토는 자리잡기 시작하고, 마소는 이제야 간신히 살찌기 시작하였소. 당의 태종은 부왕 고종과는 성격이 달라 전쟁을 좋아하며 이미 고창국(高昌國)을 쳐서 강토를 넓히고 복속시키었소.

이제 간신히 되찾은 화평을 한갓 병졸의 우(愚)로 깨뜨릴까 심히 염려스럽소. 이제 간신히 이룩한 화평의 맹약을 깨뜨려 또다시 나라를 전란에 휩쓸리게 할 수는 없는 일이오."

비탄에 잠긴 왕의 말에 그 누구도 답하여 입을 여는 신하들은 없었다. 왕의 뜻이 곧 신하들의 뜻이었다.

이십 년 동안 계속되었던 수나라와의 전쟁은 결국 수나라를 이긴 고구려의 승리로 끝나고 말았지만, 전쟁은 이겼으되 전승국으로서 얻은 것은 없었다. 얻은 것은 수를 물리쳐 이겼다는 허명(虛名)뿐이었고, 실(實)은 전혀 없었다. 오히려 실은 고사하고 수십 년 계속된 전란으로 국토는 황폐하고 국가의 재정은 고갈되고, 국민들은 전역(戰役)에 휩쓸려 처자와 권속들을 잃었으며, 먹을 것이 없어 굶주리고 있었다.

전쟁이 또다시 일어나서는 안 된다.

그것은 영류왕을 비롯한 각 대신들간의 일치된 철학이었다.

전쟁이 일어나서는 안 된다. 그들은 모두 지금까지 고구려 조정이 지켜왔던 남수북진책(南守北進策)의 대외정책을 수정하여 북으로는 화평을 맺고, 오히려 북수남진(北守南進)의 책략을 쓰는 편이 상책이라고 믿고 있었다.

고구려의 대외정책은 언제나 중국대륙을 지배하는 한족들과 남(南)의 백제, 신라와의 이중정책으로 일관되어왔다. 북진정책을 취하면 자연 고구려는 백제와 신라 두 나라 중 어느 한 나라와 서로 불가침동맹을 맺음으로써 후방을 방비하지 않으면 안 되었고, 남진정책에 주력하면 배면을 노리는 한족과 화평을 유지하지 않으면 안 되었다.

머리를 북방에 두면 등을 신라와 백제가 노렸으며, 머리를 남진에 두면 등을 중국이 노렸다. 광개토왕 당시에 절정에 이르렀던 북진남

수정책은 그의 아들 장수왕에 의해서 남진북수정책으로 바뀌어 장수왕은 고구려의 서울을 만주 집안현에서 훨씬 남쪽인 평양성으로 천도까지 하였다. 이 정책은 영류왕의 선왕인 영양왕(嬰陽王)에 의해서 다시 수정되어 북진정책으로 급선회하였다.

영양왕이 죽고 그의 배다른 동생 건무(建武)가 왕위에 오르자 직접 이십 년 동안 을지문덕과 더불어 싸움을 했었던 영류왕은 일대 정책의 변혁을 취하였다.

북진정책을 부르짖는 을지문덕의 직을 박탈하고 그를 중심으로 전쟁을 계속하자는 군부 강경파들을 하나하나 거세해나갔다. 조정은 점차 화평과 온건을 부르짖는 대신들과 중앙 호족(豪族)들로 중심세력을 이루게 되었으며, 수나라와의 항전으로 무공을 세웠던 장수들은 변방으로 쫓겨가거나 아니면 천리장성의 지휘 감독관으로 밀려나고 있었다.

연개소문. 그도 이러한 조정의 화평정책으로 천리장성을 쌓는 군역(軍役)을 감독하는 지휘관으로 쫓겨나 있었던 강경파 중의 한 사람이었다.

왕을 중심으로 한 한밤의 구수회의(鳩首會議)는 그러니까 왕을 중심으로 한 화평파, 즉 북수남진정책의 온건파들의 회의인 셈이었다.

"여러 대신들은 무슨 묘안이라도 없는가. 당나라에서 진위를 알려고 국서를 가진 사절이 들어와 있는 이상 뚜렷한 회서(回書)를 보내 사건의 진상을 알려야 하오. 일개 졸개에 불과한 병졸 해라장의 수급 정도로는 이 사건이 진정되리라고는 생각지 않소이다."

그러자 말이 채 끝나기도 전에 자리를 박차고 한 사람이 일어섰다. 그는 감히 왕의 앞인 어전에서 커다란 장검을 차고 있었다.

"이 일을 수습할 수 있는 길은 오직 한 가지뿐이옵니다, 대왕마마."

그의 말은 우렁차서 좌중을 압도하는 위엄이 있었다.

"일개 사졸에 불과한 해라장의 모가지를 베는 것으로는 당태종의 진노를 가라앉힐 수는 없습니다. 당태종의 진노를 가라앉히고 모처럼 회복한 당나라와의 화평을 지키고 맹약을 깨뜨리지 않는 유일한 방법은 다른 자의 모가지를 베는 일입니다."

좌중에 물을 끼얹는 듯 싸늘한 침묵이 흘렀다. 각 대신들은 그의 목소리만을 듣고도 그가 누구인지 알아낼 수 있었다.

그는 대대로 고승(高勝)이었다. 그는 비통에 잠긴 왕의 심중을 분명히 헤아리고 있으면서도 입을 열어 심중의 말을 털어놓지 못하는 여러 대신들이 한심하다는 듯 비웃으면서 둘러보았다.

"그 모가지를 베어야 할 사람의 이름은 여기 모인 대신 모두가 다 알고 있을 것입니다."

그는 일찍이 선왕 영양왕 때부터 수나라와의 싸움은 당치 않고 남진책을 취해야 한다고 부르짖었던 장수 출신이었다. 그는 젊은 시절 직접 군사들을 거느리고 북한산성(北漢山城, 서울의 창의문 밖)까지 나아가 신라의 왕 진평(眞平)과 싸운 전력을 갖고 있었다.

나라가 수와의 큰 전란에 휩쓸리자 그는 직접 수군(水軍)을 지휘하는 총수(總帥) 건무의 측근에서 선봉장으로 전과를 올렸으나, 건무가 왕에 오르자 고승은 더 이상 북진정책을 취하는 것은 불가하다고 역설하고 선대로부터의 숙원이었던 한수 이남의 땅을 회복해야 한다고 주장하였다.

고승은 건무가 가장 믿고 아끼는 대신 중의 한 사람이었다.

비록 나이가 들어 갑옷을 벗었다 하나, 아직까지 어전에 칼을 차고 들어갈 수 있는 유일한 무장이었으며 을지문덕을 비롯한 군부의 강경파들을 거세하는 데 큰 힘이 되었던 용장이었다.

수나라와의 싸움에서 영웅이 된 을지문덕으로부터 갑옷을 벗게 함으로써 건무에게 왕의 위엄과 체통을 세워준 사람도 다름아닌 고승이었다.

군신(軍神) 을지문덕을 초라한 일개의 촌로로서 병들어 죽게 만듦으로써 그는 을지문덕을 비롯한 군부들의 불평불만을 잠재우고, 왕의 권위를 세워준 일등 공신 중의 한 사람이었다.

"그 사람의 이름이 누구인지 한번 태학박사(太學博士)께서 말해 보시지요."

고승은 머리를 숙이고 있는 태학박사 이문진(李文眞)을 빗대어서 물어보았다. 지적을 받은 이문진은 고개를 숙인 채 아무런 대답도 하지 않았다.

그러자 고승은 그 옆에 앉아 있는 대인(大人) 양방원(梁方遠)을 쳐다보면서 빈정거리듯 물었다.

"양 대인께서는 그 모가지가 누구의 모가지라고 생각하십니까?"

고승이 대가(大加, 고구려의 부족장) 양방원을 짐짓 선택해서 물어본 것은 나름대로 뜻이 있었다.

영류왕이 위에 오를 무렵 동부대인(東部大人) 연태조(淵太祚)가 병사하였다. 연태조는 수나라와의 싸움에서 혁혁한 공을 세웠던 무장 중의 한 사람이었다.

원래 대인이라는 직책은 부친이 죽으면 그의 아들이 자동적으로 계승하여 그 직책을 받게 되어 있었다. 그러나 연태조의 아들 연개소문은 예외였다. 아버지가 죽을 때 그의 나이는 15세에 불과하였지만 이미 그의 성격이 담대하고 난폭하다는 소문이 나 있었다. 그래서 각 대신들과 호족들은 연개소문이 아버지의 뒤를 이어 대가(大加)의 벼슬에 오르는 것을 반대하였다.

일개 15세에 불과한 연개소문을 벌써 성격이 난폭하고 호전적이어서 화평을 깨뜨릴 위험인물로 단정하고 그를 경계한 것은 다른 이유가 있기 때문이었다.

연개소문의 아버지 연태조는 을지문덕과 더불어 강경파의 총수였었다. 연태조의 죽음은 구세대의 강경파 군부세력의 몰락을 의미하는 셈이었다. 연태조가 병들어 죽음은 조정으로 보면 경사에 가까운 기쁜 일이었다. 연개소문은 나이가 비록 15세에 지나지 않으나 아버지를 빼다박아 용맹하였으며, 오히려 더 난폭하고 잔혹하기까지 하였다. 그러므로 만약 연개소문을 아버지의 뒤를 이어 서부대인에 오르게 한다면 그는 아버지의 업을 이어 당나라와의 싸움을 주장하는 호랑이로 커갈 것은 분명한 일이었다.

대대로 고승은 연개소문을 대인에 오르게 해서는 안 된다고 주장하였다. 호랑이는 새끼 때 죽여야만 후환이 없다는 것이 그의 의견이었다.

더구나 연개소문의 아성은 대대로 수많은 서부병마(西部兵馬)를 가지고 있던 용맹한 부족이었다.

그에게 서부병마를 다스리는 대가의 벼슬을 주는 것은 호랑이에게 날고기를 주는 셈이었다.

여러 중앙귀족들과 호족들에게 윤허를 받지 않으면 비록 연태조의 아들이라 해도 벼슬을 섭행(攝行)치 못하였으므로 15세의 연개소문은 세 살 어린 아우 연정토(淵淨土)를 데리고 왕경에 있는 사부 대인들을 두루 돌아다니면서 탄원하였다. 어떤 대인들은 문전에서 박대하여 문 안에도 들이지 아니하였다. 그러면 연개소문은 동생과 더불어 눈비를 맞으면서 문 밖에 꿇어앉아 만나주기를 탄원하였다. 사부 대인들은 그가 비록 호랑이의 새끼였지만 그의 부친과는 생사고락을 함께했던 친우였으므로 연개소문의 탄원을 끝내 모른 체할 수만은 없었다.

연개소문은 피를 토하면서 호소하였다.

"신 연개소문이 불초하오나 제 대인들께오서 대죄를 가(加)하지 않고 겨우 습직권(襲職權)만을 박탈하시니 이만으로도 제 대인들께 입은 은의(恩義)가 지극하옵니다. 오늘부터 신 연개소문도 힘써 회개하여 제 대인들의 교훈을 좇아 돌아가신 선친의 이름을 부끄럽지 않게 하리니 바라옵건대 제 대인들께오서는 일단 신 연개소문으로 하여금 대가의 직을 잇게 하였다가 다시금 불초한 일이 있으면 그때 제게서 직을 박탈하오소서."

사부 대인들이 모두 연개소문의 읍소를 들은 체도 하지 않았지만 오직 한 사람 양방원만이 그에게 마음을 주었다.

그는 사부 대인들을 만나서 설득하였다.

"연개소문이 비록 성격이 난폭하여 노비들을 함부로 죽이고 마음에 들지 않는 부하들을 법에도 묻지 아니하고 죽인다고는 하지만 그의 아버지 연태조는 우리들의 오랜 친구였소."

양방원은 친히 고승을 만나서 간원하였다.

"연개소문이 호랑이 새끼라 하나, 일단 선친의 직을 계승케 하고 그를 천리장성의 역사(役事)에 쫓아버려 왕경 근처에 있지 아니하고 변방을 지키게 한다면 문제는 없으리라 생각됩니다. 대대로께서는 너그러이 마음을 풀고 연개소문에게 직을 계승케 하시오소서."

양방원의 말이 고승의 마음을 움직였다.

그렇다.

오히려 장성을 쌓는 데는 그와 같은 난폭한 성격의 지휘관이 필요할지 모른다. 631년부터 시작된 이 성은 부여성에서부터 발해에 이르기까지 천 리를 잇는 대역사로 수년이 흘러갔어도 공사의 진척은 지지부진이었던 것이다.

마침내 연개소문은 아버지의 뒤를 이어 15세의 어린 나이로 대가의 벼슬을 얻었다. 사부의 대인들과 각 호족들의 문전을 찾아다녀 무릎을 꿇고 읍소하느라고 그의 두 다리에는 피멍이 들어 있었다.

"내 이를 결코 잊지 않으리라."

15세의 연개소문은 함께 동냥을 빌러 떠났던 어린 아우 연정토에게 나지막한 소리로 결의를 토하였다.

언젠가는 이 수치를 반드시 갚고야 말 것이다.

대대로 고승이 영류왕의 면전에서 베어야 할 자의 이름을 대인 양방원에게 물었던 것은 이와 같은 곡절 때문이었다. 말하자면 오래 전 그대의 말대로 연개소문을 대가의 벼슬에 올려주었는데 그 결과는 어떠한가. 그 결과를 책임질 수 있겠는가 하는 준엄한 뜻을 가진 질문이었던 것이다.

대인 양방원은 고승의 말이 무엇을 뜻하는가를 알고 있었으면서도 입을 열어 대답을 할 수 없었다.

"여기에 모인 사부 대인들과 각 대대로님들께오서는 그 모가지가 누구의 모가지인가를 마음속으로 이미 다 알고 계실 것입니다. 당태종의 국서에 의하면 해라장이 자신을 '태대대로 연개소문의 졸'이라고 명기하였다고 합니다. 그러므로 이는 그 졸개의 장수인 개금(蓋金, 연개소문의 별칭)이 질 일입니다. 이제 당나라와의 화평을 지키고 우호의 맹약을 깨뜨리지 않기 위해서는 일개 졸개인 해라장의 수급만이 아니라 개금의 목을 베어 당나라의 사절에게 들려 보내어 우리 조정의 뜻이 확고함을 그들에게 보여주어야 할 것입니다. 여기에 모이신 제 대인들은 모두 이 길만이 사건을 수습하는 최선의 방책임을 알고 있으면서도 이를 차마 입밖에 내어놓지 못하고 있는 것입니다."

고승의 말이 좌중에 찬물을 끼얹은 듯 냉기를 몰고 왔다. 그의 말은 조금도 틀림이 없는 합당한 말이었다.

그러나 이제 연개소문은 어제의 15세에 불과한 어린아이가 아니었다. 이제 그는 하나의 강력한 무장으로 성장하였으며 일만 명의 서부병마를 거느린 강력한 호족의 장이 되어 있었다. 이제 연개소문은 문전에서 애걸로써 호소하던 그런 종이 호랑이 새끼가 아니었다. 비록 조정에 의해서 천리장성의 역을 맡아 지휘하는 한직으로 밀려나 있으나 이제는 종이 호랑이가 아니라 하나의 호랑이로 성장해 있었던 것이었다.

"대왕마마."

고승이 흰 머리칼과 수염을 휘날리면서 왕을 우러러보았다.

"대왕께서는 개금의 목을 벨 것을 허락하여주옵소서. 명만 내려주신다면, 신 고승은 비록 늙어 병든 몸이오나 갑옷을 입고 마상에 올라 주상(主上)의 뜻을 받들어 개금의 모가지를 베어 오겠나이다."

고승의 기개는 하늘을 찌를 것 같았다.

그의 말대로 그가 늙어 비록 갑옷은 벗었다 하나, 아직도 피가 끓는 맹장 중의 맹장이었다.

한밤중에 모인 각 대표들은 묵묵부답이었다.

고승의 말은 틀림없는 정도(正道)의 말이었으므로.

"하지만 고 대인, 개금은 내 아우인 대양왕(大陽王)이 특히 총애하던 장수가 아닌가."

영류왕이 아무래도 미심쩍은 미련이 남아 있는 듯 말끝을 흐렸다.

영류왕의 친동생이었던 대양왕은 연전에 갑작스런 병환으로 급서(急逝)하였다. 그는 생전에 각 대인들과 중앙호족들에게 경원시당하고 백안시당하였던 연개소문을 자신의 친동생처럼 아끼고 사랑해주었었다.

양방원을 비롯한 대가들이 연개소문을 박절하게 대하지 못하였던 것도 왕의 친동생인 대양왕의 비호 때문이었다.

"하지만 대왕마마."

고승이 자리를 박차고 일어섰다. 그의 흰 수염은 빳빳이 곤두섰고 주름진 두 눈은 성난 호랑이처럼 타오르고 있었다.

"개금은 역적을 꿈꾸고 있는 국가의 역신(逆臣)입니다. 감히 아직 머리에 피도 마르지 않은 어린것이 스스로 태대대로를 칭하였습니다. 그냥 이대로 흘려보내면 후환이 있을까 몹시 두렵습니다. 당나라의 황제 태종에게도 그의 진노를 가라앉히기 위해서는 개금의 모가지를 바쳐야 할 것입니다. 당나라의 태종이 두려워서 개금의 모가지를 베는 것이 아니라, 국가의 기강을 바로잡고 동명성조(東明聖祖) 이래의 국기(國基)를 바로 세우기 위해서라도 개금을 잡아 척살시킴이 마땅하다고 신 고승은 생각하옵니다. 또한 대양왕께옵서는 연전에 승하하시고 이제 생존해 계시지 않으므로 개금을 척살한다고 하더라도 대왕마마께서는 신의를 저버리는 것은 아니라고 생각되옵니다."

"하지만 대대로, 연개소문은 지금 이곳 왕경에 없지 않은가. 그는 지금 장성을 감독하기 위해서 요동에 나아가 있지 않은가. 그를 포박하기 위해서 금병(禁兵)을 그곳까지 보낸다면 그는 필시 죽기를 각오하고 반(反)하려 할 것이다."

회의에 모인 각 대관들이 염려하고 걱정하던 말이 마침내 왕으로부터 직접 흘러나온 셈이었다. 영류왕의 말은 각 신하들이 걱정하던 생각이었다. 연개소문은 고구려 국중에서도 가장 날렵하고 용감한 서부병마를 일만여 기나 거느리고 있었다. 만약 조정에서 자신을 포박하려 한다면 그는 순순히 왕명을 받들어 붙잡히려 하지 않고 필사의 반격으로 자신의 군대들을 거느리고 반역하려 들 것이 분명한 사실이었다. 그렇게 되면 국중은 자칫하면 전쟁에 휩쓸리는 것이 아니라, 내란에 휩쓸리게 될 것이다. 내란은 국가간의 전쟁보다도 더 많은 희생과 노고를 탕진케 하여 국가의 운명을 위태롭게 할 것이었다.

그러자 고승이 대수롭지 않다는 듯 입을 열었다.

"물론 대왕마마의 성음(聖音)이 지당하신 말씀입니다. 적을 잡으러 그곳에 가려 한다면 필시 개금은 모반하여 반역하려 할 것입니다. 그러므로 그를 잡으러 그곳에 가려 할 것이 아니라 스스로 그가 이곳으로 오도록 하신다면 모든 것이 순조롭게 풀릴 것입니다. 다행히 개금은 지금 왕경으로 돌아오고 있습니다. 개금의 처가 해산을 하여 아들을 낳았다고 하는 바, 개금은 이를 보러 왕경으로 돌아오고 있습니다. 들어왔다 다시 장성의 역사(役事)를 감독하러 발정(發程)하기 전에는 반드시 대왕마마께 들러 숙사(肅謝)하리니 이때 그의 반죄(反罪)를 선포하고 잡으면 일개 장사의 힘으로도 넉넉히 개금을 포박하여 죄를 물을 수 있을 것입니다."

고승의 말은 구구절절 틀림이 없었다. 그의 명쾌한 논리가 침울하게 가라앉았던 회의 분위기를 일순 밝게 만들었다.

"개금의 아우 정토는 형과는 달라 인정이 있고 덕이 있다 하옵니다. 개금을 참하고 서부대인으로 그를 승계시키면 만사가 순조롭게 될 것입니다. 하지만 만약 이 천기가 사전에 누설되거나 새어나간다면 이 비밀은 엄청난 재앙을 불러일으킬 것입니다."

고승은 쏘는 눈빛으로 어전에 모인 각 대가들을 노려보았다.

"만약 이곳에 있었던 말들을 누설하거나 남에게 전하여 새어나가게 한다면 신 고승은 기필코 그 진원을 찾아 발본하리니 제가들께오서는 천기를 지켜주옵소서."

고승은 일일이 대인들을 쏘아보면서 눈빛으로 다짐을 받았다.

원래 고구려는 오부 대인으로 중앙 토호세력을 형성하고 있었다. 오부 대인들은 각각 오족을 중심으로 한 거대한 혈연 중심의 부족사회였다. 오부는 다섯 개의 부족으로 나뉘어지고 있었다.

계루부(桂婁部), 절노부(絶奴部), 순노부(順奴部), 관노부(灌奴

部), 견노부(涓奴部). 이 오족 중에서 계루부만이 왕을 배출할 수 있는 부족이었다. 견노부도 한때는 왕을 배출할 수 있는 권리가 있었으나 오래 전 그 자격을 박탈당하고 말았다. 절노부는 대대로 왕과 혼인관계를 가질 수가 있었다. 뒤에 이 다섯 부족은 각각 내부(內部), 북부, 동부, 남부, 서부대인이라는 명칭으로 바뀌어졌다.

그러니까 심야의 구수회의에는 순노부 출신의 서부대인 연개소문만을 제외하고 4부의 대인 모두와 중앙귀족들이 총망라되어 참석하고 있었던 것이다.

대대로 고승은 남부대인이었고, 대대로 양방원은 북부대인이었다. 대대로 고승이 좌중을 쏘아보면서 일일이 눈빛으로 준엄한 다짐을 받은 것은 사태의 중요성 때문이었다. 각 대인들은 자기 나름대로 사병들을 거느리고 있었고, 북부대인 양방원은 이민족(異民族)인 말갈인(靺鞨人)들까지도 상당수 사병으로 거느리고 있었지만 그중 가장 용맹하고 날렵한 군사는 연개소문이 거느리고 있는 서부병마(西部兵馬)였다.

"이의가 있으면 지금 이 자리에서 말하시오. 더 이상 다른 말이 없으면 이것을 조령(詔令)으로 정하겠소. 개금이 왕경으로 들어온 후 입조(入朝)하기를 기다려 그를 구포(拘捕)하려는 기밀은 이제 어명이 되었소."

좌중은 물을 끼얹은 듯 싸늘한 침묵이 흘렀다. 오랜 침묵이 흘러도 누구 하나 입을 열어 그 무거운 정적을 깨뜨리려고 하지 않았다. 오랜 침묵이 흐른 뒤에 영류왕은 입을 열었다.

"짐은 대대로 고 대가의 뜻을 따르기로 하겠소. 신들은 반드시 천기를 지켜 약조를 잊지 말아주기를 바라오. 이는 국기가 걸린 국가의 중요한 대사(大事) 중의 대사요."

그러자 제신들은 고개를 숙이고 왕에게 충성을 맹세하였다. 영류왕이 내전으로 들어간 후 제 대신들은 뿔뿔이 왕궁을 나와 헤어지기 시작했다. 고승은 홀로 마상에 올라 집으로 돌아가기 시작했다. 어느덧 초가을이어서 밤하늘에 뜬 달은 눈이 시리도록 밝았다. 북녘은 초가을이라 해도 계절은 빨리 다가오는 법. 어디선가 불어오는 바람에 낙엽들이 살점처럼 우수수 떨어졌다. 장안성의 대로를 따라서 눈부신 가을 달빛이 낙화처럼 하얗게 굴러떨어져 있었다.

고승의 집은 영류왕이 살고 있는 왕궁과는 꽤 많이 떨어져 있는 곳이었다.

그의 집은 왕이 살고 있는 내성의 동북쪽으로 대성산성(大城山城)과 안학궁(安鶴宮)이 있는 곳이었다.

야밤에 눈부신 달빛 속을 한 마리의 말 위에 의지하고 꿈꾸는 듯 조는 듯 뚜벅뚜벅 걸어가는 노장 고승의 가슴 속으로는 형언할 수 없는 비감이 물처럼 스며들었다.

당나라와의 싸움은 안 된다.

절대로 당나라와의 싸움은 불가하다.

백척간두에 놓인 조국의 운명이 위태로워서 고승은 깊게 탄식하였다. 조국의 운명을 비극에서 구해내려면 내 마땅히 개금을 멸하고 이번 기회에 그를 베어 후환을 없게 해야 할 것이다.

내 마땅히 개금을 죽이리라. 그를 죽여 후환을 없애리라.

만월의 달은 공중으로 치솟아 노 무장의 얼굴을 밝히고 있었다.

삼라만상은 죽음과 같은 정적에 가라앉아 있었고 홍엽의 숲 사이로 생선의 비늘과 같은 월광(月光)을 반짝이면서 강[浿江]이 흘러가고 있었다.

어린(魚鱗)과 같은 물 위에 비친 달빛을 보자 고승은 고삐를 잡아당겨 말을 세웠다. 어디선가 불어오는 바람 일편(一片)에 강가로 늘어뜨린 나뭇가지들이 우수수 진저리를 치면서 잎사귀를 떨구고 있었다. 고승은 오래 전 지금은 왕위에 오른 건무를 직접 모시고 이 강을 침입해 들어온 수나라의 군대를 바로 이 강가에서 일제히 쳐서 섬멸하였었다. 내호아의 군병들의 대부분은 이 강에서 죽어 시신이 산더미처럼 쌓였으며, 강물을 한 달 가량이나 핏빛으로 물들였었다. 가만히 귀를 기울이면 그때 그 함성 소리, 천지를 뒤흔드는 고함 소리, 아비규환의 지옥도가 선명히 떠오르고 있었다.

다시는 그 처참한 전쟁이 국중의 뜰 안에서 일어나게 해서는 안 된다. 고승은 신음 소리를 내면서 세웠던 말의 고삐를 잡아당겼다.

그러나 일은 묘하게 꼬이고 있었다. 천기의 비밀이란 없는 것일까. 비록 대왕의 밀지(密旨)라 하더라도 어김이 없는 것일까. 죽음으로 지켜야 할 천기가 누설되기 시작한 것이었다.

한밤의 구수회의의 내용이 연개소문의 귓가에 들어가게 된 것은 뜻밖의 곳에서부터였다.

왕의 근시(近侍)에 선도해(先道解)란 내시가 있었다. 그는 영류왕에게 총애를 받고 있는 시신이었지만 대대로 고승과는 몹시 사이가 나빴다. 선도해는 그가 아무리 임금의 각별한 신임을 받는 무장이고 국가의 일등공신이라고 하지만 어전에 함부로 장검을 차고 들어오는 것이 못마땅하였고, 고승은 고승대로 불알 없는 내시가 임금의 주위를 감싸고 인의 장막을 치고 있다고 그를 눈엣가시처럼 미워했었다.

한밤의 어전회의에서 오가는 모든 이야기들을 선도해는 낱낱이 들을 수 있었다. 그는 비록 왕을 가장 가까이에서 모시는 시신이었지만 자신의 의견을 말할 수 있는 신하는 못 되었고 그저 왕 곁에서 그림자처럼 따라다니는 환관에 지나지 않았다.

그날 밤의 회의에서 가장 중요한 요점은 연개소문이 왕경에 오기를 기다려 그를 포박하고 그를 척살시키는 내용이었다. 대왕을 가장 가까이에서 모시는 시신으로서 천기를 굳건히 지킴은 마땅한 일이나 선도해로서는 그 의견이 고승의 입을 빌려 나왔음이 심히 못마땅하였다.

그러니까 그의 모반은 대왕에의 모반이 아니고 대대로 고승 때문에 비롯된 모반이랄 수 있었던 것이다. 게다가 선도해는 연개소문과는 동년배로 한때 선도해가 어린 시절 산중으로 떠돌아다닐 때 서부대가였던 연개소문의 집에 몸을 기탁하여 잠시 머문 적도 있었던 것이다.

그로서는 다만 연개소문에게 비밀을 흘려줌이 고승에 대한 복수이며 옛 은인에 대한 감은(感恩)에 지나지 않는다고 생각했을 뿐이었다.

연개소문을 죽음에서 구하고 그에게 도망칠 기회를 주는 것만이 고승에의 복수라고 선도해는 단순하게 생각했을 뿐이었다.

선도해는 연개소문이 왕경으로 들어오기를 기다려 남의 눈을 피해 그의 집으로 찾아갔었다. 마침 연개소문은 그의 처가 아들을 순산하였으므로 온 집안은 축제의 분위기에 휩싸여 있었다.

이미 연개소문에게는 남생(南生) 남건(南建) 두 아들이 있었다. 그로서는 세 번째의 아들이 태어난 셈이었다.

선도해가 찾아왔다는 말을 들은 연개소문은 친히 강보에 싸인 어린아이를 들고 정침으로 나와 맞았다.

"선 대인께오서 국정의 다망 중에서 어인 일로 누옥(陋屋)까지 찾아오시었소?"

연개소문은 선도해를 깍듯이 존대하였다. 그는 일개 환관에 지나지 않는 선도해에게 깍듯이 대인의 칭호를 올리고 있었다.

"이 아이가 이번에 낳은 내 아들이오."

연개소문이 핏덩어리에 지나지 않는 어린아이를 선도해에게 내어

밀면서 호탕하게 웃었다.

"이름은 남산(南産)이라고 지었소. 어떻소이까. 선 대인께서는 한때 승문(僧門)에 몸을 담았었던 신중이 아니오이까. 이름에 혹시나 흉이나 액이라도 끼었는지 한번 봐주시오."

어린아이가 빽빽거리면서 울기 시작했다. 그는 과연 옛날에 보았던 미소년의 장사가 아니었다. 이제는 범처럼 늠름한 체격과 천하를 제압할 만큼의 기백을 갖고 있었다. 어린아이가 울자 연개소문은 어린아이를 내실로 들이고 나서 단 둘이 정좌하였다.

"대왕마마께오서는 안녕하시지요."

"그렇습니다."

선도해는 고개를 숙여 대답하였다.

"요동의 군영은 진척이 있는지요. 연 대인께오서는 북풍에 그을리고 군역에 지쳐 몸이 좀 야윈 듯도 싶습니다만."

"천만의 말씀이지요."

연개소문이 범의 수염을 어루만지면서 머리를 저었다.

"왕경에 남아 있어 울 안에 갇힌 호랑이 신세보다는 요동에 있어 초원의 맹수처럼 마음놓고 뛰어노는 것이 신상에 훨씬 편하지요. 어인 일이십니까, 선 대인."

연개소문은 날카롭게 선도해를 노려보았다. 왕을 모시는 시신으로서 사사로이 인사치레의 문답을 나누기 위해서 이처럼 늦은 밤에 자신을 찾아오지 않으리라는 것쯤은 금방 눈치챌 수가 있었다. 왕을 모시는 시신으로서 자신을 이처럼 늦은 밤에 은밀히 찾아온 것은 그럴 만한 긴요한 이유가 따로 있기 때문일 것이다. 오직 아들을 순산했다는 이유 하나 때문에 찾아왔을 리는 절대로 없을 것이다.

선도해는 그러나 선뜻 대답하려 하지 않았다. 그는 주위를 꺼리면서 방 안을 둘러보았다.

"누군가 정탐하는 자가 있기라도 하듯 꺼리시는 모양이신데. 선대인, 이 방 안엔 선 대인과 나, 둘뿐입니다."

그래도 선도해는 쉽사리 입을 열지 않았다. 그는 잠시 망설였다.

일단 남의 눈을 피해 이곳까지 왔으나 정작 그를 마주하고 보니 천기를 누설할 만큼 용기가 나지 않았다.

"무엇을 망설이십니까. 선 대인, 무엇을 두려워하십니까. 이 방엔 선 대인과 나, 둘뿐입니다. 귀신이라도 얼씬거리지 못할 것입니다."

그러자 선도해는 입을 열어 말하였다.

"나는 이 자리에 있으나 없음과도 같고, 이후에도 나는 이 자리에 없었으며 앞으로도 영원히 이 자리에 없었음을 맹세해주시겠습니까."

순간 연개소문은 선도해가 무엇을 요구하는지를 알아차렸다. 그는 느닷없이 초의 불을 입김으로 불어 꺼버렸다. 정침은 곧 캄캄한 어둠으로 가리어졌다.

"이 자리엔 나 혼자뿐이외다. 선 대인, 선 대인께오서는 이 자리에 있으나 어둠이 가려 없는 것 같고, 볼 수 없으므로 앞으로도 이 자리에 없었음이 분명한 일입니다. 신 연개소문은 이를 명심하여 죽음으로 약조를 지킬 것입니다."

정침의 문 틈으로 투명한 달빛이 스며들고 있었다. 어디선가 가금(家禽)의 신음 소리가 들려오고 있었다.

"연 대인께오서는 부하인 해라장 창리벌을 기억하고 계십니까?"

선도해가 오랜 침묵 끝에 조용히 입을 열었다.

"……기억하고 있습니다."

"해라장 창리벌이 금병에 의해서 압송되어서 문죄받고 참수되었음을 알고 계십니까?"

"……알고 있습니다."

대수롭지 않게 연개소문이 말을 받았다.

"그렇다면 그 해라장이 삼불제국의 사신을 잡아다가 그 얼굴에 면자하여 당나라 태종에게 보내는 문서를 새겨 장안으로 들여보냈음을 알고 계십니까."

"소문에 전해 들었습니다."

"해라장이 그 문서 말미에 자신을 태대대로 연개소문의 졸이라고 명기했음을 알고 계십니까?"

"……소문만 들었습니다."

"당태종이 그 면자된 문서를 읽고 진노하여 사자를 보내왔습니다. 사자가 지금 객관(客館)에 머무르고 있습니다. 사건의 진위를 알아보기 전에는 절대로 돌아갈 수 없다고 버티고 있습니다."

잠시 무거운 침묵이 왔다. 오랜 침묵 끝에 연개소문이 정적을 깨뜨렸다.

"하지만 그건 나하고는 상관없는 일이 아닙니까. 해라장은 분명 내 부하이긴 하지만, 지금은 내 휘하의 사졸이 아닙니다. 그가 서부 병마에 속해 있던 내 군졸이었으나 이제는 내부 소속의 왕군(王軍)입니다. 나는 지금 요동에 나아가 장성을 지휘하고 군역을 감독하고 있음을 선 대인께오서도 알고 계시지 않으십니까. 그러므로 내가 그 해라장을 시켜, 그런 문서를 새겨 보낸 일도 없음을 잘 알지 않으십니까. 해라장은 다만 죄인을 압송하느니 그런 장난을 해서 보낸 것에 지나지 않습니다."

"이것은 장난이 아닙니다, 연 대인. 이것은 생사가 달린 중요한 일입니다."

선도해가 꾸짖듯 말을 잘랐다.

"이 일을 간단하게 생각해서는 안 됩니다. 당나라의 사절은 일개 졸개에 불과한 해라장의 수급을 원하고 있지는 않습니다. 당나라의 사신은 장수의 수급을 원하고 있습니다."

깊은 침묵이 왔다. 누가 먼저 입을 열어 정적을 깨뜨리는 사람이 없었다.

"언제 다시 요동으로 발정하려 하십니까."

오랜 침묵 끝에 선도해가 입을 열었다.

"급히 서둘러야죠."

"발정하기 전에 왕궁에 들러 대왕을 뵈러 오실 겁니까?"

"물론 그래야죠."

거침없이 연개소문이 말을 받았다.

"대왕마마께 들러 숙사를 올리고, 다시 길을 떠나야지요."

"왕궁에 들르지 마십시오."

선도해가 말을 잘랐다. 연개소문은 선도해의 말을 이해할 수 없었다.

"신하가 발정하기 전에 주상을 만나뵈옵지 않다니요."

"그냥 요동으로 떠나십시오. 숙사하러 왕궁에는 들지 마시옵고."

냉랭하게 선도해가 말을 받았다.

"그것이 대왕의 뜻입니까."

"아닙니다."

선도해가 황급히 말을 이었다.

"대왕의 뜻이 아니라 대양왕의 뜻입니다."

선도해가 어둠 속에서 몸을 일으켰다.

"내 말은 이제 모두 끝이 났습니다. 이제 그만 물러갈까 합니다."

"잠깐만."

연개소문이 그를 막았다.

"손님을 어둠 속에서 보낼 수가 있습니까. 불이 밝기를 기다려 떠나시지요."

"아닙니다. 어둠이 더욱 좋습니다. 달이 밝으니 불빛이 없어도 신발을 찾을 수 있고 달이 밝으니 길 또한 밝히지 않아도 찾아갈 수 있습니다. 어둠 속에서 헤어지시면 이대로 혼자가 됩니다. 우리는 서로 만난 적도 없으며 대좌하여 말을 나눈 적도 없습니다."

연개소문이 벽에 걸린 화살을 들고 선도해에게 다가왔다. 연개소문은 선도해가 보는 앞에서 맹세의 표시로 화살을 단숨에 부러뜨렸다. 그 뜻은 앞으로 그 누구에게도 이 기밀을 누설치 않겠다는 맹세의 표시였다.

선도해는 어둠을 틈타서 서부대인 연개소문의 집을 빠져나왔다. 주위의 눈을 피해 용의주도하게 집을 드나들었으므로 그의 출입을 눈치챈 사람은 전혀 없었으나 도망치듯 밤길을 걸어가는 선도해의 가슴은 두려움과 공포로 무섭게 고동치고 있었다.

나는 천기를 누설했다.

일부러 남의 눈을 피하기 위해서 말도 타지 않고 걸어나온 길이었다. 상민(常民)처럼 평범한 복장을 하고 대로를 걸어가고 있었지만 그의 온몸에는 비 오듯 땀이 흘러내리고 있었다.

나는 왕의 밀지를 누설했다. 그러나 나는 대왕의 어명을 거역한 것은 아니다. 나는 그들의 모의를 암시만 주었을 뿐 직접적으로 천기를 낱낱이 고하지는 않았다. 나는 어명을 거역하지는 않았고 대대로 고승의 모의에 결정적인 반격을 가한 것뿐이다. 연개소문은 도망칠 것이다. 그리하여 저 북쪽 변방의 돌궐로 목숨을 구해 도망쳐버릴 것이다. 그것이면 족하지 않은가. 비록 고승이 원하는 대로 연개소문의 모가지를 베어 참하지는 못한다 하더라도 연개소문이 스스로 몸을 일으켜 저 돌궐로 숨어 들어가버린다면 조정으로서도 더 이상 골치 아픈 연개소문에 대해서 신경을 쓸 필요가 없지 않은가.

그러나 선도해의 생각은 완전한 오산이었다. 선도해가 떠나가고 난 뒤 연개소문은 촉을 밝히고 물끄러미 자신이 부러뜨린 화살을 내려다보고 있었다.

그는 선도해의 말이 직설적인 표현이 아니고 암시적이고 우회적인 표현이라고는 하지만 그 말이 무엇을 뜻하는가를 잘 알고 있었다.

'이 일을 간단하게 생각지 마십시오. 당나라의 사절은 일개 졸개에 불과한 해라장의 수급을 원하고 있지는 않습니다. 당나라의 사신은 장수의 수급을 원하고 있습니다.'

연개소문은 선도해의 말을 되새겨보았다.

그는 풍문으로 해라장이 당나라 태종에게 행한 희롱을 전해 듣고 있었다. 그 해라장이 자신의 부하라고 이름을 밝힌 사실도 소문으로 전해 듣고 있었다. 그러나 연개소문은 그 소문을 대수롭지 않게 생각하고 있었다. 왜냐하면 그 해라장이 자신이 한때 거느리고 있었던 부하임에는 틀림없지만 벌써 오래 전에 자신의 휘하를 벗어나 왕군으로 편입된 사졸임을 잘 알고 있었기 때문이었다.

나하고는 상관없는 일이다. 해라장의 사건을 풍문으로 전해 듣고서도 연개소문은 그 사람이 자신에게 어떤 영향을 끼치리라는 것은 전혀 상상치도 않았었다.

그러나 선도해의 말이 사실이라면 조정은 당나라와의 화평의 맹약을 깨뜨리지 않기 위해서 자신의 모가지를 베려 한다는 말이 아닌가. 아무런 연관이 없는 내 목을 베어 그것으로 태종의 진노를 가라앉히고 내 목을 제물로 당나라와의 화평을 지켜나가려 함이 아닌가.

연개소문은 부러뜨린 화살을 다시 힘을 주어 부러뜨렸다. 가슴 속으로 용암과 같은 분노가 치솟아올랐다.

서부대인의 직위로 먼 요동지방의 장성을 지휘하는 한직으로 쫓겨나아가 있는 것도 절치부심(切齒腐心)의 원한이었다. 북풍한설이 몰아치는 요동지방에서 각 고을에서 뽑혀 온 백성들을 상대로 축성

(築城)을 지휘하는 일은 차마 사내대장부가 할 일이 못 되었다.

살아 있으되 살아 있지 않음만 못한 일이었다. 살아 있으되 죽어 있는 몸이었다.

이제 그들은 나를 먼 요동지방으로 쫓아내다 못해 나를 쳐 죽이려 한다. 내 모가지를 제물로 당나라와의 화평을 지키려 한다.

신하로서 마땅한 군신의 예의조차 선도해는 막아 말하였었다.

"왕궁에 들지 마십시오. 그냥 요동으로 떠나십시오."

신하된 도리로서 왕궁에 들지 말라니. 왕경에 들렀다 임지로 떠나면서 왕궁에 들지 않는 것은 그것으로 이미 죄를 범한 결과가 되는 것이다. 그렇다면 선도해는 내게 스스로 반역의 죄를 범하라는 암시를 준 것이 아닌가. 연개소문은 다시 화살을 꺾으면서 중얼거렸다. 내게 왕궁에 들지 말고 그냥 길을 떠나라고 암시를 준 것은 그냥 그 길로 도망쳐 목숨을 구하라는 뜻을 내포하고 있음이다.

그것은 또 하나의 의미를 담고 있다.

발정하기 전에 왕궁에 드는 순간 그 길로 금병에 의해서 체포되고 포박되어 옥사에 갇힐 것임을 가르쳐주고 있는 것이다.

조정의 대관들은 내가 단신으로 왕궁에 들러 대왕께 예를 갖추기를 기다려 나를 포박할 것을 이미 모의하고 이미 계략을 세워두고 있는 것이다. 그리하여 내게 죄를 묻고 누명을 씌워 내 목을 참하는 것으로서 태종의 진노를 씻으려 할 것이다.

그들은 내 목숨을 노리고 있다. 나 하나를 제외한 모든 조정의 대신대관들은 함께 모여서 이 계략을 세워놓고 있다. 그리하여 내가 그 올가미에 걸려들기만을 기다리고 있다.

연개소문은 이를 악물고 화살을 집어들었다. 그는 그것을 꺾기 위해서 온몸에 힘을 주었다. 화살은 이미 동강동강 부러져 자투리로 남아 있었다. 그러므로 부러뜨리기가 용이하지는 않았다.

나는 도망치지 않는다. 연개소문은 다짐하듯 소리내어 중얼거렸다. 나는 죽을지언정 비겁하게 도망쳐서 목숨을 구하려 하지는 않을 것이다.

그때였다.

하나의 단어가 영감처럼 연개소문의 뇌리에 떠올랐다.

선발제인(先發制人).

지금의 최선은 선발제인뿐이다. 그들의 책략을 이미 알았으니 일이 생기기 전에 먼저 기선을 제압하는 것이 최상의 책략이다.

돌아가신 선친 연태조는 어린 연개소문에게 병법을 가르쳐주면서 다음과 같이 말하였다.

'싸우지 않고 이길 수 있다면 그것이 으뜸이요, 피할 수 있는 싸움이라면 절대로 싸우지 않음이 그 차선이다. 그러나 어차피 피할 수 없는 싸움이라면 먼저 일어나 공(攻)함이 곧 최선의 수(守)이니라. 무릇 지키려 할 때는 스스로 발(發)하여 공(攻)을 취함이 최상이니라. 공격은 최상의 방어가 되는 것이니라.'

피할 수 없는 싸움이다. 피하려 한다면 내가 먼저 그들에게 공격을 당해 죽어버릴 것이다. 그들이 공세를 취하기 전에 먼저 일어나 기선을 제압하는 길만이 살아남을 수 있는 길이다.

순간 연개소문은 15년 전 돌아가신 부친의 업을 계승키 위해서 문전박대를 당하면서 어린 동생 연정토와 4대인의 집 앞을 돌아다니던 기억을 떠올렸다. 내 영원히 이 굴욕을 잊지 않으리라던 옛 맹세가 새삼스럽게 연개소문의 가슴을 갈가리 찢었다. 이 기회에 그 날의 원수를 갚으리라. 이 기회에 모든 원한을 갚으리라.

이제 나는 열다섯의 어린 나이가 아니다. 이제 나는 비록 요동의 한직으로 쫓겨가 있다고는 하지만 아직도 명만 내리면 죽음을 두려워하지 않는 일만여 기의 병마를 거느린 서부대가의 지위에 있다.

나는 만만하게 물러서지는 않을 것이다.

그는 어둠 속에 꿇어앉아 그가 기억하는 왕경의 대인들의 모습을 떠올렸다. 그리고 남부대인 고승의 모습도 떠올렸다. 그러자 연개소문의 가슴에서 활화산이 터지듯 분노가 터져 흘렀다.

고승.

내 너를 먼저 죽이리라. 늙고 병든 호랑이 너를 내가 먼저 참하리라.

순간 그의 시야에 왕의 모습이 떠올랐다.

고승을 죽인다면 왕마저 시해하지 않으면 안 된다. 고승과 왕 건무는 일심동체라고 말할 수 있다. 아니다. 어찌 왕 건무뿐이랴. 왕경에 남아 있는 모든 대인과 대관들, 중앙호족과 귀족들 그 모두를 한꺼번에 죽여버리지 않으면 일을 그르칠 것이다.

그들은 화평파로서 뭉쳐 단결되고 있다. 그들은 모두 공통된 이념으로 뭉쳐져 있다. 온건파의 그들을 한꺼번에 거세하지 않으면 반드시 후환이 있을 것이다. 후환이 있을지도 모르는 일은 처음부터 그 근원을 제거하고 싹이 트기 전에 뿌리째 뽑아버리지 않으면 안 된다.

순간 연개소문의 머릿속에는 선발제인의 묘책이 떠올랐다. 그가 왕경에 머무르고 있는 이상 급한 쪽은 이쪽으로 서두르지 않으면 안될 것이다. 서둘러 일을 꾸미지 않으면 그들에게 먼저 당하게 될지도 모른다. 선발제인은 속전속결이지 않으면 안 된다.

그가 가장 믿을 수 있는 자신의 동생 연정토를 떠올렸다.

연개소문의 동생 연정토는 세 살 어린 나이였지만 용맹하고 게다가 사려 깊은 침착한 성품을 갖고 있었다. 그는 아우 정토가 자신보다 왕경의 제족들에게 평판이 좋음을 잘 알고 있었다.

연개소문은 즉시 가신(家臣)을 불러 아우 연정토를 불러 올 것을 명령하였다. 연개소문은 문을 열고 밤하늘에 무심한 별들을 바라보왔다. 그는 북두칠성이 어디에 있는가를 찾아보았다. 그의 등에는 북두칠성과 마찬가지로 일곱 개의 별점이 붙박혀 있었다.

연개소문은 자신의 조상이 사람이 아니라 물[水]에서 태어났음을 잘 알고 있었고 자신은 물에서부터 태어난 별의 운명을 가진 풍운아임을 잘 알고 있었다.

밤하늘에는 헤아릴 수 없을 만큼 수많은 별들이 빛나고 있었다. 수많은 별들 중에서도 자신의 몸에 붙박혀 있는 일곱 개의 점과 같은 북두칠성은 유난히 찬란하게 빛나고 있었다.

저 북두칠성을 보다 빛나게 하기 위해서는 일시에 저 어두운 밤하늘에 빛나는 별, 그 모두를 지워버려야 할 것이다. 일곱 개의 별이 보다 찬란하고 보다 눈부신 하나의 별, 북극성이 되기 위해서는 쓸데없이 명멸하는 별들을 없애버려야 할 것이다.

그때였다. 복도를 걸어오는 인기척 소리와 함께 곧 정침의 문이 열렸다. 아우 정토가 헛기침 소리를 내면서 방 안으로 들어왔다.

"절 부르셨다지요, 형님."

연개소문은 분명 동생이 들어오는 인기척 소리를 들었으되, 고개를 돌려 그를 보지 아니하고 꼼짝도 않고 밤하늘을 우러러보고 있었다.

"뭘 그토록 열심히 밤하늘을 바라보고 계십니까, 형님."

"성운(星雲)을 바라보고 있었다."

연개소문은 말없이 북쪽에 빛나는 별 한 점을 손끝으로 가리키며 물었다.

"너 저 별 이름이 무엇인지 아느냐."

아우 연정토는 느닷없이 한밤에 가신을 시켜 자신을 불러다가 때아닌 별 이름을 물어보는 형님의 의중을 헤아릴 수 없어서 좀 어리둥절한 얼굴로 연개소문의 얼굴을 쳐다보았다.

"야심한데 별을 바라보고 계시다니요. 홀로 성점(星占)이라도 치고 계시는 겁니까요, 형님."

"저 별 이름이 무엇이냐고 네게 물었다."

연개소문은 다소 짜증난 목소리로 북쪽에 빛나는 별 하나를 가리키면서 내쳐 물었다. 아우 연정토는 형님이 가리킨 손끝을 따라 눈길을 좇아보았다. 그곳엔 유난히 크고 빛나는 별 하나가 마치 수많은 군졸과 신하들을 거느린 대왕이라도 되는 듯 홀로 빛나고 있었다.

"저건 북신(北辰)이 아니옵니까."

"그래 맞았다. 북극성이다. 별 중에 가장 큰 별, 별들의 왕 북신이다."

연개소문은 정침의 문을 닫고 물끄러미 아우 연정토의 얼굴을 바라보았다.

"내 말을 잘 들어라. 내 이 야심한 밤에 너를 오라고 한 것은 실로 생사가 걸린 중요한 일을 의논하기 위함이었다. 나 하나의 생사가 달린 일이 아니라, 서부대가 십만여 호의 운명이 걸린 일이다. 이 일이 그릇되면 너와 나는 물론, 가족과 친지들은 모두 죽게 되어 피의 강을 이루게 될 것이다."

연개소문은 아우에게 조금 전에 다녀간 선도해에게서 전해 들은 천기의 비밀을 낱낱이 털어놓기 시작하였다.

모든 이야기를 듣고 나자 연정토는 불과 같이 노해서 눈을 부라리며 말하였다.

"조정의 무리들은 미쳐 날뛰는 시랑(豺狼)과도 같습니다. 그들은 사람이 아닙니다. 미친 승냥이나 이리 떼와 같은 짐승들입니다."

연정토는 이를 갈면서 형을 쳐다보았다.

"그래 형님께서는 그들이 뜻하는 대로 고스란히 잡혀 참수되려

하십니까."

"내 한 목숨을 바쳐 화평의 맹약이 지켜지고, 국가가 화급에서 벗어날 수가 있다면 구차하게 목숨을 지키려 하지는 않을 것이다."

연개소문은 아우의 의중의 떠보기 위해서 짐짓 침통한 목소리로 말을 받았다.

"아니되옵니다."

연정토는 피를 토하면서 말을 잘랐다.

"이제 형님은 예전의 형님이 아닙니다. 대가의 직을 계승하기 위해서 거적을 둘러메고 장안의 사부 대가들의 문전에 무릎을 꿇고 앉아서 눈비를 맞아가면서 읍소하던 예전의 어린 형님은 아닙니다. 그때 형님은 피멍이 든 두 발을 절뚝이며 어린 제게 맹세하셨습니다. 언젠가는 이 원수를 갚으리라, 결코 이 원한을 잊지 않으리라고. 형님께오서는 벌써 옛 맹세를 잊으셨습니까. 이제 궁 안으로 들어오기를 기다려 잡아 척살하려는 원수들의 의중을 헤아리고 있으면서도, 스스로 몸을 일으켜 궁 안으로 들어가려 하심은 도대체 무슨 뜻입니까. 아니되옵니다. 형님께오서 궁 안으로 들어가셔서는 절대로 아니되옵니다."

"그러하면?"

연개소문이 날카로운 눈빛으로 아우를 노려보았다.

"……그러하오면……."

연정토가 형님의 말을 받아 되뇌었다.

"그러하오면."

두 사람은 서로서로의 눈빛에서 서로의 의중을 읽었다. 더 이상 말은 필요하지 않았다. 이것은 일신의 생사가 달린 문제가 아니다. 고구려의 국기가 창기된 이래, 수백 년 동안 중앙귀족으로 버티어온 서부대가의 순노부가 일시에 절멸되느냐 마느냐 하는 일족의 운명이 걸린 대사 중의 대사다. 동생 연정토의 뜻이 자신의 뜻과 같음을 확실하게 헤아리자 연개소문은 더 이상 망설이지 않았다. 그는 선도해가 물러가고 아우가 도착할 때까지 홀로 어두운 방 안에서 화살을 부러뜨리고 부러뜨리면서 생각하고 숙고하였던 자신의 계획을 토해 놓기 시작하였다.

그는 그들의 밀지를 알았으므로 물러가거나, 피하려 할 것이 아니라 기선을 잡아서 오히려 이쪽에서 먼저 선발제인의 비법을 쓸 수밖에 없음을 말하였다. 그리고 그는 그가 홀로 영감처럼 떠올린 선발제인의 묘책을 아우에게 털어놓았다. 그는 자신보다는 아우 연정토가 왕경의 귀족들과 각 호족들에게 평판이 좋음을 잘 알고 있었으므로 연정토를 통하여 이틀 뒤 장안성(長安城) 남쪽에서 서부병마의 대열식(大閱式)을 거행하려 하니 친히 참석해달라고 연락할 것을 부탁하였다. 왕경의 오부 대가들은 이따금 자신이 거느린 병마를 통해 임금을 모시고 열병식을 올리는 관습이 남아 있었다.

오부의 친족들은 각기 자기 나름대로 사병(私兵)들을 거느리고 있었는데 일 년에 한 번 정도는 자신이 거느린 군병이 얼마나 강하고 막강한가를 뽐내기 위해서 대열식을 거행하곤 했었다. 이 대열식에는 대부분 대왕까지 몸소 참석하곤 해서 열무식(閱武式)이라고도 불렀는데, 왕까지 친히 참석하는 대열식이라 장안의 모든 대인들과 대신들은 빠짐없이 참석하는 것이 보통이었다. 단순히 군병의 열병(閱兵)뿐 아니라 식이 끝나고 나면 손님을 초대한 주최자 측에서는 군막(軍幕) 안에 술상과 각종 산해진미의 음식을 쌓아 손님들에게 주연을 베풀어 서로의 노고를 치하하고, 친선을 도모하는 축제의 날인 셈이었다.

그러니까 연개소문의 의중은 그들이 먼저 모의해 오기 전에 이쪽에서 먼저 공격하자는 뜻이었다. 무릇 장안의 대신들은 대왕 앞에서 행한 구수회의의 밀지가 차마 대왕의 근시에 의해서 누설되었으리라고는 꿈에도 생각지 않고 있을 것이다.

대대로 고승을 비롯한 왕경의 대인들은 요동으로 발정하기 전에 스스로 궁중으로 들어와 대왕께 숙사할 기회만을 노리고 있을 것이다. 그러므로 먼 요동에서 장성의 군역을 지휘하는 감독관으로 복역하다 잠시 왕경에 들른 기회에 여러 호족들과 대신들을 모시고 대열식을 거행한다고 해도 그들은 전혀 의심하지는 않을 것이다.

물론 그 대열식을 올리니 빠짐없이 참석해달라는 내 전문을 받으면 그들은 모두 마음 내켜하지 않을 것이다. 그러나 그 전문을 아우 연정토가 친히 돌려 전한다면 형과는 달리 아우 연정토만은 각별히 총애하고 있는 왕경의 각 대신들은 연정토의 얼굴을 봐서라도 열무식에 참석할 것이다.

그 기회를 노려서 먼저 그들을 참하리라. 형 연개소문의 묘책을 전해 듣고 나서 연정토는 묵묵히 침묵을 지키면서 팔짱을 꼈다.

"그들도 뜻을 세운 이상 촌각을 서둘러 일을 거행하려 할 것이다. 내일이라도 조정에서 왕명으로 궁 안으로 들라고 하면 들어가지 아니할 수 없을 것이고, 만약 이를 거역하려 한다면 그들은 병마를 보내어 나를 포박하려 할 것이요, 아무리 우리들의 병마가 강하다고 하나 사부 대인들의 병마를 합친 것보다는 강하지 못하니 마침내 패하여 죽음을 맞게 될 것이다. 일각이 아까운 것은 오히려 우리들이다. 그러니 내일 날이 밝으면 너는 친히 말을 타고 왕경의 각 대인들과 호족들의 집을 낱낱이 찾아 전문을 전하도록 하여라. 이틀 뒤 장안성의 남쪽에서 서부병마의 대열식이 거행되오니 참석해주셨으면 고맙겠다는 말을 전하고 참석하겠다는 답을 듣지 않고서는 물러서지 않도록 하라. 특히 대대로 고승은 필히 참석토록 하여라. 그는 내 말은 듣지 않을지 모르지만 네 말만은 들을 것이다. 그는 네가 어렸을 때 너에게 정토란 이름을 지어주었으므로 너에게만은 각별한 정을 느끼고 있을 것이다. 일이 되고 못됨은 그가 참석하고 말고에 달려 있다."

연정토는 형 연개소문의 말이 무엇을 뜻하는가를 잘 알고 있었다.

대열식에 참석하는 사람은 모두 죽을 것이다. 대대로 고승을 꼭 참석시키라고 하는 말은 그를 꼭 죽이겠다는 결의와 상통하는 의미를 지니고 있는 것이다.

"대왕도."

오랜 침묵 끝에 연정토가 형을 쳐다보았다.

"대왕도 참석시킬 겁니까."

연정토의 질문은 이런 의미를 내포하고 있었다. 대왕도 참석시키실 겁니까 하는 질문의 의미는 대왕도 죽일 겁니까 하고 묻는 뜻이었다.

"물론."

연개소문은 서슴지 않고 대답하였다.

"왕 건무도 참석시켜야 한다."

순간 연정토의 얼굴에서 핏기가 사라지고 싸늘한 냉기가 흘렀다. 그의 말은 왕까지도 죽일 것이다, 라는 확고한 결의를 내포하고 있었다. 그러자 이 일이 얼마나 무서운 일이며, 이 일이 얼마나 중요한 일인가, 하는 숨막히는 현실감이 연정토의 가슴을 짓누르고 있었다.

"왕 건무뿐 아니라 모든 왕경의 대신 대간 호족 귀족들, 그 모두를 참석시켜야 한다."

연개소문은 문을 열었다. 그는 좀전에 가리켰던 북극성을 손끝으로 가리키면서 말하였다.

"나는 태어날 때부터 칠성(七星)의 운명을 타고 태어났다. 그러나 이제 북신(北辰)을 향해 떠오르려 한다. 내가 북신의 별이 되려면 잔별들은 모두 멸하여 사라져야 할 것이다. 하늘에는 두 개의 해와 두 개의 달이 없는 것처럼 별에도 두 개의 북신은 존재하지 않을 것이다."

다음 날 연정토는 장안성의 모든 대갓집을 직접 두루 방문하였다. 그는 왕경에 머무르고 있는 모든 호족들에게 내일 오후에 장안성 남쪽에서 서부병마의 열무식이 벌어질 예정이니 빠짐없이 참석해주셨으면 좋겠다고 일일이 전갈하였다. 연락을 받은 호족들은 심히 난처하였다. 오부 대가의 대열식이라면 특수한 경우를 제외하고는 빠짐없이 참석하는 것이 같은 호족들로서 지켜야 할 예의였던 것이다. 그러나 그들은 모두 한밤의 구수회의에서 연개소문을 죽이기로 밀약을 했던 처지였으므로 어차피 며칠 뒤면 왕명에 의해서 포박되어 죽을 수밖에 없는 연개소문의 대열식에 미리 참석해서 그의 모습을 모른 체 바라본다는 것은 차마 사람으로서 할 수 있는 일은 못 되었기 때문이었다.

미구에 닥쳐올 자신의 운명을 모르고 있을 연개소문을 태연하게 바라본다는 것은 사람의 탈을 쓰고 차마 못할 짓이 아닌가. 그가 아무리 방자하고 포악한 성격을 가진 자라고 할지라도.

그러나 그렇다고 대열식의 초청을 모른 체할 수는 없었다. 오히려 주위를 꺼려 대열식에 참석지 아니한다면 연개소문에게 이상한 낌새를 눈치채게 하여 자칫하면 천기를 누설하게 될지도 모르는 일이었다.

대부분의 호족들은 이러한 이유로 해서 연정토의 청원을 물리치지는 못하였다. 그들은 대부분 서부병마의 대열식에 참석할 것을 허락하였다. 그러나 대대로 고승은 일언지하에 대열식에 참석하지 못한다고 잘라 말하였다.

연정토가 재삼 재사 참석을 청원하였으나 고승은 굳게 문을 잠그고 오직 가신만을 시켜서 다음과 같이 답할 뿐이었다.

"대대로께오서는 깊은 병환이 들으셔서 기동을 하실 수가 없으십니다. 청원해주신 뜻은 고마우나 이를 받아들일 수는 없다고 하십니다."

연정토가 장안성을 두루 돌아다니며 대열식에 참석해줄 것을 제대가들에게 청원하고 있는 동안 연개소문은 나름대로 비상책을 세워두고 있었다.

그는 십여 수의 심복들을 불러서 따로 비책을 일러주었다. 그의 수하 심복들은 모두 연개소문이 가장 아끼고 믿는 부하들로서, 죽으라는 명령에도 불복지 않고 이를 수행할 만큼 충성을 맹세하고 있는 수족들이었다.

활을 잘 쏘는 부하에게는 노궁(弩弓)을 주어서 무장시켰으며, 칼을 잘 쓰는 부하에게는 단검과 장검으로 무장을 시켰다.

거사의 순간을 연개소문은 대열식이 끝나고 군막에서 주연을 베풀 때로 잡고 있었다. 주연이 벌어져 술을 두어 차례 돌린 뒤 취흥이 차츰 도도해지고 긴장했던 마음이 방심해지기를 기다려 일제히 사방에서 덤벼들어 공격할 것을 계획하고 있었다.

십여 수의 심복들은 연개소문의 밀명에 누구 하나 이의를 제기하는 사람은 없었다.

그들은 왜, 무엇 때문에 한꺼번에 일어나 주연에 참석한 모든 대가들을 동시에 난자하고 죽여버려야 하는가 이유마저 알려 들지 않았다.

"이유를 알려고 하지 마라."

연개소문은 심복들에게 말하였다.

"너희들은 내가 하라는 대로만 하라. 대열식이 끝나고 술잔이 두어 순배 돌아간 다음 군악이 울리고 무희가 나와서 검무(劍舞)를 추기 시작하면 군막 안으로 모여들어라."

심복 부하들은 숨소리 하나 내지 않고 연개소문의 명령을 듣고 있었다.

"내가 마시던 술잔을 떨어뜨리면서 먼저 자리에서 일어나 고함을 지를 것이다. 이와 동시에 너희들은 군막 안으로 쏜살같이 쳐들어와 사방에서 공격하여라."

"빠짐없이 공격합니까?"

군졸의 장격인 우거(優居)가 눈을 빛내면서 물었다.

"그렇다."

연개소문은 머리를 끄덕이면서 답하였다.

"군막 안에 앉아 있는 사람들은 그 누구든 죽인다. 한 사람도 살려 두어서는 안 된다."

십여 명의 심복들은 순간 이 일이 엄청난 국가의 난(亂)을 의미하고 있음을 비로소 깨달았다.

그들의 장수인 대대로 연개소문의 뜻이 단순히 사사로운 개인의 원한을 풀기 위해 모의를 꾸미는 것이 아니라 국가를 뒤집어엎을 일대변란을 꿈꾸고 있음을 비로소 깨닫게 된 셈이었다.

"일이 순조롭게 성사가 되면 내일 밤 그대들은 국가의 일등공신이 될 것이다. 그리하여 부귀영화를 누릴 것이다. 그러나 만의 하나 일이 그릇되어 망치게 되면 내일 밤 나와 그대들은 역신이 되어 삼족까지 멸하는 능지처참의 참형을 받을 것이다."

연개소문은 부하들에게 일일이 단검을 쥐어주었다.

"일이 그릇되면 구차하게 사로잡혀 수모를 당하면서 죽을 것이 아니라 자진해서 죽을 일이다. 그대들은 내 뜻을 따르겠는가. 지금이라도 늦지 않다. 내 뜻에 이의가 있어서 따르지 못하겠거든 이제라도 이 자리를 떠나도 좋다. 떠날 사람은 가거라."

그러나 누구 하나 자리를 떠나는 사람은 없었다. 엄청난 위험을 감수하고 자신의 뜻을 따르겠노라는 부하들의 심지가 굳고 견고한 것을 헤아린 연개소문은 비장한 얼굴로 말을 했다.

"일을 이루고 그르침은 모두 그대들의 손에 달려 있다. 우리가 혼신을 다해 힘을 기울인다면 하늘도 마음이 동해 우리를 도와주실 것이다. 이제 일을 이루고 그르침은 오로지 천신(天神)에게 달려 있다. 동명성조(東明聖祖)는 국난을 수습하고 국기를 바로잡으려는 부하들의 뜻을 모른 체하지는 않으실 것이다."

그날 밤 늦게 장안성을 두루두루 방문하여 돌아다니던 연정토가 집으로 돌아와 연개소문에게 보고하였다.

연정토는 사부 대인 모두 대열식에 참석하겠다고 허락하였음을 전하였지만 오직 대대로 고승만은 병환이 깊어 대열식에 참석지 못하겠다고 답하였음을 형에게 전하였다.

"고승이 참석지 못한다고 했단 말인가."

"그렇습니다, 형님. 재삼 재사 청원하였으나 문전에도 들지 못하였습니다. 병이 깊어 기동을 할 수 없다고 합니다."

"고승이 늙었다고는 하나 아직 기동을 못 할 만큼 노환이 깊은 것은 아니다. 고승은 대열식에 나오지 않으려고 스스로 칭병(稱病)하고 있는 것뿐이다."

그는 무서운 간계를 숨기고 있는 여우와 같은 늙은이다.

"대대로 고승만 빼놓고 장안의 모든 호족들과 대인들이 참석할 예정입니다. 대충 잡아서 일백 팔십여 명의 귀족들이 몰려올 것입니다. 대왕 건무는 오래 전부터 각부 대인들의 대열식에는 참석지 않는다고 하니 필경 내일 대열식엔 나오지 않을 것입니다."

일백 팔십 명.

아우 연정토의 말을 듣는 순간, 연개소문은 머릿속으로 군막 안에서 죽어갈 사람의 숫자를 떠올렸다.

일백 팔십 명. 연정토의 말대로 내일 대열식에 참석할 장안의 귀족들 숫자가 일백 팔십 명이라면 내일 군막 안에서 죽어갈 사람의 숫자도 일백 팔십 명이 분명할 것이다.

그러나.

연개소문은 뭔가 불길한 예감으로 머리를 흔들었다.

그 일백 팔십 명의 인원보다도 단 하나의 인물, 고승의 존재가 더 중요하지 않은가. 고승을 처치하지 않고는 이 일이 성공했다고 마음 놓을 수는 없을 것이다. 승패의 관건은 오직 고승에게 달려 있는 것이다.

고승을 참하지 않고는 왕 건무를 벨 수 없으며, 고승을 죽이지 않고는 승리를 장담할 수 없을 것이다.

왜, 어째서 고승은 칭병을 하면서 대열식에 참석지 않는 것일까. 혹시 연개소문의 의중을 미리 헤아리고 있는 것은 아닐까. 그렇다면 거사의 날짜를 뒤로 미뤄 후일을 도모하는 편이 상책이 아닐까.

아니다. 연개소문은 이를 악물고 머리를 흔들었다. 그럴 수는 없다. 이미 칼집에서 칼을 뺐다. 칼집에서 칼을 뺀 이상, 피를 보아야 할 것이다. 그 칼날에 묻히는 피가 상대방의 피든 자신의 몸에서 흘러나온 피든 피는 어차피 묻혀질 것이다.

그날 밤 연개소문은 내실로 들어가 갓 태어난 아이를 요람에서 보았다. 이제 태어난 지 백일도 채 못 되는 핏덩어리에 불과한 아이는 세상 모르고 단잠을 자고 있었다. 연개소문은 아이를 번쩍 안아들고 가족들의 눈을 피해 정원으로 나와 섰다. 밤하늘엔 눈부신 백야의 달이 공중 솟아 있었고, 수천 수만의 별들이 흐드러지게 피어나고 있었다.

내일의 일을 그르친다면 내 자신의 목숨은 물론 일가권속의 목숨들과 이제 갓 태어난 이 핏덩어리의 목숨조차도 베어져버릴 것이다.

그는 정원의 연못가에서 물을 한 줌 떠올려 그것을 마셨다. 그리고 그 물을 역시 잠든 아이의 이마 위에 발랐다. 그는 자신의 조상이 바로 물에서 태어났음을 굳게 믿고 있었고, 또 자신이 물에서 태어난 물의 후손이었으므로 물의 힘을 굳게 믿고 있었다. 그는 물을 잠든 아이의 이마와 자신의 이마 위에 찍어 바르면서 별이 무성한 밤하늘을 우러러보았다.

"천신이여, 그리고 수신이여, 날 도우소서."

운명의 날은 저마다 빠른 수레바퀴의 발을 갖고 있는 것일까. 밤은 평소보다 빠르게 사라져버리고 청명한 가을의 신새벽이 곧 밝아왔다.

장안성 성남의 넓은 공지는 서부병마의 진영으로 빈틈없이 세워져 있었다.

급하게 대열식 준비를 하였지만 평소 엄격한 훈련으로 단련되어 있었으므로 도열되어 있는 군사들의 사기와 정연한 군사들의 기세는 하늘을 찌를 것만 같았다.

넓은 공터의 중앙은 왕경의 호족들을 앉히기 위해서 사열대가 만들어져 있었고 여기저기에 군막들이 세워져 있었다. 군막의 위에는 서부병마의 붉은 깃발이 아침 햇살을 받아 빛나고 있었다. 대열식은 각 호족들을 위한 제전이라기보다는 온 장안의 축제였으므로 성 안, 성 밖의 백성들도 몰려나와 모처럼의 구경거리를 즐기고 있었다.

일만여 기의 서부병마 중에서도 정예부대로 선발된 군졸들은 해 뜨기 전부터 군영에 나와서 창 끝을 세워들고 정연하게 서 있었다.

서부병마는 다른 대가의 군사들과는 달리 기마부대의 숫자가 유독 많았다. 그것은 예로부터 서부호족들이 말을 좋아하고 말을 타는 데 능숙했기 때문이었다. 서부병마의 대열식이 장안성의 백성들에게 특히 인기가 있었던 것은 말을 타고 마상에서 마술(馬術)을 하는 그 묘기가 특출났기 때문이다.

대열식의 군데군데 말을 타고 나와서 안장도 없이 올라타 말을 부리기, 말을 거꾸로 타기, 거꾸로 매어달려 달리기, 서너 필의 말을 동시에 이쪽저쪽 번갈아 타기 등, 말을 가지고 부리는 재주를 선보이곤 했었는데 그것이 특히 인기가 있었으므로 백성들은 구름처럼 이미 성남에 몰려나와 자리를 잡고 있었다.

초청받은 호족들은 빠짐없이 들어오고 있었다. 그들은 군영 가운데에 마련된 단 위에 차례로 앉았다. 연정토의 말대로 장안성에 살고 있는 거의 모든 귀족들이 빠짐없이 참석한 셈이었다. 그러나 단 한 사람 대대로 고승만은 참석지 않았다. 그것은 이미 예측하고 있었던 일이었으므로 새삼스러운 일은 못 되었다.

오후가 되자 연개소문은 연단 위에 서서 대열식의 개회를 선언하였다. 그와 동시에 군막 뒤에서 북소리가 천둥치듯 흘러나오고 북소리에 맞춰서 창을 세워든 기마병들이 질서정연하게 군영으로 나오고 있었다. 말 위에 앉은 기마병들의 창 끝이 일제히 오후의 햇살을 받아 눈부시게 번쩍이기 시작했다. 발 맞춰 걷는 말들의 발굽 소리가 지축을 울리고 군악 소리가 터져 흘렀다.

구름처럼 몰려나와 있는 백성들의 입에서 와아 하는 감탄의 소리가 불처럼 번져갔다. 그와 동시에 갑옷을 입은 군졸들이 고함 소리에 맞춰 칼을 휘두르고 찌르고 돌리고 있었다. 이따금 소리를 질러서 군세를 뽐내고 있었는데, 그들이 소리를 지를 때마다 온 군영이 떠나갈 듯 기세충천하였다.

그들의 무서운 기세는 구경하는 백성들에게는 감탄의 대상이었지만 단 위에 앉아서 구경하고 있는 귀족들에게는 어딘가 위협적이고 섬뜩한 느낌을 주고 있었다.

하늘을 찌를 듯한 병마들의 기세와, 천지를 뒤흔드는 함성 소리 속에는 사람을 위협하는 살기가 깃들여 있었다.

서부병마의 대열식은 해질녘까지 계속되었다. 마침내 짧은 가을 햇볕이 뉘엿뉘엿 서산으로 기울어 어둠이 깃들어가자 연개소문은 친히 단 위에 올라, 대열식의 파장(罷場)을 선포하였다. 구름처럼 몰려왔던 성 안팎의 백성들은 대열식이 끝나자 뿔뿔이 흩어졌고, 초대를 받았던 장안성의 귀족들은 군막 안에 따로 마련된 연회장에 안내되었다.

어둠이 깃들었으므로 군막 안엔 어둠을 밝히는 횃불들이 군데군데 지펴져 있었다. 넓은 군막 한가운데는 춤을 추는 무희들과 악기를 연주하는 악사들의 자리로 빈 공간을 이루고 있었고 그 가장자리를 따라서 좌상이 만들어져 있었다.

손님들이 이르기 전에 군막 안엔 음식과 술들이 미리 가득가득 채워져 있었다. 어둠을 밝히는 횃불들은 어둠뿐 아니라 쌀쌀한 가을밤의 한기를 함께 물리치고 있었으므로 군막 안은 따뜻하게 덥혀져 있었다.

하루 종일 노천에서 대열식을 참관하느라고 지친 호족들은 따뜻한 음식과 추위를 달래는 술을 마주하자 곧 긴장이 풀려버렸다.

주연이 벌어지기 전에 연개소문이 먼저 일어나 짧은 인사를 드렸다.

"신 개소문이 불초하여 대죄를 지었음에도 제 대인들께오서 선친의 직(職)을 습(襲)하는 은의(恩義)를 주시온 지 벌써 십여 성상이 지났습니다. 제 대인들의 은의로 이제 요동에 나아가 장성을 이루는 군역에 종사하게 되었으므로 성은이 하늘과 같은데, 이번에 신 개소문은 동명성조의 은의마저 입어 아들을 새로 얻게 되었습니다. 이 모두가 제 대인들의 성은과 은의 때문이옵니다. 바라옵건대 제 대인들께오서 이 누추한 자리에 마련된 술과 음식을 마음껏 즐기고 드셔서 불초한 신 개소문의 미진한 대죄의 업을 사하여주시옵소서."

곧이어 군악이 울리기 시작하였다.

은은한 군악이 군막 안으로 울려 퍼지자 호족들은 껄껄 웃으면서 옆자리에 앉은 사람들에게 서로 술을 권하면서 곧 취흥이 도도해졌다. 각 대가의 대인들은 갑옷 차림에 장검을 차고 나왔지만 두어 순배 술이 돌아가자 앉아서 술을 마시기에는 거추장스러운 칼을 풀어 따로 한 곳에 놓아두고 있었다. 몇몇의 무신들을 빼어놓으면 대부분 참석한 귀족들은 문신들이었다.

값비싼 향을 피웠으므로 군막 안은 향기로운 향 냄새로 가득 차오르고 취기가 도도해지자, 주악 소리와 함께 여인들이 달려나왔다. 그 여인들은 국중의 예인(藝人)들은 아니었다. 낯선 옷차림과 몸매로 보아 아마도 돌궐에서 들어온 노비들이거나 아니면 당나라를 통해 흘러들어온 노예들인 모양이었다.

여인들은 주악에 맞추어서 음탕한 춤을 추기 시작했다.

취기가 오른 호족들은 이글이글 타오르는 횃불의 열기와는 달리 타오르는 정욕의 욕망으로 벌겋게 충혈되어 있었다. 그중 한 여인이 돌연 군막의 버팀목에서 타오르고 있던 횃불을 집어들었다.

그녀는 횃불을 들고 혼자서 불춤을 추기 시작하였다.

그녀는 불을 먹기도 하고 뱉기도 하고 배고픈 듯 삼키기도 하고 온몸에 비비기도 했다. 신기하게도 넘실거리는 불길은 그녀의 온몸을 태울 듯이 핥고 있었지만 그녀의 머리카락 한 올조차도 태우지 아니하였다.

여기저기서 감탄의 탄성 소리가 새어나왔다. 연개소문은 술을 마시면서 날카로운 눈으로 주위를 노려보았다. 좌중은 춤을 추는 여인의 음탕한 불춤에 완전히 넋이 빠져 있었다.

연개소문의 계산은 깨끗하게 적중된 셈이었다. 고구려의 호족들은 그처럼 신기하고 그처럼 황홀한 춤은 처음 본 것이다. 그도 그럴 것이 그 여인은 머나먼 서역의 나라에서부터 팔려 온 노예였기 때문이었다. 술도 두어 순배 돌아가 좌중은 취흥이 도도하게 가라앉아 있었고, 각 대인들은 비스듬히 기대고 앉아서 탐욕스런 눈빛을 번득이면서 노예의 불춤을 핥듯이 바라보고 있었다. 칼을 차고 온 사람도, 갑옷을 입고 온 사람도, 모두 긴장이 풀어져서 느슨한 자세로 흐트러져 있었다.

때는 왔다. 연개소문은 마음속으로 중얼거렸다. 드디어 때는 왔다.

연개소문은 날카로운 눈으로 주위를 돌아보았다. 불춤은 이제 곧 끝나려고 하고 있었다. 간밤에 밀명을 받은 십여 명의 심복들은 아우 연정토의 지휘 아래 군막 바깥에서 장검과 쇠뇌를 빼어들고 만반의 준비를 갖추고 있을 것이다. 잠시 후면 이 연회장은 피투성이의 살육장이 되어버릴 것이다.

저 불춤에 넋을 잃은 이백여 명의 귀족들은 모두 단숨에 목숨을 잃게 될 것이다.

불춤은 절정에 이르고 있었다.

요란스런 주악 소리와 함께 여인이 뱀처럼 몸을 꿈틀거리면서 불을 먹기 시작하였다. 와아— 좌중에서 신음 소리가 흘러나왔다. 일단 삼킨 불을 여인은 허공에 뱉기 시작하였다. 여인의 입에서 시퍼런 불꽃이 터져 흘렀다.

그 어디에서도 듣고 보지 못하였던 신기한 서역의 불춤에 좌중은 완전히 압도되어 있었다. 돌연 군악 소리가 꺼지더니 춤을 추던 노예들이 일시에 사라졌다.

둥, 둥, 둥, 둥둥둥둥.

여인의 불춤에 넋이 나가 있던 사람들은 때 아닌 북소리에 정신이 번쩍 들었다. 그러나 그 북소리가 다음 순서로 이어지는 주악 소리임을 그들은 곧 알아차리고 마음을 놓았다.

검무가 시작될 모양이었다.

그러나 그 북소리가 군막 밖에서 기다리고 있는 연정토 휘하의 무리들에게 군막 안으로 바짝 다가와 있으라는 비밀의 신호 소리임을 알고 있는 사람은 아무도 없었다. 아니다. 그 북소리가 검무를 시작케 하는 신호 소리일 뿐 아니라 곧이어 벌어질 혈무(血舞)를 알리는 음악 소리임을 알고 있는 사람은 아무도 없었다.

북소리가 커지자 고구려 무희의 복장을 갖춰 입은 여인 하나가 쌍칼을 휘두르며 나타났다. 이제라도 찌르면 선혈이 뿜어나올 것 같은 날이 시퍼런 칼이었다. 양손에 그 날카로운 단검을 쥐어들고 여인은 현란하게 군막 안을 맴돌았다.

때는 왔다. 연개소문이 자리를 박차고 일어났다.

그는 마시던 술잔을 집어던지면서 소리를 질렀다.

"반적(反賊)을 잡아라."

그와 동시에 연개소문은 좌상 밑에 감추어두었던 장검을 빼어들고 우선 옆자리에 앉아 있던 호족의 목을 베었다. 선혈이 튀어 오르고 흥에 넋을 잃고 있던 장수의 목이 단숨에 베어져 허공을 굴렀다. 도도한 취흥과 감미롭고 달콤한 취기에 잠겨서 넋을 잃고 있던 귀족들은 갑자기 다가온 이 엄청난 재앙을 어떻게 받아들여야 할지 판단이 서지 않았다.

검무를 추던 무희는 비명을 지르면서 도망치고, 술상이 엎어져서 와르르 무너졌다. 노래를 연주하던 주악 소리는 일시에 끊겨버리고 군막 안으로 사나운 파도가 몰려들었다.

연개소문의 고함 소리에 한꺼번에 사방에서 몰려든 검은 그림자들은 칼을 빼어들고 혼비백산한 좌중의 귀족들을 단칼에 베어나갔다. 아직 죽지 아니한 사람들은 이것이 꿈인지 생시인지, 아니면 그대로 주연의 연장인지, 아니면 또 다른 칼춤의 일종인지 얼떨떨하여 제대로 반격의 기회조차 잡지 못하였다. 여기저기서 아우성 소리가 단말마(斷末魔)의 비명 소리로 이어져갔다. 술 취해 비틀거리던 몇몇의 장수들이 반격을 노려 자세를 갖추려고 했지만 곧 검은 그림자들에 의해서 처참하게 난자당하였다.

"대대로, 대대로."

아비규환의 비명 소리 속에서 꾸짖어 묻는 소리 하나가 연개소문의 귀를 찔렀다. 연개소문은 핏물이 뚝뚝 떨어지는 칼을 세워들고 소리 난 쪽을 노려보았다. 그곳에는 창백하게 질린 얼굴로 양방원이 서 있었다.

"네가 나를 죽일 셈이냐."

양방원의 눈빛이 두려움과 공포 속에서도 준엄하게 연개소문을 꾸짖어 묻고 있었다.

"네가 나의 은의를 잊어버렸단 말이냐. 너는 내가 아니었더라면 이미 십여 년 전에 죽어버렸을 것이다."

연개소문은 잠시 마음의 갈등을 느꼈다. 그는 잠시 어떻게 해야 할 것인가 마음의 갈피를 잡을 수가 없었다.

"은의를 살인으로 갚으려 할 것인가, 대대로. 네가 정녕 나를 죽이려 한단 말인가. 장안성의 대갓집을 너는 일일이 돌아다니면서 읍소하고 탄원하였다. 내가 아니었더라면 너는 죽었을 것이다, 대대로."

죽음을 각오한 양방원의 준엄한 꾸짖음이 잠시 연개소문의 마음을 흔들어놓았다. 연개소문은 이를 악물고 소리쳐 답하였다.

"물론 십여 년 전에 대인은 내 목숨을 살려주었소. 하지만 이제 대인은 내 목숨을 빼앗으려고 모의를 꾸미고 있었소. 살아남기 위해서는 대인의 숨을 끊지 않을 수 없소이다."

순간, 어디선가 날아온 화살이 버티고 서 있던 양방원의 가슴을 꿰뚫었다. 비명 소리를 지르면서 양방원이 선 자리에서 풀썩 쓰러졌다. 거의 동시에 번뜩이는 칼날이 획을 그었다. 양방원의 몸이 두 동강이가 되어 베어졌다.

"괜찮으십니까."

몹시 호흡이 가쁜 목소리가 앞쪽에서 날아왔다. 연개소문은 소리 난 쪽을 보았다. 그곳에는 수장(首長) 우거가 헐떡이면서 서 있었다. 방금 양방원의 몸을 벤 것도 그였던 모양이었다. 아마도 연개소문의 앞을 버티고 서 있는 양방원의 모습을 혹여 위해라도 가하려는 공격 자세로 보았는지 우거는 서둘러 달려온 듯 숨을 헐떡이고 있었다.

"어디 다치신 데는 없으십니까?"

"……괜찮다."

우거의 몸은 악귀의 형상 그대로였다. 그의 갑옷은 핏물을 뒤집어쓴 듯 온통 피로 얼룩져 있었다.

"정토는 어디 있느냐?"

연개소문은 주위를 둘러보았다.

군막 안은 처참한 지옥도 그대로였다. 군막 안에 참석한 일백팔십 명 전원의 목숨을 하나도 남기지 않고 모조리 끊어버리라는 연개소문의 명령은 충실하게 이행되고 있었다. 군막 안은 도망칠 곳은 있으되 숨을 곳은 없었다. 제대로 반격조차 나서기도 전에 사람들은 피를 뿜으면서 쓰러졌다. 여기저기서 신음 소리와 절규하는 비명 소리가 귀를 찢고 있었고 미처 도망치지 못한 무희들은 목을 놓아 울부짖고 있었다. 단숨에 급소를 맞아 숨이 끊어진 사람은 차라리 행복하였다. 모진 목숨 탓으로 채 명이 끊어지지 못한 시신들이 피의 산을 이루고 있었다.

연개소문은 타는 갈증을 느꼈다.

"대인, 몸을 피하십시오. 여긴 위험합니다."

우거가 혈로를 뚫기 위해서 양손에 칼을 세워 들고 앞장을 섰다.

"군막 밖으로 몸을 피하십시오. 제가 길을 열어드리겠습니다."

"아니다."

연개소문은 아직 무너지지 않은 좌상 위에 그대로 놓여져 있는 술잔을 집어들었다. 술잔 속에 조금 전에 죽은 양방원에게서 건네받은 술이 가득 들어 있었다. 아직 식지 않은 따뜻한 술이었다.

연개소문은 단숨에 술을 들이켜 갈증을 달래었다.

그 순간, 군막 안에서 무서운 불길이 피어올랐다. 아마도 살육의 와중에서 누군가 어둠을 밝히기 위해서 세워놓은 횃불을 떨어뜨려 불길이 솟구쳐오르고 있는 모양이었다. 군막 안은 곧 화염으로 가득 차고 지척을 분간할 수 없는 연기로 가득 차 버렸다.

"대인, 이쪽입니다."

우거가 칼을 휘두르면서 소리질렀다.

불은 무서운 기세로 타올랐다. 미처 도망갈 길을 찾지 못한 여인들이 숨이 끊어지도록 비명을 지르면서 이리 달리고 저리 달리고 있었다.

연개소문은 우거의 뒤를 따라 간신히 군막 밖으로 빠져나올 수 있었다.

불길은 이미 군막의 천장을 핥고 있었다. 마치 처참하고 무시무시한 살육의 현장을 깨끗하게 태워서 재로 소멸시키려는 듯 불길은 맹렬히 타오르고 있었다.

온몸에 불이 붙은 채로 춤을 추던 여인 두 명이 간신히 군막 밖으로 빠져나왔지만 몇 발자국 못 빠져나와서 그대로 온몸이 화염에 싸인 채 쓰러져버리고 말았다. 인육이 단숨에 불길에 휩싸였으므로 살과 뼈가 타오르는 냄새가 진동하였다.

"어떻게 되었느냐?"

연개소문이 우거를 돌아보면서 말하였다.

"내 아우 정토는 어찌 되었느냐?"

군막 밖에는 어젯밤 밀명을 내린 심복 부하들이 임무를 마치고 용케도 몸을 날려 모여 서 있었다. 그들은 한결같이 피투성이의 갑옷을 입고 있었다. 그러나 그 무리 중에서 유독 연정토의 모습만은 보이지 않았다.

"어디 있느냐. 내 아우 정토는 어디 있느냐?"

수졸들은 서로서로의 얼굴만 쳐다볼 뿐 누가 먼저 입을 열어 답하려 하지 않았다.

"저 불 속에서 아직 나오지 못하였단 말이냐."

연개소문은 이제 당장이라도 불길이 타오르는 군막 안으로 뛰어들어갈 듯이 몸을 솟구쳤다. 간신히 우거와 곁에 있던 부하들이 그의 몸을 뜯어말렸다.

"나오실 겁니다. 고정하십시오. 대인 어른, 조금만 조금만 기다려보시옵소서."

순간 천장까지 타오른 불길은 막 위에 꽂힌 깃발을 삼키고 있었다. 이제 군막은 단숨에 와르르 무너져내리기 직전이었다.

그때였다.

불타오르는 군영 안쪽에서 쏘아놓은 화살처럼 한 사람이 달려나왔다. 불길에 휩쓸리지 않으려고 미리 물을 부어 온몸을 적셔놓은 듯 그의 온몸에서는 뜨거운 김이 솟아오르고 있을 뿐 불길을 당겨안지 아니하였다. 달려나오는 모습에서 연개소문은 그가 다름아닌 연정토임을 단번에 알아차렸다.

"어찌 되었느냐?"

연개소문은 그를 맞으면서 소리질렀다. 그가 나옴과 동시에 군막은 와르르 무너져 형체도 없이 쓰러졌다. 엄청난 살육의 현장이 무서운 불길에 휩쓸려 이제 한 줌의 재로 변하고 있는 순간이었다.

타오르는 불길 속에 수백 명의 인명을 한꺼번에 죽인 무서운 범죄의 사실도 함께 타올라 한 줌의 재로 변할 것이다.

"왜 이리 늦었느냐. 나는 네가 불길에 휩쓸려 빠져나오지 못하고 죽은 줄만 알았다."

"해내셨습니다, 형님."

단 한 군데도 빈 자리가 없을 만큼 피를 뒤집어쓴 모습으로 연정토는 마치 악몽에서 깨어난 듯 물끄러미 주저앉아 마지막 기세를 올리고 있는 불꽃을 쳐다보면서 중얼거렸다.

"마침내 해내셨습니다, 형님."

"아니다."

아우 연정토의 말에 비로소 정신이 돌아온 듯 연개소문이 머리를 흔들면서 말을 받았다.

"이제부터가 시작이다. 내 말을 잘 들어라. 이제 너와 나는 군마를 나누어서 단숨에 장안성 안으로 쳐들어가야 한다. 이미 불타오르고 있는 군막의 불길을 성 안에서 보아 미리 대비하고 있을지도 모르지만, 아직 일은 끝나지 않았다. 이제부터가 시작이고 이제부터가 가장 중요한 시간이다. 일이 성사되고 못 됨은 오늘 밤에 달려 있다. 내가 너에게 수백 기의 기병을 줄 터이니 너는 곧바로 고승에게 달려가거라. 고승의 목숨을 빼앗지 않으면 이 일은 성공한 것이 아니다. 기필코 네 손으로 고승의 목을 베어서 그의 숨을 끊어놓지 않으면 우리가 죽음을 당하게 될 것이다. 알겠느냐."

"알겠습니다."

연정토가 대답했다.

"내가 마음에 걸리는 것은 네가 평소 고승의 총애를 받던 각별한 사이라는 점이다. 고승은 너도 잘 알다시피 너에게 정토란 이름을 지어준 사람이다. 그리하여 행여 사사로운 정이 너의 마음을 흐리게 하지나 않을까 몹시 염려가 되는구나. 그러나 이 말은 잊지 마라. 네가 만일 사사로운 정으로 일을 그르친다면 그 사사로운 정 때문에 너의 형인 내가 죽고, 우리 집은 형체도 없이 무너지게 될 것이라는 점을. 알겠느냐?"

"알겠습니다."

비장한 얼굴로 연정토가 말하였다. 그는 피비린내 나는 갑옷이 끔찍스럽다는 듯 주위를 돌아보면서 소리를 질렀다.

"새 갑옷을 가지고 오너라."

미리 대기하고 있던 수백 기의 기마들이 어둠 속에 웅크리고 서 있었다. 수십 기의 기마들은 모두 칼과 창으로 무장되어 있었다. 연정토는 즉시 가져온 새 갑옷으로 갈아입고 투구를 고쳐 매었다.

"우리는 둘로 갈라져 성 안으로 들어간다. 나는 우거를 데리고 들어갈 것이다."

"제가 고승의 집으로 쳐들어간다는 것은 잘 알고 있지만 형님께서는 도대체 어디를 공격하려 하십니까."

"왕궁이다."

마상 위에 올라앉아 연개소문이 짧게 답하였다.

"우리는 동시에 고승의 집과 왕궁을 공격할 것이다. 너는 고승을 만날 것이고, 나는 왕 건무를 만날 것이다. 그리고 너는 고승을 죽일 것이고 나 또한 대왕 건무를 죽일 것이다."

"불가합니다."

연정토가 눈을 동그랗게 뜨고 말하였다.

"내궁을 지키는 군위병만 해도 수백 수천이 넘을 것입니다. 그것을 어찌 수백여 기의 필마로 뛰어넘을 수가 있단 말입니까."

"내가 하지 못하면 네가 이룰 수 있지 않겠느냐."

껄껄껄껄 소리내어 웃으면서 연개소문이 말하였다.

"이제 장안성 내에 우리의 적은 단 두 사람뿐이다. 남아 있는 두 사람의 목을 벤다면 우리는 우리가 바라던 바 뜻을 이룰 수 있을 것이다. 네가 고승을 죽이고 내가 왕 건무를 죽여, 둘 다 일을 이룬 후 왕궁 앞 성터에서 만나기로 하자."

연정토는 순간 대답 없이 오랫동안 형 연개소문의 얼굴을 쳐다보았다. 그는 이미 군막 안에서 죽인 이백여 명의 살육의 현장만으로도 지쳐 있는 기분이었다.

어쩌면. 연정토는 순간 형을 바라보면서 생각했다. 형님은 왕을 죽이고 스스로 대왕이 되려는 것이 아닐까.

"자, 출발이다."

연개소문이 장검을 뽑아들고 허공을 찔렀다. 서부병마의 정예 기병대들은 두 개의 편대로 나뉘어졌다. 하나는 연개소문을 따르는 병마와 또 하나는 연정토를 따르는 병마들로 나뉘어졌다. 이미 눈앞에서 수백 명이 한꺼번에 비명 소리도 제대로 지르지 못하고 죽어버리는 현장을 보고, 마침내 그 죽음의 현장이 타오르는 불길에 형체도 없이 한 줌의 재로 변해버리는 것을 직접 눈으로 보고 확인한 수백 기의 기마병들은 이미 이 출전의 길이 물러설 길이 없는 죽음의 길임을 뼛속 깊이 느끼고 있었다. 지난날의 대열식은 이제 죽음을 불사하는 필사의 대열식으로 변해버리고 만 셈이었다.

장안성으로 들어선 서부병마는 마침내 두 갈래로 나뉘어졌다. 하나는 영류왕이 살고 있는 내성의 왕궁 쪽으로, 또 하나는 내성의 동북쪽에 고승이 살고 있는 안학궁(安鶴宮)이 있는 곳으로.

밤이 깊었으므로 성 안은 성 밖과 마찬가지로 월색만 가득할 뿐 거리엔 사람 하나 나다니지 않고 있었다. 인가들의 불빛도 완전히 꺼져 있었지만 하늘에는 만월의 달이 눈부시게 빛나고 있어 밤길을 도와 나가는 데는 거칠 것이 없었다.

맨 앞줄에 앞장서서 미친 듯이 달려나가는 연정토의 말을 좇아 수백여 기의 말들이 앞서거니 뒤서거니 따라오고 있었다. 달빛만이 괴괴한 정적 속을 오직 수백여 기의 말들이 광풍을 몰아가면서 쏜살같이 달려가고 있었다. 흙먼지가 안개처럼 피어올랐다.

성 안에 이르러 형 연개소문과 길을 나누어 각자 따로 헤어진 이후부터 연정토의 가슴에는 형언할 수 없는 만감이 교차되고 있었다.

새 갑옷을 입었다 하나 그의 몸에서는 온통 피비린내가 나고 있었다. 그가 죽인 수백 명의 시신이 일시에 육장(肉醬)이 되고 선혈로 강을 이루어 그는 피범벅을 뒤집어쓴 셈이었다. 그의 귓가에는 아비규환의 지옥 속에서 울부짖고 절규하던 비명 소리가 쟁쟁하게 들려오고 있었다. 마침내 군막 안에 앉아 있던 그 모든 반적들을 일시에 죽여버리고 나서 연정토는 자신을 에워싼 화염을 인식하고 그만 그 불길에 휩쓸려 죽어버리고 싶다는 감정을 일순 느꼈었다.

그러나 그가 그 죽음에의 유혹을 뿌리치고 최후에 불타는 군막 속에서 뛰어나와 살 길을 택한 것은 아직 형님의 대업이 완성되지 않았다는 의식 때문이었다.

'아직 대업이 이루어진 것은 아니다. 죽여야 할 사람은 더 남아 있다. 형님을 위해서라도 아직 죽어서는 안 된다.'

대왕 건무가 살아 있는 내궁을 향해 질풍처럼 달려나가는 형 연개소문의 모습을 보면서 연정토는 어쩌면 저것이 형의 마지막 모습일지도 모른다고 생각했었다. 형은 돌아오지 못할지도 모른다. 대왕이 살고 있는 내성을 지키는 별군(別軍)들과 싸우다 목숨을 잃게 될지도 모른다.

대업을 이루려면 이제부터가 시작이다. 일을 이루고 못 이루는 것은 앞으로에 달려 있다.

연정토를 위시한 수백 기의 병마들은 안학궁터에 위치한 고승의 집 앞에 멈춰 섰다. 밤이 깊었으므로 대문은 굳게 잠겨져 있었다. 몇몇 발빠른 군사가 말에서 내려 재빠르게 담을 넘었다. 모든 것은 침묵 속에서 진행되었다. 담을 넘은 병사들에 의해서 대문이 열렸다.

활짝 열린 대문으로 수백 기의 병사들이 홍수처럼 밀려들어갔다. 그제서야 놀란 위병들이 창을 세워들고 길을 막았다.

"안 됩니다. 더 이상 들어가실 수는 없습니다."

채 말이 끝나기도 전에 앞길을 막아선 군졸들의 몸이 피를 뿜으면서 그 자리에 쓰러졌다. 피를 본 병마들의 말발굽이 거칠어지기 시작했다. 다급한 상황 때문에 달려나오던 가신 하나를 수장이 잡아서 연정토 앞으로 데리고 왔다. 그는 이미 혼이 나가서 몸을 사시나무처럼 떨고 있었다.

"대인은 어디 계신가."

"……모릅니다. 저희들은 모릅니다."

그는 그저 살려만 달라는 듯 두 손을 모아 닳도록 빌고 있을 뿐이었다.

"대인이 있는 곳을 가르쳐주면 네 목숨을 살려주겠다."

"대인 어른께서는 지금 환(患)중이십니다. 때문에 계신 곳을 모르옵니다. 아마도 제 생각으로는 별궁 쪽에 계시온가 생각되옵니다만……."

"별궁으로 안내하라. 앞장 서 길을 열어라."

몇몇의 군사가 횃불을 밝혀들었다. 그러자 어둠이 물러가고 궁 안이 대낮처럼 밝아졌다. 오직 목숨을 보존하기 위해서 가신은 헐떡이면서 길을 잡아나갔다. 병마들은 그의 뒤를 좇아서 별궁 쪽으로 달려나갔다.

별궁 쪽은 호화롭게 꾸며져 있었다.

못을 파서 기화요초들을 심은 섬을 만들고 온갖 진기한 새들과 동물들이 그 섬 가운데서 뛰놀고 있었다. 사나운 군사들의 기세에 놀란 가신들이 맨발로 달려나왔다.

"대인 어른 계신가."

칼과 창을 든 군사들의 기세에 경악한 표정으로 나이든 노인 하나가 길을 막고 나섰다.

"대인 어른께오서는 환중이시라, 벌써 잠에 드셨습니다."

"깨워라."

연정토를 호위한 병사가 칼을 세워들고 명령했다.

"안 됩니다."

늙은이의 얼굴에 단호한 거부의 표정이 떠올랐다.

"깨울 수가 없습니다. 대인 어른께오서는 환중이십니다."

"깨울 수가 없다면 너를 죽이겠다."

병사가 칼 끝을 그 노인의 목에 들이대었다. 그러나 이미 죽음을 각오한 그 노인은 낯빛을 흩트리지 아니하고 대답하였다.

"죽음이 두렵지 않습니다."

"대대로의 잠이 네 모가지보다도 귀하단 말이냐."

병사가 단숨에 노인의 목을 베어 참하였다. 그의 모가지가 연못 속으로 굴러 떨어졌다. 못 속에 가득차 있던 월광이 일렁이면서 산산조각으로 깨어졌다. 몸을 떨며 서 있던 사람들이 두 손을 모으고 말하였다.

"정침에 들어가 대인 어른의 잠을 깨워보겠습니다. 잠시만 기다려주십시오."

길을 나누어 쳐들어간 병사들이 궁 안에 불을 질렀는지 맞은편 담 너머로 불길이 치솟아올랐다. 그와 동시에 여인들의 비명 소리와 어지러운 발자국 소리가 함께 들려왔다. 몇몇 대항하는 무리라도 있는지 여기저기서 싸우는 소리도 들려오고, 연이어 울부짖는 통곡 소리도 들려왔다.

　곧 내실로 사라졌던 가신 하나가 몸을 떨면서 나타났다.

　"어디서 오신 누구신지요?"

　"그것을 알아 무엇한다는 말인가."

　수장이 칼을 빼어들고 호령하였다.

　"당장 나오라고 하지 않으면 이 길로 뛰어들어 단칼에 베어버리겠다."

　연정토가 수장의 고성을 막아 세우면서 말을 받았다.

　"가서 대대로어른께 전하라. 서부대인의 연정토가 찾아왔다고 이르라."

　그로서는 대대로 고승과 남다른 인연이 있었다. 고승과 연정토의 선친이었던 연태조와는 비록 생각은 달랐다고 하지만 오랜 친구였었다. 수나라와의 전쟁이 끝난 뒤 연태조는 을지문덕의 무리들과 강경파가 되었고, 고승은 대왕 건무를 옹위하고 화평파가 되어 비록 이념은 달랐다고는 하지만 오랜 전우 사이였었다.

　게다가 연정토의 선친 연태조는 연정토가 태어나자마자 그 이름을 옛 전우인 고승이 지어주기를 청원하였었다. 오랫동안 불도에 심취하고 있었던 고승은 자신이 좋아하는 '직심(直心) 시(是) 보살정토(菩薩淨土) 보살성불시(菩薩成佛時) 부도중생(不諂衆生)'이라는 불경의 한 구절에서 정토라는 이름을 지어준 것이었다.

　'정직한 마음(直心)'이야말로 보살이 말하는 '정토'임을 밝힌 이 유명한 구절에서 고승은 한 단어를 인용하여 옛 전우의 아들에게 이름을 지어준 것이었다.

고승은 난폭한 성격의 연개소문과는 달리 온화한 성격의 아우인 연정토를 각별히 총애하였였다. 이러한 인연을 아는 연개소문이 행여 사사로운 옛정으로 일을 그르치지나 않을까 다그쳐 묻고 재삼 재사 다짐했었던 것이었다.

마침내 내실 쪽에서 인기척이 있었다. 연정토를 에워싼 좌우의 군사들이 칼과 창을 세워들었다. 군사들이 밝힌 횃불 속에 흰 머리칼과 흰 수염을 기른 노인 하나가 조용히 나타났다. 노인을 보자 연정토는 말 위에서 내려와 섰다.

"웬일이신가? 이 밤중에. 혹여 서부병마의 대열식이 훗날로 미뤄졌으니 그 대열식에 필히 참석해달라는 청원을 하기 위해서 이 밤중에 찾아오신 것은 아니신가."

환중이었다고 하나 고승의 몸에는 아직 주위를 물리치는 위엄과 기세가 넘쳐흐르고 있었다. 그는 지난날 대열식에 나와주실 것을 재삼 재사 청원하였던 연정토의 일을 빗대서 꾸짖어 말하고 있는 것이었다.

"아, 아닙니다."

연정토는 황급히 말을 받았다.

"그러면 무엇인가. 좌우에 칼 찬 무사들을 대동하고 한 마디의 말도 없이 별실 안 내당 위에 서 있음은."

담 너머로 타오르는 화염이 대낮처럼 솟구치고 있었다. 울부짖는 여인들의 비명 소리와 소란스러운 발자국 소리들이 어지럽게 들려오고 있었다.

"내 집, 내 궁 안에서 무엇을 하고 있는가. 누구의 허락을 받고 이곳에 들어왔는가. 어서 썩 나가지 못하겠는가."

늙은이라고는 하지만 쩌렁쩌렁 울리는 목소리로 고승이 소리쳐 부르짖었다.

"연정토, 네가 내 집을 더럽히고 있단 말인가."

"말 조심해. 어느 누구 앞이라고 함부로 입을 놀리고 있단 말인가."

수장이 칼을 빼어들고 허공으로 치켜들었다.

"대열식에 참석하였던 사람들은 모두 어떻게 하였는가?"

고승이 타오르는 눈길로 연정토를 노려보며 물었다.

"이미 죽었소이다."

"하나도 남김없이?"

"……남김없이 죽었소이다."

"대대로 양방원도 죽었는가?"

"양 대인도 죽었습니다."

"그런데 어찌하여 그대의 갑옷은 이리도 멀쩡하단 말인가."

"갑옷을 갈아입었소이다."

"이제야 알겠다. 그대 연정토가 어찌하여 이 야밤에 내 집 안을 쳐들어왔는지 내 이제 알겠다. 그대가 가져가려는 것은 무엇인가. 내 모가지인가?"

"……그렇습니다."

연정토가 냉정하게 말을 받았다.

"아아, 어찌하여 일이 이렇게 되었단 말이냐. 아아, 천기가 어찌 이처럼 허망하게 누설될 수가 있단 말인가."

고승이 하늘을 보며 탄식하며 말했다.

"내 그대를 어린 날부터 각별히 총애하였다. 선친께서는 내 집 앞에 어린 그대를 안고 와서 내게 이렇게 말하였다. 대인께오서 이 어린아이에게 이름을 지어주십시오. 어린 날에 그대는 내 무릎 위를 벗어나지 아니하였었다, 정토야."

고승이 하늘에서 눈을 돌려 연정토의 얼굴을 비로소 쳐다보았다.

"네가 이제 와서 나를 죽이려 한단 말인가. 네가 내 집으로 이처럼 무례히 쳐들어와 내 목을 가져가려 한단 말이냐."

순간 연정토를 에워싼 군졸들이 일제히 칼을 빼어들고, 내실 위로 올라섰다. 흥분한 군졸들은 당장에라도 고승을 내리칠 듯 칼을 치켜들었다.

"네 이놈들."

고승이 고함을 지르면서 주위를 노려보았다.

"너희들이 일시에 덤벼들어 나를 죽이려 한단 말이냐. 물러서라. 네 이놈들. 내 피를 너희들의 더러운 칼에 묻히고 싶지는 않다."

고승의 기세에 살기등등하게 덤벼들었던 병졸들이 잠시 주춤 물러섰다.

"내 자진하여 죽을 것이다, 연정토."

고승이 불과 같은 소리로 연정토를 불러 세웠다.

"내가 이제 네게 말함은 살기를 청원하기 위함도 아니요, 네 마음을 움직여 구차하게 목숨을 구하기 위해서도 아니다. 과거에 내가 너를 친아들처럼 총애하고 사랑했음을 빌미로 네 마음을 흐리게 할 생각도 없다. 어차피 너는 나를 죽여야만 돌아갈 수 있을 것이다. 나는 내 운명이 오늘에야 끝이 났음을 안다. 이제 와서 후회되는 것은 이 일이 이렇게 그르치기 전에 먼저 서둘러 연개소문을 잡아 그를 참하였어야 옳았을 것이다. 그보다도 십여 년 전 그때 이미 연개소문을 내 손으로 잡아 그의 목을 치고 생간을 씹었어야 옳았을 것이다. 이제 오늘로서 내 명은 끝이 난다. 내 한 목숨이 죽고 사는 것은 초개의 검불과 같아서 미련도 없고, 이승에 따로 한도 이미 없으나, 다만 내가 죽는 것이 나 하나의 죽음으로 그치지 않고 국기(國基)의 사직(社稷)을 일시에 그르치고 무너뜨릴까 그것이 두렵다. 일찍이 동명성조께오서 이곳에 나라를 세우시고, 태평의 성대를 누려오는 동안에 신하가 왕을 죽이고 대권을 빼앗는 일은 없었다. 칼을 들어 이룬 자는 칼로 망하는 것이 정법(正法)이다. 정토, 네가 이제 칼을 들어 일을 이룸은 한때는 나라가 반듯이 서고 국위가 사해에 떨치는 것 같은 느낌을 줄지 모르나 마침내는 칼을 들어 이룬 그것으로 망하게 될 것이다. 칼을 들어 흥한 자가 칼로써 망함은 당연한 이치나, 그것으로 천 년 국가의 사직이 일시에 그르칠까 두렵다. 이 말을 명심하라, 연정토. 우리의 나라, 고구려는 너의 그 칼로써 마침내 멸망하게 될 것이다. 이 말을 잊지 마라. 잊어서는 안 된다. 정토야, 이제 국운은 쇠해 비명(非命)에 이르고 국기는 무너져 횡사(橫死)에 이르렀다."

고승은 잠시 말을 끊고 비통한 얼굴로 하늘을 우러러보았다. 이미 온 집은 불길에 휩싸이고 그나마 몇몇 반항하던 무리들도 일시에 잠잠해지고 울부짖던 아녀자들의 비명 소리도 잦아들어 있었다. 담 너머로 화광이 충천하여 하늘을 벌겋게 물들이고 있었다.

"하늘을 우러러 천신을 뵐 낯이 없고 땅을 향해 허리 굽혀 지신을 뵐 낯도 없다. 동명성신을 마주할 낯도 없으니 죽어간들 그 누구의 신 앞에 죄를 빌고 용서를 구하리오."

그 길로 고승은 내실로 들어가 자신의 칼로 스스로 가슴을 찔러 죽으니, 그때 그의 나이 향년 76세.

일찍이 젊은 나이에 군사를 일으켜 신라의 북한산성을 치고 신라의 진평왕과 격전을 벌였던 고승.

나라가 수와 수십 년에 걸친 전란에 휩쓸리자 솔병(率兵)하여 건무를 도와 항전하던 백전의 노장 고승. 선왕이 죽자 건무를 세워 왕으로 옹립하고 당나라와의 화평정책을 주장하던 온건파의 총수 고승은 이처럼 비참한 최후를 맞이하였다.

한편 연정토와 헤어져 대왕이 살고 있는 내성으로 달려간 연개소문은 궁을 지키는 별군들과 치열한 격전을 벌였으나, 궁 안에서 이미 사태의 추이를 간파한 선도해에 의해서 쉽게 궁궐의 문이 열릴 수 있었다.

선도해는 일이 이처럼 엄청난 재앙을 몰고 올 줄은 전혀 짐작도 하지 못하였다. 그는 다만 대왕을 가장 가까이 모시는 근시로서 한밤의 구수회의에서 오가던 밀담의 내용을 그가 한때 떠돌이 중으로 있을 때 몸담아 기탁하였던 서부대가에 대한 옛 은의를 저버리지 않기 위해서 남몰래 연개소문을 찾아가 목숨을 구하기 위해서 도망치라고 귀띔해준 것뿐이었다.

천기를 누설한 그 근본의 뜻은, 연개소문에게 도망쳐 목숨을 구하라는 뜻을 전하기 위함이었지 이처럼 엄청난 변란을 일으킬 생각은 전혀 없었던 것이었다.

선도해는 어떻게 할 것인가를 몹시 망설였다.

그는 이미 장안성에 살고 있는 수백 명의 호족들이 일시에 연개소문의 병사들에게 척살당하였음을 전해 들었고, 대세는 연개소문 쪽으로 기울어지고 있음을 직감하였다. 그로서는 왕 건무에 대한 신의를 저버릴 수 없다는 충성의 맹약에 매달릴 필요는 없었다.

일이 이렇게 된 이상 대왕 건무를 대신해서 새로 연개소문을 주인으로 모신다 하더라도 그로서는 마다할 이유가 없었다.

"문을 열어라."

그는 궁궐의 문을 닫고, 치열한 공방전을 벌이고 있는 근위병의 수장에게 명령하였다. 근위병의 수장은 선도해의 명령을 이해할 수 없었다.

"문을 열라니요."

"궁궐의 문을 열고 대대로를 맞아들여라."

"하지만 문을 열 수는 없습니다. 대왕의 명이 아니라면 그 누구의 명으로도 문을 열 수는 없습니다."

근위병의 장수는 단호한 어조로 말을 막았다.

"대왕마마의 명이시다. 대왕마마께서 친히 대대로를 맞아들이라고 명을 내리시었다."

수장은 난처한 표정으로 선도해를 쳐다보았다. 그는 어떻게 판단해야 할지 몹시 곤란한 듯 마음의 갈등을 느끼고 있었다. 그는 선도해가 대왕의 가장 가까운 근시임을 잘 알고 있었다. 그러므로 대왕의 명은 언제나 선도해를 통해 흘러나오고 있음을 잘 알고 있었다. 선도해의 말은 대왕의 성음(聖音)이었고 선도해의 명은 대왕의 옥음(玉音)이었다.

"정말 대왕께서 그러한 명을 내리시었습니까?"

"누구의 말이라고 거역할 것인가. 서둘러 문을 열어라."

근위병 장수의 명에 따라 궁궐의 문이 열렸다. 곧 칼과 창으로 무장한 수백 기의 병마들이 물밀듯이 왕궁으로 몰려들었다. 앞장 서 쳐들어오는 연개소문의 앞을 선도해가 가로막았다.

"누구냐?"

달려오는 말의 고삐를 잡아세우는 검은 그림자를 향해 연개소문은 소리를 지르면서 호령하였다.

"안녕하시오, 연 대인."

어둠 속에 나타난 그림자가 다름아닌 선도해란 사실을 깨달은 연개소문은 그제서야 마음이 놓인 듯 미소를 띠어 올렸다.

"아니 선 대인께오서 웬일이십니까?"

"내 말을 잘 들으십시오, 연 대인. 내성의 문은 내가 열었소이다. 내가 왕명을 칭하여 근위병의 장으로 하여금 문을 열게 했습니다. 도대체 연 대인께오서는 그처럼 초라한 병마를 출병하여 무엇을 어떻게 하려 하십니까. 그곳은 대왕이 살고 있는 내성입니다. 이곳에는 수천의 군사들이 머물고 있습니다."

"대왕은 어디 계신가?"

연개소문은 다그쳐 물었다.

"대왕을 만나서 무엇을 하실 겁니까."

"정녕 선 대인은 내 마음을 몰라서 그것을 묻고 있는 거요."

연개소문은 성급히 말을 이었다.

"대왕은 어디 있는가?"

"모릅니다."

선도해가 잘라 말을 받았다.

"그럴 리가 없을 텐데."

"말하지 않는다면 저를 어떻게 하실 겁니까."

"선 대인은 그리하면 내 칼에 죽게 됩니다."

"대왕이 계신 곳을 말한다면요, 대왕이 계신 곳을 알게 된다면요, 대왕을 어떻게 하실 겁니까?"

"그를 죽이겠소. 그를 죽이러 내가 이곳에 왔으므로."

"어찌 이렇게 되었습니까. 내가 연 대인을 만나서 천기를 누설한 것은 연 대인의 목숨을 구하기 위함이었소. 이처럼 엄청난 변란을 초래하기 위함은 아니었소."

"잘잘못을 따질 시간이 없소. 앞장 서 길을 여시오. 대왕이 있는 곳으로 안내하시오."

"이와 같은 형세로서는 도저히 정침까지 들어가실 수는 없습니다. 심복 서너 명만 대동하고 따라오십시오."

연개소문은 순간 선도해의 말이 무엇을 뜻하는가를 단숨에 알아 차렸다. 그는 주위를 물리치고 서너 명의 심복 부하만을 골라 세웠다. 우거가 연개소문을 호위하고 나섰고, 힘센 장수들이 쌍검을 세워들었다. 선도해가 앞장 서서 길을 열었다.

선도해는 사초롱을 밝혀들고 앞장 섰다. 대궐 안은 만월의 달이 휘영청 밝아 길이 환히 열리었지만, 내전으로 들어갈수록 괴괴하고 적적하였다. 선도해가 든 사초롱을 따라서 연개소문과 심복 부하들은 칼과 창을 치켜들고 발소리를 내지 않도록 주의하면서 쫓아나갔다.

"지밀(至密)은 아직 멀었는가?"

말없이 따라 걷던 연개소문이 낮은 소리로 선도해를 불러 세웠다. 그러나 선도해는 대답 소리 하나 없이 발빠르게 앞서나갔다. 연개소문은 그가 어쩌면 자신을 함정에 빠뜨리기 위해서 일부러 주위의 병사를 물리치고 몇 명의 심복만을 데리고 따라오도록 유도한 것이 아닐까 하는 의심이 더럭 들었다. 그러나 이미 내친 걸음이었다. 이제는 물러설 수도, 빼내칠 수도 없는 일이었다.

대왕의 가장 가까운 근시로서 궁궐 안의 일을 누구보다 잘 아는 선도해에게 모든 일을 맡길 수밖에 없는 일이었다.

수없이 많은 궁문(宮門)을 지나고 나서야 비로소 선도해는 걷던 발을 멈추고 편전(便殿) 위를 손으로 가리켰다. 그것은 그 속에 대왕 건무가 잠들어 있음을 가리키는 몸짓이었다.

밖의 인기척을 눈치챈 지밀 내시 하나가 무심코 문을 열고 계상(階上) 위로 나섰다가 야반에 칼과 창을 든, 때아닌 무사들이 사위를 겹겹이 둘러싸고 있음을 보고 비명을 지르려는 순간, 날카로운 창 끝이 그의 몸을 찔러 단번에 피박살을 내었다. 지밀 내시는 비명 소리 한 번 못 지르고 그 자리에서 쓰러졌다.

그와 동시에 연개소문이 문을 박차고 편전 안으로 뛰어들었다. 밝은 촛불 아래 깜박깜박 졸고 있던 나인들과 내시들이 황황히 눈을 비비고 일어서려는 것을 여러 무사들이 이곳저곳에서 한꺼번에 베어 참하였다.

일시에 비명 소리가 일어나고 피비린내가 진동하였다.

"무슨 일이냐?"

닫힌 정침 안에서 뭔가 수상한 낌새를 눈치챈 듯 잠이 깬 목소리 하나가 흘러나왔다. 일제히 무사들이 칼을 빼들고 덤벼들려는 것을 연개소문이 막아 세웠다.

"대대로 연개소문이 입시(入侍)하였소."

"무슨 소리인가?"

영문을 알 수 없다는 듯, 문 저편에서 대왕의 목소리가 흘러나왔다.

"누가 그대를 이곳까지 들라 하였느냐. 이 야반에 누가 그대를 편전까지 입시토록 허하였는가."

"미구에 요동으로 장성역사로 발정하리니, 대왕께 친히 숙사하기 위하여 들렀나이다."

"내시와 나인들은 어찌 되었느냐. 게 아무도 없느냐. 게 누구 없느냐."

"아무도 없소이다. 여관과 내시들은 이미 죽어 말을 할 수 없게 됐소이다."

"무엇이라구?"

"나오시오. 나와서 칼을 받으시오. 대왕은 신 연개소문이 죄가 없음을 익히 알고 있으면서도, 당나라와의 화평의 맹약을 저버리지 않기 위해서 왕경의 여러 대신들과 힘을 합쳐서 내 목을 칠 것을 밀지로 정하시었소. 내 한 목숨 죽고 사는 것은 대수롭지 않은 일이라 할 수 있으리오만 마땅한 명분 없이 죽음을 맞는다는 것은 수치스러운 일이오."

연개소문은 칼을 세워들고 소리를 높였다.

"이제 왕경의 이백 호족들은 모두 죽임을 당하였소. 대대로 고승도 방금 전에 참살당하였소. 이제 남은 것은 대왕의 목숨뿐이오. 왕궁의 근위병들도 항복하였고 수병(守兵)들도 왕명으로 칼을 내렸소. 대왕을 도와줄 사람은 이 세상에 단 한 사람도 없소이다. 이제 대세는 완전히 기울어졌소이다. 나와서 대왕답게 순순히 칼을 받으시오."

"네 이놈."

순간 문 저편에서 피 끓는 고함 소리가 터져 흘렀다.

"내 너를 죽이고 참하리라."

동시에 연개소문의 좌우를 에워싸고 있던 부하들이 발길로 문을 박차고 정침 안으로 뛰어들었다. 비단이불 위에 앉아 있던 대왕의 몸을 향해 여러 개의 칼과 창이 일시에 내리찌르고 꽂혀졌다. 피가 단번에 솟아올라 폭포수처럼 뻗어나갔다. 대왕 건무의 시신은 갈가리 찢겨져서 금침 위에 널브러졌다. 연개소문이 대왕의 수급을 머리째 쥐어들고 편전 밖으로 나오면서 소리질렀다.

"선 대인, 선 대인 어디 있소."

피투성이가 된 편전 안팎은 죽음과 같은 정적에 휩싸여 있었다. 연개소문은 분명히 어딘가 가까운 곳에 숨어 있을 선도해를 불렀다. 계하수목 가운데에서 선도해가 몸을 와들와들 떨면서 나타났다. 그는 완전히 혼이 빠져 있었다. 그는 수목 사이에서 편전에서 일어난 모든 끔찍한 사실들을 보고 들었으므로 완전히 넋이 나가 있었다.

"이것이 누구의 목인가."

사초롱을 들고 굴신하고 서 있는 선도해의 앞에 연개소문은 아직 피를 흘리고 있는 대왕 건무의 수급을 집어던졌다. 선도해는 털썩 자신의 앞으로 떨어지는 것이 다름아닌 사람의 모가지라는 것을 확인하는 순간 몸을 떨면서 낯을 가렸다.

"무서워하지 말고 눈을 뜨고 확인하여보라."

선도해는 벌벌 떨면서 땅에 떨어진 수급을 내려다보았다.

"그 목이 누구의 목인가?"

선도해는 사초롱의 불빛을 들어 그 얼굴을 자세히 들여다보기 위해서 그 불빛을 수급 위에 가만히 가까이 가져갔다. 수급의 눈은 아직도 분노의 표정으로 부릅뜨고 있었다. 그래서 마치 아직 살아서 원한과 증오의 감정으로 노려보고 있는 것 같은 느낌을 불러일으키고 있었다. 불빛을 통해 그 목의 얼굴을 확인한 선도해가 토악질을 하면서 무릎을 꿇었다.

"그 목이 누구의 목인가."

"……."

"입을 열어 대답하라."

"……대왕, 대왕마마의 목입니다."

몸을 와들와들 떨면서 선도해가 간신히 입을 열어 대답하였다.

"대왕의 목이 분명하렷다."

다짐하면서 연개소문이 날카롭게 물었다. 그로서는 그 목이 분명히 대왕의 목인가 아닌가를 재삼 재사 확인할 필요가 있었다. 그들로서는 엉겹결에 대왕이 머물고 있는 편전까지 다가와 대왕으로 보이는 사람을 죽인 것은 분명하지만 그것이 분명 대왕의 시신인가 아닌가를 확인하지 않고서는 안심할 수 없었기 때문이었다. 그 목이 다름아닌 대왕 건무의 목임을 확인해야만 이 일이 완전히 끝났음을 내외에 선포할 수 있을 것이며, 만약 만의 하나라도 대왕이 아닌 사람을 대왕으로 착각하고 이것으로 일을 마무리한다면 뜻하지 않은 곳에서 대세가 뒤집힐 수도 있었기 때문이었다.

그들이 죽인 사람이 분명 대왕 건무인가 아닌가를 가장 확실히 판별할 수 있는 사람은 대왕의 근시로 가장 가까운 곳에서 모시고 있었던 선도해말고는 아무도 없을 것이다.

"그, 그렇습니다."

선도해가 몸을 떨면서 답하였다.

"이것은 분명히 대왕마마의 옥체(玉體)입니다."

그러자 연개소문이 주위에 대기하고 있던 부하들에게 명하였다.

"가자, 이제 모든 일은 끝났다."

피묻은 칼과 피묻은 창을 세워든 한 무리의 무사들이 미련도 없이 계단 아래로 내려왔다. 그들은 발자국 소리를 내면서 궁문을 지나 멀리멀리 사라져갔다. 홀로 남은 선도해는 두려움과 공포와 그리고 슬픔 속에서 그 어딘가에 혹시 자신처럼 살아남은 사람이 있는가를 확인해보기 위해서 계단 위로 올라가 편전 안으로 들어가보았다.

"……애들아……"

편전 안은 완전히 피투성이였다. 베어져 죽은 시신들이 여기저기에 널브러져 있었고, 흘러나온 핏물이 내를 이루고 있었다.

"아무도 없느냐, 애들아……"

그제서야 선도해는 살아남은 사람이라고는 오직 자신뿐이라는 사실을 깨달았다. 그는 울면서 뜰 아래로 내려와 죽어 있는 대왕의 시신을 물끄러미 내려다보았다.

이것이 천하를 호령하던 대왕 건무의 수급이란 말인가. 이제 향년 64세. 이십여 년 전 패강(浿江)에서 수나라의 장군 내호아의 수십만 대병을 일격에 섬멸하여 천하에 용맹을 떨치던 건무, 바로 그 사람의 목이란 말인가.

어째서, 어째서 이렇게 되었단 말인가.

선도해는 무릎을 꿇고 울면서 머리를 모았다. 결국 대왕이 이렇게 비참하게 죽을 수밖에 없었던 것은 이렇게 될 줄은 꿈에도 모르고, 그저 오직 옛 은의를 갚으려고 천기를 누설한 자신의 가벼운 입놀림에서 비롯된 것임을 선도해는 절감하였다. 그는 부복하여 땅을 치면서 울었다.

다음 날 연개소문은 대왕 건무의 죽음을 선포하였다. 시호(諡號)를 영류(榮留)라고 칭하였으며, 그 뒤를 이어 건무왕의 아우인 대양왕의 아들 보장(寶臧)을 옹위하여 왕위를 계승케 하였다.

건무의 동생 대양왕은 생전에 각별히 연개소문을 사랑하였으며, 이를 잊지 않았던 연개소문은 그의 아들이었던 보장을 왕으로 추대하니 이분이 곧 고구려의 28대 왕, 보장왕인 것이다. 그러나 연정토에게 죽기 전에 토하였던 고승의 마지막 말이 예언처럼 들어맞았는지 연개소문에 의해서 왕으로 추대된 보장왕은 고구려 최후의 왕으로, 그 왕을 마지막으로 고구려는 멸망하게 되는 것이다.

한편 대대로 연개소문은 스스로 자신을 태대대로라고 칭하니 지난 봄 삼불제국의 사자의 면전에 문신을 새겼던 연개소문의 부하의 희롱이 그대로 맞아떨어졌던 것이다.

그리하여 종후에는 스스로를 직위에 없던 대막리지(大莫離支)라 칭하고 국사(國史)를 전제(專制)하고 정권과 병권을 총람(總攬)하고 대인의 세습을 폐지하니 연개소문은 고구려 천 년의 역사상 그 어느 제왕도 누리지 못했던 절대의 지위를 전횡(專橫)하게 되는 것이다.

제 4 장 암운

가신 훈신(訓信)과 금성(金城, 오늘의 경주)을 출발하여 십여 일 만에 고구려와 신라의 경계구역인 대매현(大買縣)에 이른 김춘추는 그곳에 이르러서야 그 사이에 고구려 국중에서 무서운 전란이 일어난 사실을 듣게 되었다.

고구려의 대신인 개금(蓋金)이란 자가 대왕 건무를 죽이고 왕경의 모든 대인들과 호족들을 일시에 참살하고 자신이 죽인 대왕의 동생의 아들을 옹립하여 왕위에 세웠다는 비보를 듣게 된 것이었다.

말만 새 왕으로 옹립했을 뿐 실은 허수아비에 지나지 않는 왕으로 권세와 힘은 그 개금이란 자가 모조리 차지하고 스스로는 새 관직을 창제하여 대막리지라 칭하여 모든 국가의 대사를 전단(專斷)하고 있다는 것이었다.

백척간두의 국가 운명을 돕기 위해서 오직 일념으로 달려온 김춘추로서는 청천의 벼락과도 같은 흉보였다.

그가 가장 믿고 의지하였던 것은 고구려의 국왕 건무에 대한 기대감이었다. 그는 건무가 지난 젊은 시절 20여 년 동안 수나라와의 전쟁을 직접 지휘하였던 장수로 전쟁이라면 지긋지긋하리만큼 염전하고 있었고 누구보다 화평을 존중하는 왕으로 알고 그 하나만을 믿고 금성에서 달려온 길이었다.

건무라면 세객(說客)이 되어 말로써 설득하고 말로써 다스릴 수 있을 것이다. 평화를 사랑하는 그의 마음에 호소하고 힘써 구한다면 반드시 그의 마음을 움직일 수 있을 것이다.

그러나 그는 죽었다. 부하인 개금이란 자의 손에 의해서 참살당하였고 그 대신 새로운 왕이 섰다.

어쩔 것인가.

김춘추는 낯선 변경의 땅에서 하릴없이 세월을 보내면서 마음이 극히 혼잡하였다. 이대로 몸을 떨쳐 왕성으로 돌아갈까도 생각하였지만 일단 뜻을 일으켜 몸을 떨쳐 궁성을 떠나 온 이상 이대로 공수(空手)의 몸으로 돌아갈 수는 없다고 생각하였다.

대매현의 현령 두사지(豆斯支)는 그러한 김춘추 공의 마음을 읽고 다음과 같이 말하였다.

"이찬 어른께오서는 고구려 국중으로 들어가지 마옵소서. 고구려 국중에는 유사 없는 변란이 일어나 일찍이 볼 수 없던 흉사가 연일같이 일어난다 하옵니다. 강물이 거꾸로 흐르고 전에 없이 하늘에서 비가 사나흘을 계속 내리고 우물은 핏빛으로 변해 고갈이 들어 마실 물조차 없다고 하옵니다. 뿐만 아니라 개금이란 자는 성격이 난폭하여 제 뜻에 조금이라도 어긋난 자가 있으면 즉시 단검을 던져 해하고 막리지란 벼슬에 오르자마자 백제의 왕 의자에게 사신을 보내어 공수의 동맹을 맺었다 하옵니다. 그 공수동맹(攻守同盟)의 내용인즉, 백제가 신라와 싸우거든 고구려는 당을 쳐서 당이 신라를 구하지 못하게 하며 고구려가 당과 싸우거든 백제는 신라를 쳐서 당을 돕지 못하게 하자는 것입니다. 일찍이 백제와 고구려가 이처럼 일심동체 고굉(股肱)이 되어본 적은 없습니다."

두사지는 간곡하게 김춘추를 막아 세웠다.

"이러한 때 춘추 공께서 국서를 가지고 고구려의 국중으로 들어감은 섶을 지고 불 속으로 뛰어드는 일과 진배가 없습니다. 신이 바라옵건대 춘추 공께오서는 발길을 돌려 일단 왕경으로 돌아가셨다가 후일을 도모하여 일을 이루는 것이 상책이라고 생각되옵니다."

두사지의 말은 구구절절 조리가 있고, 사리가 분명하였다. 그러나 김춘추의 마음은 어쩔 수가 없었다.

아직 만추의 가을인데도 눈이 강산으로 쌓여 북풍의 바람은 매섭게 변경을 몰아치고 있었다. 들려오는 풍운에 의하면 이미 당항성은 완전히 빼앗겨 당으로 가는 뱃길은 끊겼다는 것이었다.

이대로 돌아갈 수는 없다.

김춘추는 두사지에게 고구려 국중으로 월경하겠음을 이르고 밀서를 가진 사신이 강을 건너 넘어간다는 것을 통보하라고 말하였다. 김춘추의 뜻이 이처럼 굳은 것을 알게 되자 두사지는 더 이상 만류하지는 않았다. 그는 자신의 부하를 시켜서 미리 적병들에게 일러둘 것을 명한 다음 김춘추의 손을 잡고서 다음과 같이 말하였다.

"이찬 어른의 뜻이 그토록 굳으시다면 뭐라고 다른 말로 뜻을 꺾으려 할 수 있겠습니까. 제게 다행히 청포(靑布)가 약간 있습니다. 고구려의 귀족들은 모두 청포를 좋아하고 아끼는 편이니 제가 갖고 있는 청포를 드리겠습니다. 그러하면 언젠가는 비상시에 요긴하게 쓰일 데가 있을지도 모르는 일이 아닙니까."

두사지는 그의 집에서 가보로 전해 내려오던 청포 3백 보(步)를 아낌없이 김춘추에게 건네주었다.

강을 건너갔던 두사지의 부하가 다시 강을 건너온 것은 사흘 뒤였다.

김춘추는 훈신과 단 둘이 배 위에 올라 고구려의 국중으로 행하였다. 전송 나온 사람은 두사지뿐이었고, 주위의 눈을 꺼리며 밀서를 지닌 밀사의 자격으로 몰래 숨어 들어가는 김춘추의 행색은 초라하기 이를 데 없었다.

고구려와 신라는 일의대수(一衣帶水)와 같은 작은 강으로 경계를 이루고 있었다. 그러나 그 작은 강을 사이로 고구려와 신라는 수백 년 동안 피투성이가 되도록 싸움을 벌여왔던 것이다.

아직 엄동이 되지 않아 강은 얼어붙지 않았지만, 때아니게 일찍 찾아온 설한으로 강의 주위는 하얗게 살얼음이 얼어붙어 있었다. 삭풍이 몰아치는 강 위로 하얀 눈이 쇠뇌에서 쏟아져내리는 화살처럼 무섭게 내리꽂히고 있었다.

김춘추는 일엽의 작은 배에 몸을 의지하고 깊어오는 강을 가로질러 건너가면서 점점 멀어져가는 고국의 산천을 몇 번이고 뒤돌아보았다.

내가 다시 돌아갈 수 있을까.

내가 살아서 다시 돌아갈 수 있을까.

한편 신라에서 밀서를 지닌 밀사가 들어온다는 전갈은 봉인(封人)에서 봉인으로 연이어져 고구려의 왕경으로 전해지게 되었다. 그러나 그 전갈을 받은 고구려의 대막리지, 이제는 하늘을 나는 새도 일갈에 떨어뜨릴 것 같은 천하의 연개소문에게는 전혀 새로울 것이 없는 전문이었다. 왜냐하면 그는 이미 김춘추가 밀서를 지니고 국중으로 들어오려 한다는 것을 익히 알고 있었으므로.

연개소문은 신라의 금성에 숨어 있는 황룡사의 중 덕창으로부터 이미 오래 전에 밀서를 전해 받고 있었기 때문이었다. 덕창은 고구려에서 신라로 은밀히 숨어들어가 중으로서 불도에 남다른 신심을 갖고 있는 신라의 여왕 덕만(德曼)에게 각별한 총애를 받고 있었다.

그러나 그는 실은 중이라기보다 고구려의 첩자로 신라의 국중에서 일어나는 모든 일들을 낱낱이 고구려에 고해 바치는 이른바 생간(生間)이었던 것이다. 그는 이미 김춘추가 금성을 출발할 무렵에 자신의 봉인을 통해 밀서를 고구려의 경내까지 보내고 올 것을 명하였던 것이다.

'부디 김춘추의 혓바닥에 현혹되지 마시옵고 고삐를 늦추지 말기를 바랍니다. 김춘추는 스스로 생간이 되어 적정을 살피려고 국중으로 들어가는 것이오니 부디 그를 살려 보내지 마시옵고 그를 사로잡아 군기를 잡고, 그의 목을 베어 널리 본을 보이소서.'

고구려의 첩자 덕창의 밀서를 이미 받은 연개소문으로서는 장안성에 있으면서도 육로를 통해 왕경으로 조금씩 조금씩 다가오고 있는 세객 김춘추의 흉중을 제 손바닥 들여다보듯 환히 읽어내고 있었다.

그가 오는 목적은 오직 한 가지다. 여제동맹을 깨뜨리고 이간시키려는 목적 한 가지뿐이다.

김춘추, 너는 스스로 호구(虎口)로 뛰어들고 있음이다. 네 흉중의 마음을 아니, 역으로 너를 쳐서 너를 이용하고 네 목을 쳐서 본을 보일 것이다.

자신을 둘러싼 적들의 음모가 비밀리에 착착 진행되고 있음을 모르는 김춘추는 사신을 호위하러 나온 병사에 둘러싸여 북으로 북으로 나아갔다. 마상에서 바라보는 고구려의 경내는 듣던 것과는 판이하게 질서가 잡혀 있었다. 대왕이 죽고 나라가 뒤집히는 대변란이 일어났다고는 하지만 보고 듣는 것 모두 기율이 잡혀 있었고 기강이 바로 서 있었다.

저런 힘이 이십 년에 걸친 수나라와의 항쟁을 마침내 이겨서 수나라를 거꾸러뜨리게 한 근원이 아닐까 하고 김춘추는 마상에 올라 북로를 따라오면서 줄곧 생각하였다.

김춘추가 수곡성(水谷城)과 평산(平山)을 지나 수안(遂安)을 거쳐 마침내 고구려의 왕성인 장안성에 도착한 것은 대매현을 떠난 지 일주일, 그러니까 그가 신라의 왕도인 금성을 떠난 지 거의 한 달에 이르는 긴 여정 뒤끝이었다.

김춘추는 장안성에 든 즉시 새로 왕위에 오른 고구려의 왕, 보장을 만나서 신라의 여왕이 보내는 국서를 전하였다.

김춘추는 국서를 전하려고 부복하여 고구려의 신왕 보장을 흘깃 본 순간 가슴이 철렁 내려앉았다.

왕관을 쓰고 앉아 있는 신왕의 모습은 이제 스물도 채 되어 보이지 않는 홍안의 미소년이었기 때문이었다.

그가 왕인가.

김춘추는 순간 생각했다. 대왕의 천안(天顔)이라기보다는 예쁘고 귀여운 동자(童子)의 얼굴을 하고 있었다. 대왕의 천위와 위엄은 엿보이지 않고 소년처럼 보일 뿐이었다.

국서를 올리고 궁전을 물러나오면서 김춘추는 착잡한 마음을 금할 수 없었다.

이제 겨우 스무 살도 채 못 되어 보이는 예쁘장한 동자의 대왕을 상대로 무엇을 어떻게 설득하려 함인가.

김춘추는 비교적 후한 예우를 받고 객관(客館)에 머물게 되었다. 그로서는 이제 대왕을 만나기보다는 개금이라고 알려지고 있는 수수께끼의 인물 연개소문이란 자를 한시라도 빨리 만나야 한다고 생각하고 있었다. 고구려의 권세는 모조리 그에게 넘어가 대왕은 허명이며 허수아비일 뿐, 김춘추로서는 한시라도 빨리 고구려의 실권자인 연개소문을 만날 필요가 있었다. 그러나 분명히 김춘추가 국중에 들어와 있는 것을 알면서도 연개소문으로서는 그를 빨리 만나지 못하는 이유가 따로 있었다.

연개소문은 이미 신라의 황룡사에 첩자로 숨어 있는 덕창을 통해 김춘추가 흉계를 가지고 밀사로 들어와 있음을 잘 알고 있었다. 이미 그가 나라 안에 들어와 있는 이상 독 안에 든 쥐와 다름없었다. 나라 안에 들어와 있는 이상 김춘추를 죽이든 살리든 그것은 연개소문의 마음대로일 뿐이었다.

연개소문으로서는 김춘추를 만나는 일보다 더 급한 일이 따로 남아 있었다. 그는 비록 아우 연정토와 더불어 왕경에 남아 있던 이백여 대인들과 호족들을 일시에 척살하고 왕 건무까지 시해하고 자신의 임의대로 새 국왕을 위에 오르게 하여 대권을 잡았다고 하지만, 아직 지방 호족들까지 완전히 장악한 것은 아니었다.

그가 대권을 잡은 곳은 평양성의 왕경뿐이었지 광활한 요동지방이나 저 먼 광야의 수많은 지방 호족들까지 수하로 만든 것은 아니었다.

저 광활한 고구려의 영토에는 수많은 지방 토호들이 버티고 있었다. 평양성으로 천도하기 전까지 고구려의 왕경이었던 국내성(國內城)을 비롯하여 백암성(白岩城), 목저성(木底城), 요동성(遼東城), 안시성(安市城) 등 수백 년 동안 스스로 갈고 닦고 익혀온 지방 토착 세력들이 굳건히 버티고 있었다.

연개소문이 명실공히 고구려의 대막리지로 인정받기 위해서는 이 모든 토착세력들의 인준을 받아야 할 필요가 있다.

이러한 연개소문의 의중과는 달리 각 지방의 성주들과 귀족들은 쉽사리 연개소문의 대권을 인정하려 들지 않았다. 왕이 죽어 새 대왕이 위에 오른 것은 어쩔 수 없이 기정사실로 받아들일 수밖에 없다고 생각하면서도 연개소문의 전횡은 쉽사리 인정하려 들지 않았다. 그들은 연개소문이 비록 5대 귀족 중의 하나인 순노부(順奴部) 출신의 대가(大加)라고는 하지만 어제까지만 해도 천리장성을 지휘하던 하찮은 군역의 장수로만 기억하고 있었을 뿐이었다.

연개소문은 왕경에 버티고 앉아서 쉴새없이 근위병을 시켜 각 지방의 성주들에게 전문을 띄워 일단 왕경으로 들어올 것을 왕명으로 전하였다.

새로운 대왕이 위에 오른 이상 각 지방의 성주들은 당연히 왕경에 들어와 새 왕의 등조(登祚)를 축하하고 숙사(肅謝)하는 것이 신하로서 갖출 법도 중의 하나였다. 그들로서는 일단 왕명인 이상 거역할 수 없었으므로 서둘러 평양성으로 들어올 수밖에 없었다.

일단 왕경에 들어오면 연개소문은 그들을 자신의 앞에 무릎 꿇려 앉히었다. 그는 자신의 위엄과 권위를 나타내 보이기 위해서 언제나 몸에 다섯 자루의 칼을 차고 다녔으며, 좌우의 사람들이 감히 자신의 얼굴을 쳐다보지 못하게 하였다. 사람들은 그가 나타나면 부복하여 시선을 내리깔아야 했으며, 감히 고개를 들어 그를 쳐다볼 수 없었다. 이를 어기는 자가 있으면 즉시 능지(陵遲)되었다.

말에 오르고 내릴 때는 항상 귀인무장(貴人武將)이 땅에 엎드려 발판이 되었으며, 연개소문은 그 엎드린 무장의 등을 딛고 말 위에 올랐으며, 외출할 때는 반드시 대오(隊伍)를 베풀고 가곤 했는데, 앞에서 인도하는 자가 긴 소리로 외쳐 대막리지의 행차를 미리 알리곤 했었다. 이 행차 소리가 길게 나면 반드시 사람들은 하던 일을 멈추고 부복해야 했으며, 때로는 도망쳐 달아나야만 했었다.

연개소문은 일단 왕경 입시(入侍)를 위해 들어온 지방의 호족들을 새 국왕 앞에 데리고 가서 왕 앞에 충성을 맹세케 하고, 다음에는 자신에게 무릎 꿇어 신하로서 복역케 하였다.

자신에게 무릎을 꿇지 않는 성주가 있으면 그는 좌우의 무장을 시켜서 다리를 잘랐다. 국내성의 성주는 다리가 잘리었지만 그래도 몸을 세워 굴신(屈身)하지 않았다. 그는 즉시 참살되었고, 본을 보이기 위해서 목이 잘려서 창끝에 세워져 까마귀밥이 되도록 내버려두었다.

지방의 호족들은 연개소문 앞에 무릎을 꿇거나 아니면 스스로 군사를 일으켜 변란을 일으키거나 둘 중의 하나를 선택하지 않으면 안 되었다.

지방의 호족들은 별수없이 연개소문 앞에 신하로서 복속할 수밖에 없었으며 차츰차츰 그의 대권은 현실화되고 있었다.

그러나 단 한 곳 안시성만은 만만치 않았다.

안시성의 성주 양만춘(楊萬春)은 불과 같은 연개소문의 명에도 절대로 스스로 몸을 움직여 왕경으로 입시하지 않았다.

안시성은 요동의 요충지대로 안시성을 장악지 않고는 요동을 복속시켰다고는 말할 수 없을 만큼 중요한 곳이었다.

양만춘은 요동이 전략상 요충지대로 잠시라도 성을 비울 수 없음을 빌미로 노골적으로 연개소문의 대권을 인정치 않고 있었다.

연개소문이 이렇듯 김춘추가 국중에 들어와 있음을 알면서도 그를 소원(疏遠)케 하고 만나지 못한 것은 자신의 발등에 떨어진 불 때문이었다. 그로서는 김춘추를 만나는 일보다는 우선 자신의 대권을 굳건히 세우는 일이 더 화급한 일이었다.

김춘추는 고구려의 국중에 들어와 객관에 머물기를 이십여 일. 그 동안 그는 그 누구도 만나지 못했으며, 개금이란 자의 모습은 그림자도 보지 못하였던 것이다.

김춘추는 객관에서 할 일 없이 자고 먹으며 귀중한 세월만 허송하고 있는 셈이었다.

그는 저녁마다 가신 훈신과 단 둘이서 술을 마시고 대취하여 진

(晉)의 시인 도연명(陶淵明)의 시를 소리 내어 읊곤 하였다.

내가 사는 초가집 마을 안에 있으나
시끄러운 수레 소리 들려오지 않도다
그대에게 묻노니 어찌 능히 그러한가.
마음 멀리 있으매 땅도 자연 그러한가.
동쪽 울타리에서 국화꽃 꺾어다가
허리 들어 유연히 남쪽 산을 바라보네.
산의 기는 밤낮없이 매맑기 그지없고
나는 새는 서로서로 짝지어 돌아간다.
내가 사는 삶에 참뜻이 있겠지만
설명하려 하다가 이미 할 말 잊었노라.

김춘추로서는 하루하루가 피와 같은 촌음(寸陰)이었다. 그는 신라의 왕경 금성을 떠나기 전에 김유신 공과 더불어 피를 흘려 마시면서 맹세하던 일들을 회상했다.

김춘추는 저녁마다 자신이 떠나 온 날짜를 헤아려보곤 했었다.

어느덧 금성을 떠나온 지 40여 일. 떠나올 때 기약한 60여 일에 가까워 오고 있었다. 60일이 지나면 살아 돌아가지 못한다고 기약하였거늘 생사의 여부는 고사하고 찾아올 때의 목적은 시작조차 되지 못하였다. 김춘추는 끊임없이 관인(官人)을 시켜서 개금의 의중을 타진하였으나 약조는 이뤄지지 않고 있었다.

날이면 날마다 눈이 강산으로 내리고 날은 완전히 엄동으로 접어들었다. 북풍의 찬바람은 칼처럼 날카롭게 몰아치고 있었다.

그 무렵 김춘추는 개금으로부터 전갈을 받았다. 자신의 궁에서 저녁때 주연을 베푸오니 참석해달라는 전갈이었다. 전갈을 받자 김춘추는 드디어 그를 만나볼 수 있는 때가 되었다고 기뻐하였다.

그러나 김춘추의 기쁨과는 달리 연개소문은 다른 생각을 갖고 있었다. 그로서는 안시성만 빼놓고는 거의 모든 지방세력들을 장악하고 난 뒤였으므로 오래 전부터 미뤄왔던 김춘추를 접견하리라 생각했던 것이었다.

그로서는 첩자인 덕창의 말대로 김춘추를 예의상 접견하지만 그의 의중을 알고 있으므로 가차없이 그를 포박하여 문죄하여 죽일 생각이었다. 물론 밀사인 김춘추를 죽인다면 신라와의 전쟁도 불사할 수밖에 없겠지만, 연개소문으로서는 신라쯤은 조금도 겁을 낼 필요가 없었기 때문이었다.

연개소문은 대대로 고승이 머물던 안학궁을 자신의 궁으로 삼고 그곳에서 거처하고 있었다. 비록 왕이 머물고 있는 내성에는 못 미친다고는 하지만 안학궁의 호화로움은 왕궁에 견줄 만했다.

김춘추가 이르기를 기다려 주연이 베풀어졌다. 김춘추가 먼저 이르러 잠시 기다리고 있으려니 연개소문이 좌우에 무사들을 거느리고 화랑에 들어왔다. 그는 다섯 개의 칼을 몸에 두루두루 꿰어차고 있었다. 한시라도 불의의 습격을 방비하려는 듯 심복 우거가 그의 곁을 잠시도 비우지 않고 칼의 손잡이를 부여잡고 있었다. 그는 외국의 사신에게 주연을 베풀려는 사람이기보다는 싸움에 진 항장(降將)에게 항서(降書)를 받으려는 개선장군처럼 보였다. 그의 곁에는 그가 대권을 잡는 데 결정적으로 공을 세운 시신 선도해가 자리잡고 있었다.

연개소문은 즐거운 연회장임에도 불구하고 칼을 풀지 아니하고 갑옷을 벗지 아니하였다. 김춘추는 그의 호랑이 얼굴, 부리부리한 눈, 곤두선 털, 산이라도 움직일 것 같은 걸음걸이, 쩌렁쩌렁이는 목소리를 듣고 본 순간 그가 세 치의 혀로는 쉽사리 마음을 움직일 수 있는 그런 사람으로는 느껴지지 않았다.

연개소문은 연개소문대로 김춘추를 본 순간 우선 마음이 놓였다.

그로서는 익히 김춘추의 소문을 전해 듣고 있었다. 김춘추의 경륜이라든지 소년 시절부터 화랑에서 무예를 닦은 문과 무를 겸비한 인물이라는 소문을 전해 듣고 있었다. 그러나 막상 김춘추를 보자 연개소문은 막연히 생각해왔던 자신의 상상과는 전혀 상반되는 사실을 깨달았다.

김춘추의 체구는 아담하고 얼굴은 몹시 희었다. 입술은 여인처럼 붉었으며 목소리도 작아 귀를 조용히 기울이지 않으면 알아들을 수 없을 정도였다. 눈은 항시 웃고 있는 상이었다. 술잔을 쥐어드는 손을 보니 그 손은 남자의 손이 아니었다. 한때 젊은 시절 화랑도에 입문하여 무예를 닦았다는 소문은 전혀 믿어지지 않을 만큼 곱고 섬세한 손이었다.

연개소문은 그의 약골과 같은 모습에 우선 마음이 놓였다.

두어 순배 술잔이 돌아가고 취흥이 도도해질 무렵 연개소문이 먼저 입을 열었다.

"춘추 공께서 우리나라 국중에 들어오신 지 벌써 이십여 일이 지났사온데, 그간 보고 들은 느낌이 어떠하신지요."

연개소문은 얼결에 취기가 오른 얼굴로 김춘추를 쏘아보았다. 분명 취기가 오른 얼굴인데도 김춘추의 얼굴은 취전 그대로의 백색이었다.

"신 춘추는 왕도 평양성으로 들어오는 길에서 정연한 군사들의 사기와 뛰어난 기상을 보고 몹시 감동하였습니다. 과연 고구려는 대국이라는 느낌이 마음을 움직였소이다."

그러자 연개소문은 흡족한 얼굴로 껄껄 웃었다.

"그래 그뿐인가요. 춘추 공께오서는 나를 어떻게 생각하시지요.

나에 관한 소문은 익히 들었을 터인데……."

연개소문은 은근한 눈빛으로 김춘추를 쏘아보았다. 그의 눈빛을 본 순간 김춘추는 그가 사람들이 자신에 대해서 어떻게 생각하고 있는가를 몹시 염려하고 있음을 재빠르게 감지해내었다.

'이백여 명의 중앙귀족을 죽인 사람.'

'스스로 왕을 죽인 신하.'

'새로운 왕을 옹립하여 스스로 대막리지의 대권을 잡은 사람.'

비록 나는 새도 떨어뜨릴 만큼 막강한 대권을 잡았으되 그는 마음이 편치 않다. 그는 불안해하고 있다. 그는 자신이 저지른 행위가 의롭지 못하다는 것을 잘 알고 있었다. 그러므로 그는 남들이 자신을 어떻게 볼 것인가 그것을 몹시 두려워하고, 자신의 불안을 감추기 위해서 언제나 번쩍이는 갑옷과 칼 든 무사들을 좌우에 거느리고 권세를 뽐내고 있는 것이다.

"무엇을 말씀입니까. 대막리지께오서 말을 잘 타고 활을 잘 쏘신다는 말씀이오니까. 신라의 국중에서는 대막리지께오서 안장도 없이 말을 타고 달리는 말 위에서도 나뭇잎 하나를 꿰뚫는다고 소문이 파다하옵니다."

김춘추는 그가 묻는 문제의 핵심에서 교묘히 벗어나고 있었다. 그러자 연개소문이 물끄러미 김춘추를 노려보면서 말을 이었다.

"물론이지요. 춘추 공의 눈동자를 눈 감고서도 꿰뚫을 수가 있을 만큼 활을 잘 쏘지요. 얘들아."

연개소문은 느닷없이 소리를 질러 주위를 불렀다. 그러자 우거가 칼을 세워들고 나타났다.

"활을 가져오너라."

우거는 느닷없는 분부를 이해할 수 없다는 듯 잠시 우물쭈물 서 있었다.

"얼른 가져오지 못하겠느냐."

선도해가 채근하면서 말하였다. 우거는 사라졌다가 대궁 하나를 가지고 왔다. 연개소문이 평소에 사용하는 활인 모양이었는데 몹시 크고 무거워 보였다. 연개소문은 활줄을 일부러 강하게 튕겨보았다. 그러자 활줄이 악기 소리처럼 바람 소리를 내면서 울며 떨어졌다.

"화살은 어디 있느냐?"

연개소문이 화가 난 목소리로 일성하였다. 우거가 화살을 가져오기를 기다려 연개소문은 큰 잔에 독주를 한 잔 가득 따랐다. 그는 가득 따른 독주를 한 방울도 흘리지 않고 단숨에 들이켰다. 검은 수염에 묻은 술 방울을 손등으로 씻어내리고 나서 그는 우거가 가져온 화살을 시위에 메겨서 김춘추를 향했다.

그의 화살은 김춘추의 얼굴을 정면으로 노리고 있었다.

좌중에 무서운 긴장이 감돌았다. 선도해도 감히 일이 이렇게 될 줄 몰랐지만 안절부절못할 뿐 어찌할 바를 모르고 있을 뿐이었다.

아무래도 일국의 사신이 아닌가. 우거도, 좌중의 신하도, 무장들도 난감한 표정으로 숨을 죽였다. 김춘추의 옆에 앉은 훈신은 이미 낯빛이 창백하게 질려 사색이 되어 있었다. 그러나 정작 화살의 겨냥을 받은 김춘추의 얼굴만은 그대로 여전하였다. 술을 많이 마셨으되 여전히 낯빛이 희고 눈에는 웃음이 감돌고 있었다.

그는 연개소문의 화살이 정통으로 자신의 얼굴을 겨누고 있음을 알면서도 아무런 동요도 없이 술잔을 들어 입가에 갖다대고 있을 뿐이었다.

순간 화살을 시위에 메겨 잡아당긴 연개소문의 손끝이 파들파들 떨렸다. 그와 동시에 핑— 바람 소리를 내면서 화살이 허공을 갈랐다.

화살이 김춘추의 얼굴을 향해 날아갔다. 앗, 하고 차마 비명 소리도 지르지 못하는 찰나, 화살은 김춘추의 얼굴을 빗겨나 그의 뒤에 펼쳐진 병풍의 가운데에 정통으로 꽂혔다.

그와 동시에 으핫핫핫 하는 웃음소리가 연개소문의 입에서 터져 흘렀다.

"보시오, 춘추 공. 내가 약속을 지킬 것이오이다. 고개를 돌려 뒤를 보시오."

김춘추는 변함없는 미소를 띠면서 등을 돌려 병풍을 보았다. 병풍 위에는 묵화가 그려져 있었다. 꽃이 만발한 나뭇가지 위에 새 한 마리가 앉아서 울부짖고 있었는데, 화살은 그 새의 눈동자를 정통으로 꿰뚫고 있었던 것이다.

"춘추 공의 눈동자는 아니라 하더라도, 어쨌든 눈은 눈이 아니오이까. 으핫핫핫……."

연개소문은 너털웃음을 웃으면서 김춘추에게 잔을 건네었다.

무서운 녀석이다.

연개소문의 가슴으로 전율 같은 것이 흘렀다. 표정 하나 흐트러지지 않는 대담함이 어떻게 저런 단아한 체구에서 나오고 있는 것일까.

"가져온 신라 여왕의 국서의 내용을 나도 보았소. 정식의 사절행사로 국서를 가져오지 않고 이처럼 밀사로 직접 춘추 공께오서 숨어들어 오심은 흉중에 은밀한 뜻을 감추고 계심이 분명하온데 그 뜻이 무엇이오."

상대방의 기를 꺾으려는 연개소문의 한갓 희롱이 마무리되자, 다시 자리는 부드러워졌다. 그러자 김춘추가 낭랑한 목소리로 답하였다.

"신 춘추의 신라는 지세가 작고 협소하여 동으로는 바다를 면하고, 바다 건너 왜(倭)와 대적하고, 서로는 개국 이래의 적 백제와 대적하여 싸움이 그칠 날이 없습니다. 신라의 시조 혁거세(赫居世) 성조께서 알에서 태어나 국가를 창기하시고 나라의 터를 닦으신 이래로 신라는 고구려와 대적하였던 적은 한 번도 없었습니다. 작은 영지의 문제로 사소한 전란은 극히 드물게 있어 왔지만, 서로의 국중으로 쳐들어가 말발굽으로 서로의 왕도를 짓밟고 서로가 서로의 대왕을 죽이고 했던 적은 한 번도 없었습니다. 일찍이 첨해왕(沾解王) 때에는 벌써 고구려에 사신을 보내어 화(和)를 맺었음은 역사에도 남아 있을 것이며, 고구려의 대왕이었던 장수왕(長壽王) 때에는 실성왕(實聖王)께오서 사신을 보내어 양국 화평의 맹약을 굳건히 닦으셨습니다. 왜적이 쳐들어왔을 시에는 힘을 합쳐 이를 물리쳤으며, 우리나라에 불법을 전해주어 잡신을 물리치고 인의 도리를 깨우쳐 주셨습니다. 비록 고구려와 백제가 한 사람의 몸에서 나온 형제로서 나라를 이뤄 동시에 국가의 시조로서 동명성조를 모시고 있다고는 하지만, 백제의 왕 근초고(近肖古)는 군사 3만을 이끌고 평양성까지 들어와 고구려의 대왕 고국원왕(故國原王)의 목숨을 빼앗았습니다. 이를 철천의 원수로 생각했던 장수왕께오서는 마침내 친히 3만의 군사를 이끌고 제왕의 소도(所都)인 한성(漢城)을 함락하고 백제왕인 부여경(扶餘慶, 개로왕)을 죽이고 원수를 갚으셨습니다."

김춘추는 물 흐르듯 말을 이어 내려갔다.

"이는 일찍이 고구려의 고국원왕이 백제로 침입해 왔을 때, 왕은 태자 근구수(近仇首)를 보내어 막도록 하였던 때의 고사(故事)를 잊었기 때문입니다. 이때 백제의 태자 근구수는 대장군 막고해(莫古解)와 더불어 고구려군을 방어하고, 나중에는 추격하여 수곡성(水谷城)까지 진격하였습니다. 이때 대장군은 태자에게 노자(老子)의 도덕경(道德經)을 빌려 만류하였습니다. 일찍이 신이 도가(道家)의 말을 들으니 다음과 같습니다. '만족할 줄 알면 욕되지 아니하고 그칠

줄 알면 위태롭지 않다(知足不辱 知足不殆).' 또한 옛 도가는 다음과
같이 말씀하셨습니다. '명리와 생명이 어느 것이 중요하며 생명과
재산이 어느 것이 크며, 얻은 것과 잃은 것이 어느 것이 더 걱정인
가. 이러므로 너무 애착을 갖게 되면 반드시 크게 잃게 되고 재산을
너무 많이 모으면 반드시 크게 망할 것이니, 족할 줄을 알고 욕되지
아니하고, 그칠 줄을 알아 위태롭지 않아야 가히 장구할 수 있느니
라(名與身孰親 身與貨孰多 得與亡孰病 是故 甚愛 必大費 多藏必厚亡
知足不辱 知止不殆 句以長久).' 이때 백제의 태자는 이 말을 듣고 크
게 깨우쳐서 더 이상 진격을 삼가고 욕심을 부리지 않았다고 합니
다. 이제 눈을 들어 바라보면 백제의 젊은 왕 의자(義慈)는 선왕의
원수를 갚는다 하여 위에 오르자마자 상복의 백의(白衣)를 갑옷 속
에 받쳐입고 친히 1만여의 군사를 몰아 신의 나라로 쳐들어와 40여
개의 성을 빼앗고 마침내 대야성을 쳐서 신 춘추의 사위 김품석(金
品釋)과 신 춘추의 딸 소랑(炤娘)의 목숨을 빼앗아갔습니다. 신의 딸
이 죽고 사는 것은 조금도 문제가 아니고, 아무런 슬픔도 느껴지지
않사오나 신의 나라 신라가 일찍이 이처럼 풍전등화의 위기를 맞아
본 적은 없습니다. 그런데 어찌하여 상국 고구려에서는 이처럼 선대
이래로의 동맹국이었던 신라를 저버리시고 서로 선왕의 목숨까지
빼앗은 철천의 원수인 백제와 손을 잡고 신라를 압박하려 하십니까.
신이 듣건대 상국 고구려는 백제와 여제동맹을 맺으시고 신의 나라
신라의 유일한 대당 통로인 당항성을 함락시켰다 함은 도대체 어인
일이옵니까. 눈물이 앞을 가려 볼 수가 없고 정신이 혼미하여 이(理)
를 바로 깨우칠 수가 없나이다……."
  돌연 말을 끝마친 김춘추가 상 위에 고개를 떨어뜨리고 숨을 죽였
다. 아주 긴 말이었지만 구구절절이 옳고 굽이마다 사람의 가슴을
찌르는 감동이 있었다. 이미 술잔이 서너 순배 돌았으므로 취기가

도도히 오르고 있었지만 김춘추의 설법(說法)이 질탕하게 떠오른 주연의 분위기를 조용히 가라앉혀놓았다. 그의 목소리에는 구국의 충정이 넘쳐흐르고 있었다. 이미 김춘추의 흉중을 헤아리고 있었던 연개소문이었지만 막상 논리 정연하고 사리 분명한 그의 유세(誘說)에 마음을 움직이지 않을 수 없었다.

연개소문은 잠시 멈추었던 술잔에 술을 흘러 넘치도록 가득 따라 들고 김춘추에게 잔을 권하면서 입을 열었다.

"그래 춘추 공의 말은 잘 들었소. 춘추 공의 말대로 고구려와 신라는 언제나 사이 좋은 형제와 같은 동맹국이었소. 하지만 그대 춘추 공이 이제 고구려와 백제의 여제동맹을 탓하고 있으나 이미 오래 전에 그대들 신라와 백제는 나제동맹을 맺어 함께 힘을 합쳐 고구려를 적대하였소. 아국의 선왕 장수왕께오서 친히 3만의 군사를 거느리고 백제의 왕경을 진격하였을 시에 춘추 공의 나라 신라는 군사를 보내어 이를 구원하려 하였소. 이는 무엇으로 변명하겠소이까. 또한 아국 고구려가 한(漢)민족과 상쟁하고 있는 기회를 틈타서 그대의 선왕 진흥은 한수(漢水) 이남의 땅을 모조리 빼앗아 신라의 영토임을 만천하에 공포하였소. 원래부터 한수 이남의 마목현(麻木峴, 오늘의 조령)과 죽령은 본래 우리 고구려의 땅이 분명하오. 오래 전부터 우리는 잃어버린 이 땅을 되찾기 위해서 분투하였소. 그 동안 우리는 수나라와의 항쟁과 당나라와의 싸움으로 한수 이남의 땅을 회복할 시기를 빼앗기고 있었소. 그대 춘추 공의 말이 사실이라면 이제라도 한수 이남의 땅을 도로 고구려에 돌려주시오. 만일 그렇게 한다면 그대 춘추 공이 원하는 대로 당장 백제와의 동맹을 깨뜨리고 선대 이래로 선린국이었던 춘추 공의 나라 신라와 화평조약을 맺고 대당(對唐) 통로의 요소인 당항성의 뱃길을 열어주겠소. 또한 한강 이남의 땅을 신라가 자진해서 돌려준다면 이제라도 당장 신라와 연

합군을 일으켜 백제의 국중으로 쳐들어가 하룻강아지 범 무서운 줄
모르는 백제의 어린 왕 의자의 모가지를 베어 참하겠소. 둘 중의 하
나를 택하시오, 춘추 공."

연개소문이 철철 넘쳐 흐르는 술잔을 집어들고 단숨에 들이켰다.
그는 김춘추가 비록 언변이 유창하고 논리가 정연하다고는 하지만
칼자루를 쥔 쪽은 그가 아니라 이쪽임을 분명히 알고 있었다. 칼자
루를 쥔 쪽이 이쪽인 이상 서두를 필요는 없다.

"어떻게 할 것이오. 한강 이남의 땅 마목현과 죽령은 우리의 옛 땅
이니 우리에게 돌려주어 새로운 동맹의 관계를 맺을 것인가, 아니면
그냥 이대로 강력한 고구려와 백제 동맹군의 말발굽 아래 신라 국중
의 뜰 안을 짓밟히게 할 것인가를 선택하시오, 춘추 공."

연개소문의 질문은 정곡(正鵠)을 찌르고 있었다. 그가 말하는 부
분에 대해서는 뭐라고 달리 변명할 말도, 우회해서 완곡하게 달리
표현할 말도 없었다. 그것은 오늘 둘의 만남의 핵심이었다.

김춘추는 연개소문에게 건네받은 술잔을 아직 들이마시지 않고
있었다. 그는 미동도 하지 않고 들고 호흡을 가누고 있었다. 그의 얼
굴은 여전히 희고 창백하였으며 입가에는 좀처럼 변치 않는 미소가
그림으로 그린 듯 흘러 넘치고 있었다.

김춘추는 조용히 술잔을 비우고 나서 답하였다.

"국가의 토지는 신자(臣子)로서 마음대로 논할 수 있는 것은 아닙
니다. 신 춘추는 밀서를 지닌 밀사로서 법도를 논하고 순리를 깨우
치기 위해서 온 것이지, 토지를 따지기 위해서 온 사절은 아닙니다."

"무엇이라구."

순간, 연개소문이 술상을 손으로 내리쳤다. 상 위에 가득한 산해
진미의 접시들이 와르르 넘어져 깨뜨려지고 곧 주연은 난장판으로
변해버렸다.

"그대의 그 교활한 세 치의 혀끝으로 법도를 논하기 위해서 이곳으로 오고, 순리를 깨우치기 위해서 이곳으로 왔단 말인가. 그대의 그 뱀과 같은 사악한 혀로 말인가. 내 마땅히 그대의 혓바닥을 자르고 그대의 모가지를 베어 본을 보이리라."

연개소문은 품속에서 첩자인 황룡의 중 덕창에게서 받은 밀서를 꺼내어 김춘추에게 내어던졌다.

"읽어보라. 김춘추, 너에 관한 밀서를. 우린 이미 네가 변방의 경계를 넘어오기 전부터 네 가슴에 숨어 있는 흉계와 음모를 익히 알고 있었다."

김춘추는 눈앞에 내어던져 떨어져 있는 두루마리 밀서를 주워들었다. 그는 천천히 자신에 대해서 소견을 적어내리고 자신의 혀끝에 현혹되지 말고 자신의 목을 참하여 모처럼의 기회를 놓치지 말아야 한다는 밀서의 내용을 묵묵히 읽어 내려갔다.

끝이다. 김춘추는 그 밀서를 읽어 내려가는 순간 생각했다.

이제는 틀렸다. 나는 이제 이 밀서에 쓰인 대로 죽임을 당할 것이며 내가 바라던 목적은 헛되이 스러지게 될 것이다.

"네가 그 세 치의 혓바닥으로 그 누구의 마음을 현혹시키려 함이냐. 그 어리석고 사악한 세 치의 혓바닥으로 그 누구의 마음을 움직이려 함이냐."

연개소문이 자리를 박차고 일어났다. 그의 얼굴은 벌겋게 충혈되고 호랑이의 털과 같은 수염들은 분노로 곤두서고 있었다.

"여봐라, 게 누구 없느냐."

호령과 동시에 사면에서 무사와 장수들이 칼과 창을 세워들고 나타나서 읍하였다.

"저 자를 당장 포박하여 끌어다가 하옥시키렷다. 뭘 꾸물거리고 있느냐. 당장 시행하렷다."

연개소문이 자리를 박차고 장막 안으로 사라졌다. 명을 받은 군사들은 잠시 어쩔 줄을 몰라서 우물쭈물 몸을 떨고 서 있었다. 김춘추는 조금도 마음의 동요를 보이지 않고 있었다. 그는 태연하고 침착했다. 우거가 칼을 들고 덤벼들려고 하자 지금껏 아무런 말도 없이 지켜보고 있던 선도해가 말리면서 한 마디 거들었다.

"내 보기에 공은 참으로 어리석고 둔하오. 공께오서 춘추의 필법과 맞먹는 경륜과 설법을 갖고 있다는 풍문은 이제 보니 한갓 우스갯소리와도 같소이다."

선도해가 계집애와 같은 소리로 깔깔깔 웃으면서 말을 이었다.

"공께옵서는 공의 나라 신라가 국소민약(國小民弱)하여 오직 외원(外援)을 빌려 백제에 앙갚음할 생각만 하였을 뿐이지, 공의 명은 전혀 살릴 방도를 구하지 못하였구료. 어이하여 공께옵서는 스스로 죽음의 길로 자초하여 들어가십니까. 공께옵서는 이미 막리지 어른의 노를 일으키셨고 화를 자청하였으니 신으로서도 공의 명을 살릴 방도를 모르겠나이다."

김춘추는 아무런 말도 없이 묵묵히 남은 술잔을 들이켤 뿐이었다. 그러자 선도해는 몸을 일으켜 주위를 돌아보면서 말을 꺼냈다.

"얘들아, 무엇을 하고 있느냐. 막리지 어른의 명을 듣지 못하였느냐."

그러자 사방에서 칼과 창을 세워든 무사들이 우르르 몰려와 김춘추의 몸을 포박하여 묶었다. 그 길로 김춘추는 금병에 의해서 포박되어 옥에 갇힌 바가 되었다. 김춘추로서는 이미 밀사로 금성을 떠나 고구려의 국중으로 들어올 때부터 죽음을 각오했던 몸이라 새삼스레 놀라거나 슬퍼할 일은 못 되었다. 이미 대매현에서 그가 믿고 의지하던 고구려의 왕 건무가 신하인 연개소문에게 시해되었다는 소문을 들었을 때부터 김춘추는 고구려와 백제의 동맹을 깨고 새로

이 신라와 고구려 양국의 동맹을 성취시키려는 일은 계란으로 바위를 깨뜨리는 것과 같은 일이라는 것을 잘 알고 있었다.

그로서는 이미 예견하였던 일에 불과하였다. 그러나 불가한 일이라는 것을 잘 알면서도 굳이 월경하여 고구려로 들어왔던 것은 신라의 운명이 바야흐로 바람 앞의 등불처럼 위태롭기 짝이 없었기 때문이었다. 일신의 안위를 가릴 계제가 못 되었다.

그런데 결국 그는 미리 생각하였던 대로 아무런 성과도 없이 그길로 옥에 갇힌 바가 되었으니 실로 눈앞이 캄캄하고 앞길이 암담하였다.

고구려의 첩자인 덕창의 밀서까지 보여준 이상 반드시 연개소문은 나를 죽일 것이다. 그 밀서에 씌어 있는 대로 연개소문은 반드시 나를 죽여 본을 삼을 것이다.

옥에 갇혀 하루하루가 지날수록 김춘추의 눈에서는 피눈물이 흐르고 애가 끊어지는 듯하였다. 하릴없이 세월이 흘러갈수록 김춘추의 마음에는 새로운 불안이 점점 커져가고 있었다.

그것은 떠나기 전, 김유신과 피를 나눠 마시면서 약속한 혈맹 때문이었다. 그때 김춘추는 다음과 같이 말하였다.

'내가 날짜로 헤아려 60일이면 돌아올 것이오. 만약 이를 지나도 돌아오지 않으면 다시 만나볼 기약이 없을 것이오.'

그러자 김유신은 눈을 부릅뜨고 분명히 말을 하였다.

'공이 만일 가서 돌아오지 않는다면 반드시 나의 말발굽이 고구려와 백제 두 임금의 뜰을 짓밟을 것이오. 정말 그렇게 하지 못한다면 장차 무슨 면목으로 국인을 대할 수 있겠소.'

김춘추는 잘 알고 있었다. 정말로 약속한 날짜 60일이 지나버린다면 김유신은 자신의 일신에 반드시 해를 입은 줄 알고 군사를 일으켜 앙갚음을 위해 고구려의 국중으로 말을 몰아 쳐들어올 것임을.

그렇게 되면 나라는 걷잡을 수 없는 전란에 휩싸이게 될 것이다.

국소민약한 신라의 나라로서는 이미 서(西)로 백제와 불공대천(不恭戴天)의 원수지간으로 삼고 있거늘, 이제 와서 북(北)으로 새로이 고구려와 전란을 일으킨다면 반드시 오래지 않아 국가가 망하게 될 것임을 김춘추는 잘 알고 있었다.

그는 그가 금성을 떠나 온 날짜를 날마다 새로이 헤아려보았다. 어느덧 금성을 떠나 온 지 50여 일이 지나 있었고 밖은 완전히 엄동이었다.

옥사(獄舍)의 창 밖으로 날마다 삭풍에 날아가는 설편(雪片)이 날아 들어오곤 하였다.

이제 하루하루가 지나 열흘이 지나버리면 반드시 유신 공은 피의 맹세를 지키기 위해서 군사를 일으킬 것이다. 결사대를 모아 고구려의 국중으로 쳐들어올 것이다.

아아, 이를 어찌할 것인가.

아아, 이를 어찌하면 좋단 말인가.

한편 김춘추와 달리 옥에 갇히지 않고 그대로 유폐된 훈신은 나날을 김춘추와는 다른 생각으로 보내고 있었다. 그로서는 어쨌든 하옥된 김춘추 공을 살려내야만 할 짐을 지고 있었다.

그는 이찬 어른을 이대로 무고히 사경에 이르게 할 수는 없다고 생각했다. 그리하여 나날을 그 묘책을 강구하는 것으로 궁리궁리하였다. 그러다가 마침내 하나의 계책이 떠올랐다.

그것은 춘추 공과 더불어 대매현을 떠날 때 대매현의 현령이었던 두사지가 준 청포(青布)를 이용하는 방법이었다. 그때 현령 두사지는 청포 3백 보를 주면서 다음과 같이 말하였다.

'고구려 사람들은 청포를 유난히 귀한 물건으로 여기고 있습니

다. 이것을 가지고 계시오면 언젠가는 반드시 유용하게 쓰실 날이 있으실 것입니다.'

청포 3백 보는 적은 물건이 아니었다. 청포 3백 보라면 고구려의 대왕이라고 할지라도 탐을 낼 만큼 귀한 물건이었으며 흡족한 양의 보물이었다. 이것으로 뇌물을 삼을 수 있다면 그 누구의 마음이라도 움직일 수 있을 것만 같았다. 순간 그의 머릿속으로 선도해의 모습이 떠올랐다. 훈신은 그가 언제나 연개소문의 곁에서 총신(寵臣)으로 붙어다니고 있음을 잘 알고 있었다. 또한 훈신은 그가 연개소문이 왕을 죽이고 권력을 장악하는 데 일조하였던 공신임을 잘 알고 있었다. 그를 만날 수 있다면, 그를 만나 청포를 주고 청원을 드린다면 반드시 그 나름대로 비책을 알려주리라고 훈신은 생각했다.

그 길로 훈신은 은밀히 사람을 시켜 선도해에게 만나줄 것을 청원하였다. 그는 그 사람에게 청포 3백 보를 넌지시 전해줄 것을 아울러 잊지 않았다. 훈신은 이미 선도해의 눈빛에서 그가 진귀한 보물을 탐(貪)할 것임을 분명히 헤아리고 있었다. 훈신의 생각은 적중되었다.

사흘 뒤 선도해는 은밀히 사람을 시켜 훈신을 자신의 집으로 불러들였다.

선도해의 앞에는 수일 전 건네어준 청포가 그대로 차곡차곡 쌓여 있었다. 선도해는 훈신이 부복하여 예를 갖추기를 기다려 몹시 노한 목소리로 소리쳐 말하였다.

"네가 남몰래 이 물건을 내게 보내어준 까닭은 무엇이냐. 네가 한 갓 푸른빛의 베 조각으로 사람의 마음을 사려 함이냐."

"아, 아닙니다."

훈신은 다급한 목소리로 말을 받았다.

"그 청포는 이찬 어른께옵서 선 대인께 드리기 위해서 가지고 온 물건이옵니다. 이찬 어른께옵서 신라에서부터 갖고 온 선물이옵니다."

훈신은 그러나 그가 말로만 그러할 뿐 이미 그 청포를 갖고 싶은 욕심에 마음이 동하고 있음을 감지하고 있었다. 선도해의 말이 훈신의 답에 의해서 조금 부드럽게 가라앉았다.

"그 말이 정말이란 말이냐."

"그렇습니다. 선 대인. 신은 다만 이찬 어른을 대신하여 그 청포를 선 대인께 전해드린 것일 따름이옵니다."

선도해가 손을 들어 청포의 한 필을 펼쳐 쓰다듬으면서 실로 흡족한 표정으로 깔깔깔 웃으며 말했다.

"실은 그 일로 신이 이 자리에 왔나이다. 선 대인."

훈신이 머리를 조아리면서 애절한 목소리로 입을 열었다.

"춘추 공께옵서 막리지 어른의 화를 일으켜 옥에 갇힌 지 벌써 수십 일이 지났습니다. 이제나저제나 언제쯤 풀리실까 홀로 객관에서 기다리고 있사옵니다만 그날이 그날일 뿐 아무런 소식도 없이 세월만 흘러가고 있습니다."

"춘추 공은 풀려나지 못한다."

선도해가 딱 잘라서 말을 받았다.

"고로 그대는 상전을 기다릴 필요 없이 그길로 돌아가거라. 그대의 통로는 언제라도 열려 있으니 그 누구도 막지 않을 것이다."

선도해가 베필을 쓰다듬던 손길을 멈추고 싸늘한 목소리로 말을 던졌다.

"하지만 신으로서 주인을 모시지 않고 어찌하여 홀로 살아 돌아갈 수 있단 말입니까. 신 훈신은 어릴 때부터 은의를 입어 이찬 어른의 가신이 되었사옵니다. 신은 주인을 따라 기다릴 것이요, 주인이 하는 대로 따라 할 것입니다."

"죽음조차도 말이냐."

선도해가 냉소적인 웃음을 띠면서 비웃었다.

"그대는 주인이 죽음을 맞는다면 같이 죽을 것이냐. 그대 주인 김춘추 공은 머지않아 국법으로 참수되어 죽을 것이다. 김춘추 공은 국서는 가져왔으되 정식의 예를 갖춰 들어온 사신은 아니었다. 때문에 우리는 춘추 공을 국정을 살피러 몰래 숨어들어온 첩자로 여기고 그를 생간으로 포박하였다. 고구려의 국법으로 첩자는 참수되어 죽게 되어 있다. 고로 그대의 주인 김춘추는 머지않아 국법으로 다스려 죽게 될 것이다."

그러자 훈신의 눈에서 눈물이 흘러 떨어졌다. 훈신은 비록 곡은 하지 않았지만 오열하면서 몸을 떨었다.

"그대는 이 자리에 곡을 하러 왔단 말이냐. 이 어느 자리에 초상이라도 났단 말이냐."

"아, 아닙니다."

훈신이 옷소매로 눈물을 닦으면서 읍소(泣訴)하며 말하였다.

"신으로서 주인이 미구에 죽음을 맞게 되었음을 듣고 어찌 울지 않겠습니까. 선 대인 나으리."

훈신이 눈물 가득한 얼굴로 선도해를 우러러보았다.

"나으리께오서는 막리지의 충신으로 누구보다 막리지의 마음을 움직일 수 있을 것입니다. 또한 나으리께오서는 대왕의 시신으로 누구보다 대왕마마의 마음을 움직일 수 있으실 것입니다."

"그대는 내게 그 어른들의 마음을 움직여주기를 기대함이냐?"

"그, 그렇습니다."

"이는 불가하다."

선도해는 잘라 말하였다. 잠시 침묵이 흘렀다. 침묵 끝에 훈신이 옷소매로 다시 눈물을 닦으면서 말을 이었다.

"그것이 불가하다면 선 대인께오서는 목숨을 구할 비책이라도 알고 계실 것이 아닙니까. 선 대인께오서는 우리 춘추 공의 면전에서 이렇게 말씀하셨습니다. 그대가 춘추의 필법을 가진 줄 알았고 그대의 경륜이 하늘인 줄 알았더니 이제 보니 한갓 어린아이의 우스갯소리와도 같습니다라고 조롱하셨습니다. 그렇다면 선 대인께오서는 어리석고 둔한 우리 주인과는 달리 순리(順理)의 도를 알고, 하늘의 경륜을 알고 계실 것이 아닙니까. 바라옵건데 선 대인께서 그들의 마음을 직접 움직여 주인의 명을 구하실 것이 아니라 스스로 자구(自求)의 비법으로 깨우칠 수 있도록 수를 내어주옵소서."

그러자 갑자기 깔깔깔깔 웃으면서 선도해가 박수를 쳤다.

"그대가 주인보다도 훨씬 낫다."

그는 손으로 입을 가리고 한참을 소리내어 웃었다.

"그대의 주인이 어리석고 둔하기가 어린아이와 같지마는 그대와 같은 가신을 둔 것을 보면 반드시 백치만은 아닌 모양이다."

선도해는 웃음을 멈추고 훈신을 노려보며 말하였다.

"선물을 받았으니 나도 그대의 주인에게 답례를 해야 할 것이다."

그는 촛불 옆에 놓인 서가에서 책 한 권을 꺼내 훈신에게 내어밀었다.

"이것을 가져가거라. 이것이 선물에 대한 답례이니 필히 그대의 주인 김춘추 공에게 전해드리도록 하여라."

훈신은 그가 내어미는 책을 받아들었다. 책표지에는 '귀토담(龜兎談)'이라는 제목이 새겨져 있었다. 훈신으로서는 도저히 이해할 수 없는 행동이었다. 그로서는 선도해를 통해 김춘추 공이 목숨을 구할 수 있는 비법을 구할 셈이었다. 그가 마지막으로 갖고 있던 청포 3백 보의 선물을 선도해에게 뇌물로 바친 것은 김춘추 공을 살릴 수 있는 방도를 구할 뜻이었지 이처럼 하찮은 이야기책을 얻을 생각은 아니었다.

"하지만 대인 나으리."

훈신이 뭐라고 한 마디 더 하려 하자 선도해가 카랑카랑한 소리로 말을 받았다.

"이제 가거라. 내 할 일은 이미 끝났다. 나는 몹시 피곤하여 홀로 잠들고 싶다."

훈신이 뭐라고 입을 열어 간하려 하자 선도해는 몹시 짜증이 난 듯한 목소리로 말을 잘랐다.

"얘들아, 손님이 가신단다. 초롱을 밝혀드려라."

별수없이 훈신은 미진한 대로 선도해의 곁을 물러나올 수밖에 없었다. 가신이 사초롱을 밝혀들고 앞서는 대로 묵묵히 길을 따라 선도해의 집을 나오면서 훈신은 길게 장탄식을 하였다.

'아, 아. 마침내 이찬 어른은 죽고 마는구나.'

객관으로 돌아와 훈신은 밤을 새워 눈물을 흘렸다. 이제는 별수없이 이대로 홀로 돌아갈 수밖에 없게 된 셈이었다. 이곳에 물러앉아 이찬 어른의 참형을 기다려 그의 시신을 수습해서 돌아갈 수밖에 없게 되었다. 마지막으로 믿고 믿었던 선도해에게마저 버림을 받게 되고 마는구나. 소중하게 간직하였던 청포 3백 보는 아무런 효험도 없이 그저 공것으로 빼앗기고 마는구나. 하찮은 이야기책 한 권을 선물로 대신 받아들고.

훈신은 선도해가 준 《귀토담》이란 이야기책을 무심히 쳐다보았다. 아마도 당시 고구려의 국중에서 널리 읽혀지고 있었던 이야기책인 모양이었다. 이 속에 살아날 수 있는 방도가 있다던 선도해의 말은 무엇을 의미하는 것일까.

훈신은 대충 그 책의 내용을 읽어보기 시작하였다. 책의 내용은 대충 이러하였다.

옛날 동해에 용왕이 살고 있었다. 그에게는 딸이 하나 있었는데 아들이 없는 하나뿐인고로 몹시 애지중지하였다. 그런데 이 공주가 어느 날 갑자기 심장을 앓기 시작하였다. 백약이 무효라 의원에게 물었은즉, 의원의 말이 토끼의 간을 얻어 약을 지으면 치료할 수 있다고 하였다. 그러나 해중에는 토끼가 없으니 어찌할 수 없는 일이었다. 이때 거북이 하나가 용왕에게 아뢰어 자기가 그것을 얻을 수 있다고 하여 육지로 나아가 토끼를 찾아 나섰다.

거북이는 깊은 산 숲속에서 토끼를 만나보고 하는 말이 바닷속에 한 섬이 있는데 맑은 샘물과 흰 돌에 무성한 숲, 아름다운 실과가 있으며, 추위와 더위도 없고 매와 새매가 침입하지 못하니, 네가 가기만 하면 편히 지내고 아무런 근심도 없을 것이다 하고, 이어 토끼를 등에 업고 헤엄쳐 2~3리를 가다 거북이가 토끼를 돌아보면서 말하기를 지금 용왕의 딸이 병이 들었는데 토끼, 너의 간이 있어야 약을 짓기 때문에 이렇게 수고로움을 불구하고 너를 업고 오는 것이로다 하였다.

토끼는 그 말을 듣고 도망가려 하였으나 이미 거북의 등에 업힌 바되었으며, 해중의 속이라 헤엄쳐 나와 도망칠 수가 없었다. 별수없이 거북에게 사로잡힌 바 되어 오늘인가, 내일인가 산 채로 죽임을 당하게 되었는데, 아무리 궁리궁리하였으나 따로 살아 나갈 수 있는 방도를 구하지 못하였다. 마침내 죽임을 당하기 직전에야 한 가지 꾀가 나서 말하기를 나는 신명(神明)의 후예라, 능히 오장(五臟)을 꺼내어 씻고 다시 넣을 수가 있다. 공교롭게 일전에 속이 좀 불편한 듯싶어 간을 꺼내어 씻어서 잠시 바위 밑에 넣어두었는데 나는 너의 감언을 듣고, 바로 왔기 때문에 미처 간을 넣고 오지 못하였다……

그러니 아직 나의 간은 그 바위 밑에 있을 것이다. 그처럼 지엄하신 용왕의 딸의 목숨을 구할 수 있다면 어찌 간쯤이야 주지 못할 것인가. 하나, 지금 내 몸 속에 간이 없으니 어찌 육지로 돌아가서 간을 구하여 가져오지 않을 것인가. 그렇다면 거북이, 너는 구하는 것을 얻게 되고 나는 간이 없어도 살 수 있으니 어찌 이쪽저쪽이 다 좋은 일이 아니냐. 하니, 거북이 그 말을 듣고 도로 토끼를 업고 헤엄을 쳐 해궁을 나와 언덕에 이르니 토끼는 거북을 내려 풀 속으로 도망치며 말하기를 너는 참으로 어리석기도 하다. 어찌 간 없이 사는 자가 있을 것이냐. 하니, 거북이 멍청하여 아무런 말도 없이 물러갔다고 한다.

훈신은 선도해가 전해준 책의 내용을 끝까지 읽어보았지만 그저 한갓 미물에 불과한 토끼와 거북의 이야기책에 그치지 않을 뿐이었다. 청포 3백 보를 받고 이런 하찮은 이야기책을 주었음은 한갓 춘추공을 조롱하고 자신을 희롱하였음에 지나지 않은 것이다.

훈신은 다시 울면서 탄식을 하며 말하였다.

아아. 이제는 어찌할 수 없다. 이제 춘추 공은 영락없이 산 채로 사로잡혀 죽음을 당하게 되었을 뿐이다.

밤이 깊어지자, 절 앞은 칠흑처럼 캄캄해졌다. 뜨락은 희미한 석등만이 침침한 불빛을 발하고 있을 뿐 사위는 먹물 같은 어둠뿐이었다. 다행히 달은 밝았지만 숲에 가려 땅 위를 밝히지 못하였고, 하늘에는 잔별들이 무성하였다. 별빛으로 밝아진 하늘을 뒤로 하고 석탑의 탑신이 우뚝 솟아 있었다.

봉인은 진작부터 나와서 어둠 속에서 몸을 숨긴 채 이제나저제나 기다리고 있었다. 날은 몹시 차고 바람마저 불어오고 있었다. 밤새 달려갈 말은 기운이 넘쳐서 이따금 달려나가고 싶은 욕심에 부르릉부르릉 콧소리를 내고 있었다. 말의 콧김 소리가 어두운 밤에는 아주 멀리로 번져나감을 알고 있는 봉인은 그럴 때마다 말의 잔등을 때려서 말의 흥분을 달래고 있었다.

어째서 이렇게 늦는 것일까. 절에서 들려오던 경소리도 잦아들고 마지막 종소리마저 그친 지가 오래였다.

그때였다. 조심스럽게 발자국 소리를 주의하면서 탑신 너머에서 사람의 인기척 소리가 있었다. 봉인은 벌떡 몸을 일으켜서 소리나는 쪽을 보았다. 어둠에 눈이 익었으므로 칠흑 같은 밤 속에서도 가사를 입은 낯익은 중 하나가 주위를 꺼리면서 다가오는 모습을 볼 수 있었다. 봉인은 자신이 이쪽에 있음을 알리기 위해서 헛기침을 하였다. 그러자 그 그림자는 낮은 목소리로 입을 열었다.

"어찌 그리 큰 소리를 내느냐. 네가 왔음을 진작부터 알고 있었는데."

중은 몹시 서두르고 있었다. 그는 가사의 품속에서 밀서 하나를 꺼내어 황급히 봉인에게 건네주었다.

"이것을 고구려의 국중에 전하여주고 오너라. 시각을 다투는 중요한 문서이니 잠시도 지체해서는 안 된다. 졸립거든 말 위에서 자거라."

봉인은 아무런 대답 없이 문서를 받아 품속에 깊이 찔러넣었다. 그로서는 언제나 이런 명을 받아 이를 실행해왔으므로 새삼스레 마음에 새겨 명심할 필요는 없었다. 그로서는 빨리 말 위에 올라 먼 길을 달려가는 편이 화급하였다.

"죽기를 각오하고 문서를 지키거라. 내 말을 알겠느냐."

"알고 있습니다, 스님."

"될 수 있는 대로 날이 밝기 전에 금성에서 멀리 떨어지거라."

봉인은 말 위에 올라탔다.

"다녀오겠습니다."

말을 마침과 동시에 봉인은 말의 허리를 세차게 걷어찼다. 말은 비명 소리를 지르면서 어둠 속으로 쏜살같이 달려나갔다. 스님의 말을 빌리지 않더라도 날이 밝기 전에 왕경에서 조금이라도 멀리 떨어져나가야 할 필요가 있었으므로 봉인은 거듭거듭 채찍을 휘두르면서 앞서 나갔다.

말은 성문 앞에 멎어섰다. 왕성 밖으로 빠져나가는 사람들은 일단 그 성문을 지나지 않으면 안 되었다.

그러나 봉인은 그 성문을 지키는 파수병들이 조금도 무섭지 아니하였다. 그는 밀서나 문서를 이곳에서 저곳으로 옮기는 봉인이었으므로 파수병들의 신문을 받을 필요가 없었다. 그는 봉인의 패찰을 갖고 있었기 때문에 그들이 원하면 그 패찰을 보여줌으로써 어떤 문, 어떤 성이라도 무사통과될 수 있는 일종의 별군(別軍)인 셈이었다.

말이 성문 앞에서 멎어지자 칼을 든 병사들이 길을 막아 에워쌌다.

"물러서라."

봉인은 말 위에 앉은 채 호령하였다.

"급한 문서다. 시각을 지체할 수가 없다."

"패찰을 보여주시오."

우두머리로 보이는 수장 하나가 강경한 어조로 말을 막았다. 순간 봉인은 뭔가 일이 잘못되어가는 것 같은 느낌을 받았다. 파수병들의 얼굴은 대부분 낯이 익은 면면들이었다. 그들도 마찬가지였을 것이다. 성문을 지키는 병졸들은 대부분 봉인의 얼굴을 익히 알고 있었으므로 이처럼 새삼스레 패찰로 서로의 신원을 확인하는 절차가 필요했던 적은 없었다.

봉인은 뭣인가 꺼림칙한 느낌으로 품속에서 패찰을 꺼내 수장에게 내밀었다. 수장은 불빛에서 패찰을 확인하더니 짧게 말하였다.

"말에서 내리시오."

"중요하고 급한 문서다. 길을 열어라."

봉인은 허세를 부리면서 소리를 질렀다. 그러자 수장이 창 끝을 봉인의 가슴에 들이대고 소리쳐 답하였다.

"내리라면 내려. 너를 기다리고 있었다."

우르르 병졸들이 봉인을 말 위에서 끄집어 내렸다. 봉인은 뭐라고 말하려 하였지만 병졸들이 봉인을 끌고 누각 안으로 들어갔다. 누각 안에는 갑옷을 입고 칼을 찬 부장 하나가 병졸들에게 에워싸여 들어오는 봉인을 노려보고 있었다. 그 무장의 모습을 본 순간 봉인은 자신의 정체가 오늘로서 마침내 탄로가 나게 되었음을 직감적으로 알게 되었다. 수장의 말대로 그들은 이미 자신의 정체를 알아채고 이곳에서 포박하려고 미리 기다리고 있었던 것이 분명하였다.

"문서를 내어놓아라."

갑옷을 입은 무장이 몸을 떨고 서 있는 봉인에게 명령하였다.

"안 됩니다."

봉인은 몸을 떨면서 답하였다.

"문서는 그 누구라고 하더라도 보여드릴 수가 없습니다."

봉인의 말은 사실이었다. 중요한 문서를 운송할 책임을 맡고 있는 봉인으로서는 그 문서를 받을 당사자 이외에는 그 누구에게도 그것을 보여주어서는 안 될 임무를 맡고 있었다. 만약 이를 무시하고 강제로 그 문서를 빼앗으려 하는 자가 있을 때에는 죽음으로써 이를 지켜 보호하여야 할 책임이 있었다. 또한 이와 마찬가지로 봉인의 문서는 그 문서를 탈취하려 했을 시에는 국법에 의해서 처벌을 받게 되었던 것이다.

그러자 그 무장은 칼을 빼어들면서 노한 목소리로 말했다.

"이놈이 함부로 누구의 면전이라고 거짓말을 하느냐. 얘들아 저

자의 품에서 문서를 꺼내거라."

순간 병졸들이 봉인을 꼼짝 못 하도록 붙잡고 품속에서 문서를 꺼내어 무장에게 내밀었다. 무장은 서슴지 않고 봉인(封印)되어 있는 문서를 읽어 내려가기 시작했다.

삼가 신 덕창이 아뢰옵니다. 이번 신라의 국중에서는 심상치 않은 기운이 일어 이를 문자로 적어 보내려 합니다. 저번 밀사로 국중으로 들어간 김춘추가 60여 일이 지나도록 돌아오지 않으므로 필경 김춘추가 고구려의 법에 의해서 처단되었으리라 믿고, 이 원수를 갚으리라 생각하고 군사를 일으켜 일만여 기의 결사대들이 고구려의 국중으로 쳐들어가려 합니다. 그 군사들을 일으킨 장수는 김유신으로, 그는 김춘추 처의 오라버니가 되는 무신 중의 하나입니다. 그는 압량주(押梁州, 지금의 경산군)의 군주로 대장군의 칭호를 받고 있는 용장 중의 용장입니다. 그는 장사 일만여 기를 뽑고 그 앞에서 이렇게 말을 하였다고 전합니다. '내가 들으니 위태로움을 당하여 목숨을 내어놓고, 어려운 일에 몸을 돌보지 않는 것이 열사(烈士)의 뜻이라고 한다. 대저 한 사람이 죽음에 나서면 백 사람을 당하고 백 사람이 죽음에 나서면 천 사람을 당하며, 천 사람이 죽음에 나서면 만 사람을 당하는 것이니 그러면 천하를 횡행(橫行)할 수 있다. 지금 나라의 어진 재상(宰相)이 다른 나라에 잡혀 죽음을 맞기 직전에 있는데 어찌 이를 두려워만 하고 있을 것인가' 하니 이에 여러 장사들이, '만 번 죽고 한 번 사는 일에 나가더라도 감히 장군의 명에 따르지 않겠습니까' 하고 맹약하였다고 합니다. 이들의 결사대들은 왕명에 의해서 수일 내에 왕경을 떠나 고구려의 남경(南境)으로 쳐들어가려 합니다. 이는 중대한 일이오니 고구려에서는 미리 이를 알아 엄하게 요새를 방비하시고 군사를 일으켜서 변방을 지키시고 만의 하나라도 후환이 없도록 엄중히 지킬 것을 신 덕창 삼가 아뢰옵니다.

문서를 읽기를 끝마친 장수는 조용히 서신을 덮고 봉인을 노려보
았다. 이미 봉인은 사색이 되어 있었다. 장수는 노한 목소리로 호령
하였다.

"네 놈이 네 죄를 알겠느냐."

봉인이 무릎을 꿇고 조아리면서 말하였다.

"그저 죽을 죄를 지었습니다. 목숨만 살려주십시오."

"덕창이라 함은 황룡사의 부도를 말함이렷다."

장수가 부릅뜬 눈으로 봉인을 노려보았다.

"그, 그렇습니다."

봉인의 품속에서 나온 문서가 황룡사의 중 덕창이 몰래 고구려로
보내는 첩보임을 이미 어렴풋이 짐작하고 있었던 장수로서는 새삼
스레 놀랄 것이 못 되었다. 그는 김유신의 부장 백룡(白龍)으로, 오
래 전부터 황룡사의 중 덕창이 실은 스님을 가장하고 있는 첩자라는
사실을 대충 짐작하고 있었다. 다만 그를 구금하지 못하였던 것은
확실한 증거를 잡아내지 못하였기 때문이었다. 그래서 언제나 덕창
의 태도를 면밀히 살피고 있었으며 때를 보아 덕창으로부터 첩서를
받아 달려나가는 봉인에게서 그 문서를 빼앗을 수만 있다면 확증을
잡을 수 있으리라 미리 대기하고 있었던 것뿐이었다.

봉인의 품속에서 나온 첩서로써 이제 황룡사의 중 덕창은 고구려
의 첩자라는 사실이 명백히 드러난 셈이었다. 덕창이 고구려의 첩자
라는 사실이 분명해진 이상 더 이상 그를 방치시켜서는 안 될 일이
었다.

부장 백룡은 그 길로 병졸들을 몰아 황룡사로 쳐들어갔다. 황룡사
는 국사(國寺)로, 왕명이 없고서는 그 누구라도 함부로 경내로 쳐들어

가 수색을 하고 체포할 수 있는 곳은 못 되었다. 황룡사의 주지(住持)가 절 입구에서 말을 몰아 달려온 병졸들을 막아 세우고 말하였다.

"여긴 신령한 불법을 닦는 도량입니다. 이곳 경내에 함부로 들어올 수는 없습니다."

그러자 부장 백룡이 말에서 내려 예를 갖추면서 말하였다.

"우린 신령한 도량을 방해하기 위해서 쳐들어온 것은 아닙니다. 우리는 지금 이 절 안에 숨어 거짓 행세로 부도 노릇을 하고 있는 반적(叛賊)을 잡으러 왔을 뿐입니다."

그는 봉인에게서 압수해 온 첩서를 주지에게 내어밀었다. 주지는 그가 내어민 문서를 묵묵히 읽은 후 담박 낯빛을 흐리면서 말하였다.

"역적이 경내에 있었습니다그려. 이제 나로서도 군병들이 경내로 들어섬을 더 이상 막을 수는 없습니다."

병졸들이 우르르 절 안으로 몰려가서 잠들어 있는 덕창을 잡아 온몸을 포박하여 끌고 백룡에게로 왔다. 백룡은 백룡대로 이 소식을 빨리 대장군 김유신 공에게 전해줄 필요가 있었다.

대장군 김유신은 황룡사의 중 덕창이 고구려에서 넘어온 첩자라는 사실을 분명히 알고 있었다. 김유신이 부장인 백룡을 시켜 덕창이 첩자라는 확증을 잡게 하였던 것은 나름대로의 치밀한 계산 때문이었다.

그것은 병법(兵法)에도 있듯이 적의 첩자를 역이용하여 반간(反間)으로 사용하려는 계산 때문이었다.

이제 김유신은 일만여 기의 결사대를 일으켜 고구려로 쳐들어가려고 출전 준비에 나서고 있었다. 그것은 오직 재상 김춘추를 구하기 위함이었다. 그러나 김유신은 잘 알고 있었다. 일만여 기의 군사로써는 도저히 고구려의 국경을 꿰뚫고 그들의 왕도인 장안성까지 쳐들어가기에는 역부족임을. 그러한 무력의 힘으로는 도저히 그들에게 위협을 줄 수 없으며 그 어떤 위협으로도 사로잡힌 김춘추를 협상의 조건으로 생환시켜 돌아오게 할 수 없음을. 그럴 바에는 무력의 힘으로 시위할 것이 아니라, 첩보와 모략의 힘을 빌려 고구려 조정의 마음을 움직이는 편이 훨씬 효과적인 방법일 것이다.

만약 덕창이 고구려의 첩자가 분명하다면 그를 반간(反間, 이중 간첩)으로 역이용할 수 있을 것이다.

단 한 명의 생간(生間)을 효과적으로 활용한다면 일만여 기의 결사대의 힘보다도 더 큰 힘을 발휘하게 될 수 있을지도 모른다.

김유신은 부장 백룡에게 포박되어 군막 안으로 끌려온 덕창을 보며 말하였다.

"네 놈이 첩자였음을 진작부터 알고 있었다."

김유신은 덕창이 고구려로 몰래 보내려 했던 밀서를 펼쳐 읽어보았다.

첩보를 다 읽고 나서 그는 덕창에게 직접 자신이 쓴 첩서의 내용을 큰 소리로 읽어볼 것을 명하였다. 이미 포박될 때부터 죽음을 각오하고 있었던 덕창으로선 거리낄 것이 없었다. 그는 큰 소리로 자신이 직접 쓴 밀서의 내용을 또렷또렷한 목소리로 읽어 내려갔다.

"너는 비록 적국의 첩자라 하나, 훌륭한 문장과 훌륭한 필력을 갖고 있다."

밀서의 내용을 다 듣고 나서 김유신은 감았던 눈을 살며시 뜨고 말하였다.

"또한 너는 비록 적국의 첩자로서 네 나라 고구려를 위해 모략을 꾸몄다 하나, 너를 배불리 먹이고 너를 재워준 신라의 은의 또한 저버릴 수는 없을 것이다. 한 가지 묻겠느니, 너는 이제 헛되이 네 나라 고구려를 위해 목숨을 바칠 것이냐, 아니면 살 길을 찾아 목숨을 부지하려 할 것이냐."

김유신은 장검을 빼어들고 말하였다.

"네가 죽음을 택하려 한다면 고통 없이 단칼에 네 목을 베어줄 것이고, 네가 살 길을 택하려 한다면 너를 굳이 죽이지는 않을 것이다."

김유신은 장검을 허공으로 치켜올렸다.

"단숨에 말하거라. 어느 쪽을 택할 것이냐."

그러자, 무릎을 꿇고 부복하여 엎드리고 있던 덕창이 빌면서 답하였다.

"죽음 쪽보다는 살 길을 택하겠나이다."

"그렇다면 당장 저 자의 포박을 풀어주거라."

덕창을 황룡사의 경내에까지 쳐들어가 사로잡아 온 백룡이 다소 어리둥절한 표정으로 대장군을 쳐다보았다. 그는 대장군에게서 자신의 무공을 칭찬받기를 기대하고 있었지, 이처럼 덧없이 스러지기를 기대한 것은 아니었다.

포박하였던 끈을 풀고 덕창이 자유로운 몸이 되자, 김유신은 친히 덕창 앞으로 다가가 그의 손을 부드럽게 어루만지면서 말하였다.

"그대가 고구려를 위하여 지금껏 신명을 바쳤다면 이제 그대의 목숨을 살려준 신라를 위해서도 신명을 바칠 수 있지 않겠는가."

깊은 밤중에 난데없이 체포되어 그가 저지른 죄과를 낱낱이 문죄받는 순간, 중 덕창은 이젠 꼼짝없이 죽었구나 하고 생각하고 있었다. 그런데 의아스럽게도 장검을 빼어든 김유신이 자신의 목을 단칼에 쳐 베어버리지 않고 오히려 다가와 포박했던 끈을 풀고 부드럽게 회유하자 덕창은 몸둘 바를 모르고 황송해하였다.

"그대의 말대로 이번 신라에서는 일만여 기의 군사들이 고구려의 남경으로 쳐들어가려 한다. 이는 오직 재상 김춘추 공을 살려내기 위함이다. 풍문에 의하면 춘추 공은 그대의 나라 고구려에 잡힌 바

는 되었으되 첩자로서 문죄받고 아직 참하여지지는 않았다고 하는
바 그대는 어찌 생각하는가. 김춘추 공의 한 목숨이 중하다고 생각
하는가, 아니면 일만여 기의 군사들이 그대의 나라 고구려를 쳐들어
가 수십만의 백성을 죽이고, 그대의 형제권속이 일시에 떼죽음을 당
하는 것이 중하다고 생각하는가."

"그야 소승이 생각하옵기는 살상이 벌어지는 것보다는 화평이 이
루어지는 편이 상책이라고 생각하고 있습니다."

"그렇다면 이 첩서를 새로 쓰는 것이 어떠하겠는가."

김유신은 그가 몰래 봉인을 시켜서 보내려 하였던 첩서를 가리키
면서 부드럽게 말하였다. 그제서야 덕창은 김유신의 저의가 무엇인
지를 간파하였다. 그렇다. 김유신은 자신의 약점을 이용하여 자신을
반간으로 이용하려는 것이다. 고구려에서는 수만여 기의 무력의 위
협보다도 자신의 첩서 한 마디에 더 많은 신용과 신뢰를 갖고 있음
을 미뤄 알고 있는 김유신으로서는 이른바 병법에도 있듯이 싸우지
도 않고 이길 수 있는 모계(謀計)를 획책하고 있는 것이다.

덕창은 몸을 떨었다.

김유신은 보아란 듯 문서를 집어들어 횃불에 불을 댕겼다. 문서는
금방 발갛게 타올라 재가 되었다.

"지필묵을 가져오너라."

김유신이 좌우를 돌아보고 명령을 하자 곧 종이와 먹을 대령하
였다.

"글을 쓸 수 있도록 횃불을 밝게 밝혀드려라."

덕창은 더 이상 물러설 수 없음을 통감하고 있었다. 그는 벼루에
먹을 갈아 붓에 찍어 세워들었다. 그는 김유신이 비록 입을 열어 말
을 하지 않지마는 자신에게 무언중에 써야 할 문서의 내용을 암시하
고 있음을 느꼈다.

덕창은 종이 위에 밀서를 써내려가기 시작했다.

'삼가 신 덕창이 아뢰옵니다. 이번 신라의 국중에서는 심상치 않은 기운이 있어 이를 문자로 적어 보내려 합니다……. 저번 밀사로 들어간 김춘추가 약조한 기일 60일이 지나도록 돌아오지 않으므로 신라는 이 원수를 갚기 위해서 군사를 일으켜 일만여 기의 결사대를 이끌고 고구려의 국중으로 쳐들어가려 합니다. ……(중략)…… 이들 결사대들은 왕명에 의해서 수일 내에 왕경을 떠나 고구려의 남경으로 쳐들어가려 합니다…….'

덕창은 잠시 붓을 놓았다. 이제까지는 그가 이미 봉인에게 운송시켰던 밀서의 내용과 대동소이하였다. 그러나 이제부터다. 그들이 원하는 내용은 이제부터인 것이다. 그는 붓에 먹을 묻혀 다시 단숨에 써 내려갔다.

'신 덕창이 보기에는 이들의 군세는 만만치 않고 사기는 충천하여 하늘을 찌를 것 같습니다. 고구려의 국중에도 변란이 있어 아직 국가의 힘을 한 곳으로 모아 총력을 기울이기에는 역부족이라 느껴지는 바입니다. 굳이 김춘추의 명 하나로 온 국가가 맞서 싸워 국력을 쇠잔케 하는 일보다는 차라리 생명을 온전히 보전케 하여 돌려보내어 후일을 도모하심이 상책이라 생각되옵니다. 만 번 죽고 한 번 사는 일에 나가더라도 감히 싸우려 하는 일만여 기의 군사를 맞아 전쟁하느니보다는 차라리 구유만도 못한 김춘추의 생명을 온전히 돌려보내는 것이 우선하리라 신 덕창은 생각되옵니다. 이는 중대한 일이오니 만의 하나라도 후환이 없도록 신중히 살피시어 처신하시기 바랍니다…….'

덕창이 밀서 쓰기를 끝마치고 붓을 놓자 묵묵히 팔짱을 끼고 이를 지켜보던 김유신이 아직 먹물이 마르지 않은 문서를 가로채어 읽어 보았다. 그의 얼굴에는 흡족한 미소가 떠오르기 시작했다.

"되었다."

이것으로 춘추 공의 생명을 구할 것이다. 그들 적들은 덕창의 첩서라면 무조건 믿을 것이다. 싸우지도 않고 적을 이길 수 있는 방법은 이 길밖에 없을 것이다.

"수고했소."

그는 밀서를 말아들고 주위를 돌아보며 소리질렀다.

"잡혀 온 봉인은 어디에 있느냐."

부장 백룡이 몸을 떨고 있는 봉인을 끌고 다가왔다.

봉인은 사색이 되어 몸을 벌벌 떨고 있었다. 삼엄한 군막 안의 분위기에 압도되어서 이미 초주검이 되어 있었다.

"이것을 고구려의 국중에 전해주고 오너라."

김유신이 방금 전에 덕창에게서 건네받은 새로 고쳐 쓴 첩서를 봉인에게 내밀었다.

"예? 뭐라굽쇼."

영문을 모르는 봉인은 넋 나간 표정으로 김유신을 우러러보았다.

"너를 죽이지 않고 살려줄 터이니 딴 생각 말고 단숨에 말을 몰아 평소에 네가 하던 대로 고구려에 이 밀서를 전해주고 오너라. 만약 만의 하나라도 딴 생각을 하겠거들랑 남아 있는 네 처가권속은 단번에 능지될 것이니 다른 생각 말고 시키는 대로 할 일이다."

"예, 여부가 있겠습니까."

목숨을 살려준다는 대장군의 말에 봉인의 얼굴에는 담박 웃음꽃이 피어올랐다.

"당장 길을 떠날 일이다. 결코 말 위에서 떠나서는 안 된다. 먹을 것도 말 위에서 먹고 자는 것도 말 위에서 자거라. 일각 일각이 천금과 같으니 오직 앞만 보고 달려가거라."

"알겠습니다."

봉인이 씩씩하게 밀서를 받아들고 말 위에 올라섰다. 그는 구사일생으로 목숨을 건진 감동과 기쁨으로 기운이 넘치게 비마(飛馬) 위에 올라탔다.

"이랴."

봉인은 힘차게 말의 옆구리를 걷어찼고, 말은 쏜살같이 어둠을 뚫고 달려나갔다.

이제 되었다. 어둠 속으로 사라져가는 말의 모습을 지켜보면서 김유신은 안도의 한숨을 내쉬었다. 저 봉인은 미친 듯이 달려가 밀서를 고구려의 국중으로 전해줄 것이고, 그 밀서는 손에서 손을 통해 고구려의 조정으로 나는 듯이 전해질 것이다.

첩자 덕창의 밀서를 받아든 고구려의 각 대신들은 심각한 회의를 통해 마침내 덕창의 건의를 받아들여 한바탕 일대 회전(會戰)을 감행하느니 춘추 공의 목숨을 온전하게 보전하여 돌려보내게 될 것이다.

"어떻게 할 것입니까."

군막 안으로 사라지는 김유신의 뒤를 좇아 부장 백룡이 따라오면서 물었다.

"첩자 덕창의 목숨을 정말 살려주시는 겁니까. 살려서 유용(有用)하시겠습니까."

김유신은 백룡을 돌아보았다.

첩자를 반간으로 사용할 때는 단 한 번으로 족하다. 그 이상은 쓸모가 없다. 이미 덕창은 고구려에서도 신라에서도 쓸모가 없는 무용지물이 되고 말았다. 비밀이 발각되어 정체가 드러난 첩자는 단 한 번밖에 역용(逆用)할 수 없는 것이다.

"더 이상 쓸모는 없다."

"그러면 어떻게 하시겠습니까."

"그러면 너는 어떻게 하면 좋겠느냐."

"목을 베어 기강을 바로잡고 군사들의 사기를 높이고 싶습니다."

김유신은 고개를 돌리면서 말에서 내렸다.

"네 뜻이 정히 그러하다면 네 뜻대로 하여라."

백룡은 그 길로 장검을 빼어들고 덕창의 곁으로 돌아왔다. 그는 단칼에 덕창의 목을 베어 그를 참하였다.

"너무 오래 지체하지는 마시오."

별관을 지키는 군졸이 다소 짜증난 듯한 목소리로 말하였다. 훈신은 군졸의 뒤를 따라 김춘추가 갇혀 있는 방으로 다가갔다. 김춘추가 갇히고 난 뒤 처음으로 상면하는 길이었다. 다행히 춘추 공이 갇힌 곳은 옥사가 아니라 별관인 점에 마음이 놓였다. 그래도 어쨌든 외부와 유리된 곳이었으며 경계가 삼엄하고 엄중하였다.

"이 방이오. 다시 한 번 말하지만 너무 오래 끌지는 마시오."

훈신은 문을 열고 방 안으로 들어섰다. 방 안은 대낮인데도 어둡고 불이 밝혀져 있었다. 높은 벽에 빛이 새어 들어오도록 창은 열려져 있었지만 북창이었으므로 실내는 어둡고 밤처럼 캄캄하였다.

"누구냐."

촛불 아래 단아하게 앉아 있던 김춘추가 인기척을 느낀 듯 먼저 입을 열어 물었다.

"접니다. 이찬 어른. 훈신이옵니다."

"네가 웬일이냐."

훈신은 눈물을 흘리면서 김춘추의 얼굴을 우러러보았다. 오랫동안 못 보던 얼굴이었다. 이제인가 저제인가 아니 벌써 참형되었다는 모진 소문만 들려올 뿐 생사마저 확인할 수 없었던 이찬 어른의 얼굴이었다. 그래서 그가 죽어 있는 혼령이 아니라 실제로 살아 있는 몸인가 확인하기 위해서 훈신은 눈물 젖은 눈으로 똑똑히 살펴보았다. 벌써 수십 일 옥중에 갇힌 몸이었지만 김춘추의 모습은 조금도 흐트러진 곳이 없이 단아하고 단정하였다.

"네가 이곳에 웬일이냐."

거듭거듭 김춘추가 입을 열어 물었다. 따로 할 말이 없는 훈신은 그저 슬프고 괴로워서 눈물만 흘릴 따름이었다.

"그간 별고 없었느냐."

"소인에게 무슨 별고가 있겠습니까. 나으리 몸은 좀 어떠십니까."

"네 눈으로 보다시피 건강하고 튼튼하다. 네 눈에 내 신색이 어떻게 보이느냐."

"여전하십니다."

훈신은 가져온 물건을 풀어놓았다. 먹을 음식과 물, 간단한 의복, 그리고 망설이다 가져온 선도해에게서 건네받은 이야기책을 꺼내 김춘추 앞에 내어놓았다.

김춘추는 훈신이 펼쳐놓은 음식은 거들떠도 안 보다가 문득 낯선 책자가 눈에 띄었는지 그것을 집어들고 훈신을 돌아보았다.

"이것은 무엇이냐."

그러자 훈신은 그간 있었던 일들을 이야기하기 시작했다. 대매현의 현령 두사지에게 얻은 청포 3백 보를 뇌물로 선도해를 찾아가 춘추 공이 살아날 수 있는 비상책을 물었다는 이야기. 그랬더니 묻는 말에는 대답치 않고 이 책자 하나를 주면서 꼭 춘추 공에게 전해주란 말만 듣고 돌아왔다는 이야기들을 대충대충 토해놓기 시작하였다.

"소용없는 일이다."

이야기를 듣고 나서 김춘추가 말을 잘랐다.

"내 일은 내가 잘 안다. 내 목숨을 남이 살리고 죽일 수는 없는 일이다."

순간 옥문이 열리고 훈신을 옥까지 안내하였던 군졸이 짜증난 목소리로 말하였다.

"시간이 다 되었소. 이제 그만 나오시오."

훈신이 돌아가고 난 뒤 김춘추는 밤이 이슥하도록 별관에 갇혀서 이리 뒤척 저리 뒤척 잠을 못 이루고 있었다. 잠을 자려고 눈을 감았으나 만감이 교차되어 쉽사리 잠에 빠져들지 못하였다.

이대로 죽고 말 것인가. 아무런 뜻도 펴지 못하고 이대로 헛되이 죽고 말 것인가.

그때였다.

설레는 마음으로 이리저리 뒤척이던 김춘추는 문득 초롱불 아래에 훈신이 놓고 간 이야기책 한 권이 눈에 띄었다.

'선 대인께오서 이찬 어른께 이 책을 선물에 대한 답례로 드렸사오니 꼭 정독하여 읽으시라고 전했습니다.'

선 대인이라면 연개소문의 총신으로 연개소문이 정병을 일으켜서 대권을 잡는 데 결정적으로 공헌을 한 일등 공신 중의 한 사람이었다. 그와 만난 것은 단 한 번에 지나지 않으나 첫눈에도 그가 범상치 않은 재사(才士)란 느낌을 주고 있었다. 그가 훈신을 통해 내게 이 책을 전해주었다면 반드시 이 책의 내용 속에 그 뜻이 숨어 있을 것이다. 선도해가 그저 단순한 인사치레로 이런 이야기책을 내게 전해주었을 리가 없다.

김춘추는 훈신이 놓고 간 이야기책을 들어보았다.

《귀토담》.

당나라를 통해 흘러 들어온 이야기책인 듯 어딘지 당체(唐體)의 냄새가 나고 있지만 흔히 고구려에서 널리 읽히고 있었던 심심풀이용 이야기책인 모양이었다.

김춘추는 책을 펼쳐 책의 내용을 단숨에 읽어 내려갔다. 아주 짧은 내용으로 거북이의 유혹에 해중(海中)으로 끌려간 토끼가 기지를 발휘하여 구사일생으로 목숨을 건져 도망친다는 짤막한 이야기였다.

김춘추는 책을 다 읽고 나서 책을 덮고 창 밖을 우러러보았다. 북창의 창 밖으로 무심한 밤하늘의 별들이 깜박이고 있었다.

선도해는 도대체 무엇 때문에 내게 이 책을 보낸 것일까. 그저 별관에 갇혀 유폐(幽閉) 생활을 하는 내게 잠시 머리를 식히라는 뜻으로 이처럼 한갓 미물에 지나지 않는 토끼와 거북이의 이야기책을 보내 온 것일까.

순간 김춘추는 머릿속으로 번득이는 영감이 스쳐 달리는 것을 느꼈다.

그는 하마터면 손에 들었던 이야기책을 땅에 떨어뜨릴 뻔했다.

그렇다.

내게 이 이야기책을 보내준 선도해는 실은 무서운 비방(秘方)을 내심으로 숨기고 있었던 것이다. 그는 내게 구사일생으로 살아날 수 있는 비법을 이 책을 통하여 알려준 것이다.

김춘추는 가쁜 흥분을 진정시키느라고 심호흡을 하면서 눈을 감았다. 그렇다. 나는 토끼(兎)이며 연개소문은 거북이(龜)다. 연개소문은 나를 유혹하여 용왕이 살고 있는 고구려의 해중으로 끌고 들어온 것이다.

선도해가 청포 3백 보를 받은 대신 이야기책을 선물로 준 것은 그냥 심심풀이로 읽어보라고 준 것이 아니라, 이 책을 읽고서 그 속의 내용에서 방도를 구하라는 무언의 계시를 주고 있는 것이다.

나는 지금 토끼의 신세로 고구려의 해중으로 잡혀 들어와 있는 것이다. 그들이 원하는 것은 죽령(竹嶺) 서북의 땅을 되돌려 받으려는 것이다. 원래 그곳은 진흥왕 때 신라가 빼앗은 고구려의 구토(舊土)

인 것이다. 그러므로 그들로서는 당연히 이를 탈환하고 회복하려 할 것이다. 이야기책에 써 있듯이 토끼에게서 간을 구하려는 것과 마찬가지로 연개소문을 비롯한 고구려의 근신들은 나를 인질로 토끼의 간, 즉 죽령 서북의 옛 땅을 회복하려 하는 것이다.

선도해가 내게 이 책을 보낸 것은 그러므로 그들이 나를 사사로운 감정으로 죽이려는 뜻이 아니라 나를 빌미로 고구려의 옛 땅을 수복하려 한다는 뜻을 은연중에 암시하기 위해서인 것이다.

선도해는 토끼가 어떻게 용왕이 살고 있는 해중을 벗어나 절체절명의 위기에서 구사일생으로 살아날 수 있는가 하는 비법을 가르쳐 주고 있는 것이다.

김춘추는 순간 연개소문과의 처음이자 마지막으로 대좌(對坐) 시에 진노하여 자리를 박차고 연개소문이 일어서서 사라지자 깔깔대면서 웃던 선도해의 목소리를 떠올렸다.

'내 보기에 공은 참으로 어리석고 둔하오. 공께오서 춘추의 필법과 맞먹는 경륜과 설법을 갖고 있다는 풍문은 이제 보니 한갓 우스갯소리와도 같소이다.'

김춘추는 무릎을 치면서 감탄했다. 그는 죽기를 각오한 나를 어리석고 둔하다고 비웃고 있었다. 나는 죽는 방법만을 생각하고 있었지, 살 방도는 전혀 구하지 않고 있었다. 조국을 위해 보다 큰일을 하기 위해서라면 이곳에서 아무런 쓸모없이 죽는다는 일은 초개만도 못한 일이다. 우선 꾀를 써서 살아날 방도를 구할 일이다. 우선 토끼의 지혜를 빌려서 해궁을 벗어날 일이다.

그는 암흑 속에서 한 가닥 광명을 얻은 느낌이었다.

김춘추는 옥졸에게 지필묵을 가져다달라고 부탁하였다. 옥졸이 벼루와 먹을 가져오자 김춘추는 단정히 자세를 바로하고 앉아서 고구려의 왕과 연개소문에게 올리는 상서문(上書文)을 쓰기 시작하였다.

신 춘추가 대국의 나라 고구려에 들어온 것은 이제 백제가 무도(無道)하여 장사봉시(長蛇封豕, 긴 뱀과 큰 돼지, 욕심이 많고 간악한 사람)가 되어 우리의 지경을 침범하므로, 과군(寡君)이 대국의 병마를 얻어 그 치욕을 씻으려 하여 하신으로 하여금 하집사(下執事)에게 귀의(歸依)함이었습니다. 고로, 하신 춘추가 고구려에 들어왔은즉 막리지께오서 신의 청원을 들으시고 말씀하시기를 죽령(竹嶺)은 본시 우리 지역이니 만일 죽령 서북의 땅을 다시 돌려보내면 원병(援兵)을 보내주겠다고 하셨습니다. 이에 신 춘추는 군명을 받들어 군사를 청함이거늘 어찌 남의 환란을 구하여 이웃과 친선함에는 뜻이 없으시고 단지 사인(使人)을 위협하여 국토의 번창만 요구하시니 신은 죽을지언정 다른 것은 알지 못합니다. 또한 국가의 토지는 신자(臣子)로서는 마음대로 하는 것이 아닙니다라고 말하였던 바 이로 인해 별관에 갇힌 바 되었습니다. 신자가 별관에 갇혀 수십 일이 지나 가만히 숙고하였던 바 하신의 뜻은 전혀 옳지 않고 대인의 뜻이 올바르다는 것을 각성하였습니다. 원래 마목현(痲木峴)과 죽령은 예로부터 고구려의 땅이 분명하므로 이 토지를 원래의 임자에게 돌려주어야 마땅하리라고 신 춘추는 생각하였습니다. 물론 국가의 토지는 신자로서는 마음대로 할 수는 없습니다만 만약 이제 고구려의 조정에서 신자를 방석(放釋)하여 주옵신다면, 신 춘추는 신명(身命)을 다 바쳐 신자의 나라 신라로 돌아가 과군을 힘써 설득하고 마음을 움직여 죽령 서북의 땅을 기필코 고구려에 반환할 것을 맹약하옵니다. 신춘추가 바라옵는 것은 대국 고구려와 신라가 새로운 동맹을 맺어 선린의 우호를 돈독케 하기 위함이었지, 사소한 토지의 이해로 분란을 일으키기 위함은 아니었습니다.

청컨대 대왕께오서는 신자의 뜻을 헤아리고 받아들이셔서 석방되어 귀국함을 윤허하여주옵소서. 삼가 신 춘추가 상서를 올리나이다.

온 대지에 설편이 흩날리고 있었다. 군사 한 사람이 나루터에 매어놓은 초라한 나룻배 하나를 끌고 강변으로 가져왔다. 사정없이 눈이 내리는 대신 날씨는 푸근하여 강물은 전혀 얼지 않고 있었다. 강변의 모래사장은 꽁꽁 얼어붙어 있고 겨우내 내린 눈으로 무릎이 빠질 만큼 눈이 쌓여 있었지만 강물은 생생하게 살아 움직이고 있었다. 누군가 강 저편으로 배를 끌고 가야 했으므로 인근에 사는 노인 한 사람이 불려 왔다. 그는 나룻배를 강 건너까지 끌고 갔다가 도로 가져오라는 명을 받고 미리 배 위에 올라 노를 젓고 있었다. 강변에 군선 몇 척이 붉은 깃발을 나부끼면서 정박해 있었다.

이미 연락을 보냈는지 강 건너의 나루터에는 마중 나온 몇 사람이 뽀오얀 눈발 속에서 꿈결처럼 서 있었다.

훈신은 배에 오르자마자 이처럼 죽지 아니하고 살아 돌아갈 수 있다는 사실이 믿어지지 않는 꿈만 같은 때문인지 강물을 내려다보면서 눈물을 뚝뚝 흘리고 있었지만, 막상 죽음의 사지(死地)를 구사일생으로 빠져나온 김춘추는 표정이 없었다. 그는 묵묵히 납색의 강물을 바라보고만 있었다.

선도해가 준 이야기책에서 얻은 비상책으로 살아날 방도를 깨달은 김춘추의 상서는 곧바로 고구려의 조정으로 넘어가게 되었다. 때마침 고구려의 조정은 신라의 황룡사에 첩자로 숨어 있는 덕창의 첩서를 받은 직후였다.

고구려의 조정은 덕창의 첩서라면 언제나 신뢰를 갖고 있었다. 덕창이 보내는 정보와 모략은 언제나 가장 정확하였고 신빙성을 갖고 있었다. 일만여 기의 결사대가 김춘추의 생명을 구하고, 원수를 갚기 위해서 남경으로 쳐들어오고 있다는 덕창의 첩보는 일소에 붙일 만큼 간단한 것은 아니었다. 더구나 덕창은 간곡히 전란을 피하고 구유만도 못한 김춘추의 명을 온전히 돌려보내는 것이 상책이라고 탄원하고 있지 않은가.

연개소문은 덕창의 소견을 일언지하로 무시하였지만 연개소문의 아우 연정토와 각 대신들의 뜻은 달랐다. 아직 국가가 전란을 치를 만큼 정비된 것은 아니었다. 새로운 질서, 새로운 체제가 굳건히 정비되기 위해서는 무엇보다도 먼저 안정된 세월과 시간이 필요했었다. 이러할 때 김춘추의 상서는 감우(甘雨)와 같은 것이었다.

그들로서도 김춘추를 공연히 죽일 이유가 없었다. 그렇다고 칙사 대접을 할 수도 없었다. 상서문의 내용은 어쨌든 목숨을 구걸하는 비겁한 탄원에 지나지 않았으므로 일단 그의 청을 못 이기는 체 받아들여 그를 살려 보낸다 한들 고구려는 고구려대로 상국으로서의 체면이 손상된 것은 아니었다. 오히려 대국으로서의 아량을 보이는 일석이조의 묘(妙)가 있는 셈이었다.

그리하여 상서에 적힌 김춘추의 탄원은 받아들여졌다. 첩자의 누명을 씌워 유폐시켰던 김춘추를 방석시키기로 허락이 난 것이었다.

김춘추는 엄동설한의 매서운 겨울, 고구려의 왕도인 장안성을 떠났다. 실로 신라의 왕경인 금성을 떠난 지 일백여 일이 넘은 뒤의 일이었다.

어느덧 해는 바뀌어 새해가 다가와 있었다. 고구려로 들어올 때는 밀사라고 하지만 정중한 예의로써 사신 대접을 받았던 김춘추가 떠나갈 때는 초라한 행객(行客)에 지나지 않았다. 목숨만 온전히 보전하여 살려주기만 하는 것을 고맙게 알라는 태도로 수행군졸 하나 제대로 붙여주지 아니하였다.

죽기를 각오하고 고구려로 들어왔던 김춘추는 아무런 목적도 이루지 못하고 빈손으로 초라하게 돌아가는 셈이었다.

남으로 남으로 남진하는 김춘추의 마음은 차라리 죽음을 각오하느니보다 오히려 더 천근처럼 무거웠다. 그는 이제 자기가 아무런 소기의 목적을 이루지 못하고 신라로 돌아가면 자신의 신상이 어떤 결과를 초래할 것이라는 것을 미뤄 짐작할 수 있었기 때문이었다. 그는 이찬 비담(毗曇)과 대신 염종(廉宗)의 두 얼굴을 줄곧 떠올리고 있었다. 두 사람은 김춘추와는 견원의 원수지간이었다. 비담은 왕경인 금성을 중심으로 한 중앙귀족들의 세력을 대표하고 있었고, 김춘추는 역시 중앙귀족 출신이긴 하지만 지방의 토호세력과 옛 가야제국에서 흘러 들어온 가야 귀족들을 대표하고 있었던 비교적 나이 젊은 화랑 출신의 대신이었던 것이다.

황고마마의 치세 12년 동안 신라의 조정은 비담과 염종에 의해서 좌지우지되고 있었다. 김춘추는 그들의 전횡에 눈엣가시처럼 방해되는 단 하나의 존재였던 것이다.

이제 만약 김춘추가 황고마마의 밀서를 지니고 은밀히 고구려의 국중으로 들어가 아무런 효과도 얻지 못하고 그저 초라하게 쫓기는 과객(過客)이 되어 간신히 목숨이나 보전하여 돌아오게 된다면 이들은 무섭게 어전에서 자신을 힐책하고 꾸짖어 자신의 죄를 문죄할 것임에 틀림이 없었기 때문이었다.

아아, 나는 빈손으로 살아 돌아가고 있을 뿐이다.

노인이 젓는 나룻배가 강물 위에서 우쭐우쭐 춤을 추었다. 바람이 갈지자로 세게 몰아칠 때마다 바람에 실린 눈송이들이 배 위에 우뚝 선 김춘추의 몸을 세차게 때리고 있었다. 김춘추는 뱃전에 앉으려 하지 않고 우뚝 서서 배가 움직일 때마다 조금씩 조금씩 다가오는 그리운 조국의 강산을 물끄러미 바라보고 있었다.

지난 가을 이 강을 건너 적의 나라로 들어갈 때에도 살아서는 돌아오지 못할 것이라는 각오와 비장한 결심으로 뱃전 위에 서서 멀어져가는 조국의 강산을 마음속에 새겨두기 위해서 유심히 바라보았다.

산천은 의구(依舊)하여 예와 조금도 다름이 없었다. 달라진 것이 있다면 떠날 때는 만추여서 홍엽(紅葉)의 산하가 이제는 엄동의 깊은 겨울이어서 헐벗은 나목의 산으로 변해버린 것뿐이었다.

배가 나루터에 가까이 다가가자 대매현의 현령인 두사지가 몇몇의 신하들을 데리고 눈 속에서 김춘추를 기다리고 서 있는 모습이 보였다.

"어서 오십시오, 이찬 어른."

배가 나루터에 닿자 두사지가 뛰어오면서 김춘추를 맞았다. 두사지는 한눈으로 김춘추가 비록 입을 열어 말을 하지는 않았지만 병색이 확연한 것을 알았다. 그는 몰라보리만큼 수척해 있었으며 말라 보였다.

"고생이 많으셨습니다."

두사지가 김춘추의 몸을 부축하여 안아 들였다.

"살아 돌아오신 것만 해도 다행이십니다. 이찬 어른, 저희들은 공께오서 적들에게 사로잡혀 돌아가셨는 줄만 알고 있었사옵니다."

건너왔던 나룻배가 다시 강을 건너가고 있었다. 김춘추는 쓰러질 듯 비틀거리면서 두사지에게 몸을 의지하고 자기가 간신히 몸을 구해 빠져나온 고구려의 강토를 노려보면서 생각했다.

내 다시는 고구려를 상대로 선린의 맹약을 구하지 않으리라. 백제가 장사(長蛇)라면 고구려는 더욱 큰 봉시(封豕)가 아닌가. 연개소문이 있는 한 고구려는 신라의 영원한 적이다. 언젠가는 너 고구려의 땅을 쳐들어가 그 국중의 뜰 안을 말발굽으로 짓밟아 이 치욕의 원수를 갚고야 말리라.

김춘추는 말없이 들고 온 짐보따리를 풀어보았다. 두사지와 훈신은 김춘추의 난데없는 행동을 물끄러미 바라보았다. 짐보를 풀자 그 속에는 벌건 황토가 가득 들어 있었다.

"이찬 어른, 그게 무엇이옵니까?"

두사지가 의아한 목소리로 물었다. 김춘추는 말없이 한 줌 흙더미를 손으로 집어들어 설편이 어지러이 날으는 강물 위에 던져버렸다. 바람에 실린 흙발이 난분분 난분분 어지러이 날아가 강물 위로 던져졌다.

"그게 무엇입니까."

"흙일세."

김춘추가 짧게 말을 받았다.

"흙이라니요."

"고구려의 흙일세. 언젠가는……."

김춘추는 손에 묻은 흙을 탁탁 털어 날리면서 두사지와 훈신을 동시에 보았다.

"언젠가는 이 흙을 내 발로 딛고 우리의 것으로 만들어버릴 걸세. 내 반드시 이를 행동에 옮겨 뜻을 이루고야 말 걸세."

김춘추는 돌아섰다. 순간 그의 머릿속으로 깔깔거리는 선도해의 웃음소리가 들려왔다.

그대는 토끼의 지혜를 빌려 간신히 해궁을 빠져 나온 토끼와 같구료, 춘추 공. 호호호. 그대의 간은 어디에 있소이까.

순간 그의 머릿속으로는 도연명(陶淵明)의 시가 한 구절 떠올랐다.

그의 유명한 시, 고을의 관리들이 관복을 차려입고 오라고 하자 그날로 사표를 던지고 고향으로 돌아가던 때에 그의 심경을 읊은 유명한 시, 〈귀거래 혜사(歸去來兮辭)〉란 시 구절이 떠올랐다.

김춘추는 뱃속 깊이 한기가 들어 병색이 완연한 몸으로 강물 위에 내리꽂히는 어지러운 설편을 바라보면서 생각했다. 나도 지금 귀거래하고 있다. 아무것도 가지지 못한 빈 몸과 빈손으로 돌아가고 있다.

김춘추는 마음속으로 〈귀거래 혜사〉를 읊어보기 시작했다.

돌아가자.
전원이 황폐해지고 있거늘, 어찌하여 돌아가지 않는가.
이제껏 내 마음, 몸 위에 부름받아왔거늘.
무엇 때문에 그대로 고민하여 홀로 슬퍼하는가.
이미 지난 일은 돌이킬 수 없음을 깨달았고
장래의 일은 올바로 할 수 있음을 알았으니.
실로 길 잘못 들어 멀어지기 전에
지금이 옳고 지난날은 글렀음을 깨우쳤네.
배는 흔들흔들 가벼이 출렁이고
바람은 펄펄 옷깃을 날리네…….

바람이 불어오자 강물이 출렁이고 철새 떼들이 바람에 실려서 슬
피 울면서 떼를 지어 강물 위를 스치듯 날아가고 있었다. 날은 어두
워지고 땅거미가 어둑어둑 스러지고 있었다.
"이찬나으리, 제가 부축하겠습니다."
두사지가 비틀거리면서 발걸음을 떼어놓는 김춘추의 어깨를 받쳐
들면서 말했다.
"살아 오셨다는 것이 꿈만 같습니다."
"자네 때문에 살았네."
훈신이 옆에서 김춘추를 부축하면서 말을 거들었다.
"자네가 준 청포 3백 보가 아주 요긴하게 쓰여졌었네. 자네가 이
찬 어른의 명을 구했네. 안 그렇습니까? 이찬 어른."
그러나 김춘추는 대답이 없었다. 그의 머릿속으로는 장시(長詩)
의 한 절이 떠오르고 있었다.

돌아가자.
세상 사람들과 인연을 끊자.
세상과 나는 서로 등졌으니
다시 수레 몰고 나아가 무엇을 얻겠는가.

제5장 피의 요하

1

서기 644년 11월.

당나라 연호인 정관(貞觀 18년)의 깊은 가을, 마침내 당나라의 2대 황제 태종은 왕경인 장안을 출발하여 동도(東都)인 낙양성으로 친히 군사를 이끌고 외정에 나섰다.

이세민. 용병(用兵)의 귀신으로 아버지 이연을 도와 수를 멸망시키고 부왕이 당나라를 창건하는 데 결정적인 전공을 세워 태자의 칭호는 물론 천책상장군(天策上將軍)이란 칭호까지 받았던 이세민. 그는 626년 아버지였던 당고조(高祖)가 죽자 그 뒤를 이어 대당의 제2대 황제인 태종 위에 오르면서부터 마침내 18년 만에 평생의 숙원이었던 대 고구려의 원정길에 올랐던 것이다.

십만의 원정군은 모두 붉은 옷[朱袍]과 붉은 깃발[丹幟]을 세워들고 있었다. 붉은 옷과 붉은 깃발은 전대의 왕조였던 수나라를 쓰러뜨릴 때부터 사용하였던 당나라 군사들의 군복 빛깔이었다.

왕군에 대항하여 싸우고 혁명을 일으켰던 이연의 무리들은 피의 빛깔인 붉은색으로 옷과 깃발을 만들어 전대의 왕조인 수나라를 멸망시켰다. 이로부터 붉은색은 당군의 독특한 빛깔로 정착되었다.

당고조가 당왕조를 수립한 지 8년 만에 병환으로 숨을 거두자 그 뒤를 이어 왕위에 오른 태종은 실질적인 천하통일을 이룩하였다. 그는 태자 시절부터 용병술을 발휘하여 불과 2년 만에 변방의 돌궐과 토곡혼(吐谷渾) 등 거의 모든 주변 나라들을 제압하고 강력한 통일국가를 이룩하였다.

이들 붉은 빛깔의 붉은 당군은 얼마나 용감하였던지 고창국(高昌國) 등 당군에게 복속되었던 주변국들은 번쩍이는 피의 빛깔, 붉은 당군의 깃발만 보아도 혼비백산하여 도망치기 급급했던 것이다.

628년, 중국의 주변국들을 거의 정벌하여 천하통일을 이루었던 당태종은 그러나 마음에 가시처럼 걸려왔던 주변국가가 있었다. 그 것이 바로 고구려였다.

고구려는 왕조의 북변을 위협하는 단 하나의 주변국가였다. 비록 왕위의 책봉을 상국인 당나라로부터 인증받는 주종관계의 국가라고는 하지만, 고구려는 전대의 왕조인 수나라를 실질적으로 멸망시켰던 가장 무서운 국가였던 것이다.

고구려를 멸망시켜 자신의 국가로 복속시키지 않는다면 실질적인 천하통일을 이룬 것은 못 되었다. 선왕인 고조와는 달리 야심만만한 태종으로서는 고구려가 눈엣가시일 수밖에 없었다.

왕위에 오른 지 십여 년 간은 외치보다는 내치에 힘써서 토지제도나 세제를 정비하여 소위 '정관(貞觀)의 치(治)'란 법령을 반포하였다. 그리하여 마침내 신왕조가 탄탄한 기초를 이룩하고 반석 위에 굳건히 서게 되자 당태종은 오래 전부터 꿈꿔왔던 천하통일의 야망을 떠올리게 되었던 것이다.

마침내 그는 가을 임시의 국정을 태자에게 맡기고 스스로 표현하듯 궁시(弓矢)를 메고 손수 우의(雨衣)를 안장 뒤에 비끄러 매고 황제의 수레에 올라 몸소 원정의 길을 떠났던 것이다.

황제의 수레가 장안성을 떠날 때 수십만의 백성들이 친히 붉은 수레 위에 올라 원정의 길을 떠나는 황제를 전송하기 위해서 거리로 쏟아져나왔다. 장안성의 주작대로(朱雀大路)는 수십만의 군중들로 가득 차버렸다.

무사히 싸움을 끝내고 개선하여 돌아오라고 장안의 성민들은 모두 붉은 깃발을 펼쳐들고 부복하여 예의를 표현하였다. 황제는 '온량거(輼輬車)'라고 이름지어진 붉은 수레에 올라앉아 문을 열고 자신을 환송하는 군중들을 바라보면서 자신이 고구려를 쳐 이기지 않으면 살아 돌아오지 않으리라고 굳게 맹세하고 있었다.

그는 강력한 왕조였던 전대의 수나라도 고구려와의 싸움에서 마침내 국력을 탕진하여 멸망했음을 잘 알고 있었다. 또한 이번 외정에도 방현령(房玄齡) 등 많은 대신들은 아직 고구려의 친정(親征)을 시기상조라고 진언하고 나섰음을 잘 알고 있었다.

방현령은 전대의 수나라의 관인이었던 방언겸(房彦謙)의 아들로 당태종 밑에서 진나라의 역사인 《진서(晋書)》나 《오경정의(五經正義)》를 찬수하던 문인의 거두로 두여회(杜如晦)와 더불어 태종의 승상(丞相) 중의 한 사람이었다.

방현령을 비롯한 모든 문인들은 이번 외정을 반대하고 나섰다. 당대 제1의 서가(書家)였던 저수량(楮遂良)도 상표하여 태종의 친정은 불가하다고 주상하고 있었다.

그러나 태종의 친정에 적극 찬동하고 나선 사람은 선왕 대대로의 장군들이었다. 특히 선대로의 명장이었던 이세적(李世勣) 등은 이번이 고구려를 칠 수 있는 절호의 기회라고 역설하였었다. 때문에 수레 위에 앉은 태종의 가슴 속으로는 만약 이 외정이 실패로 돌아가 비참하게 돌아오게 된다면 저 구름처럼 몰려든 군중들에 의해서 자신이 황위에서 물러서게 될지도 모른다고 생각했던 것이다.

순간 태종은 고구려를 쳐서 이기고 돌아오지 않는다면 반드시 돌아오는 수레 위에서 죽어 돌아오리라고 홀로 결심하였다.

그는 구름처럼 몰려든 장안의 군중들에게 다음과 같이 선언하였다.

"짐의 이번 동정(東征)은 중국을 위해서는 자제(子弟, 수나라)의 원수를 갚으려는 것이다. 내 반드시 자제의 원수를 갚고, 그 원을 풀고 돌아올 것이다."

황제가 탄 수레는 실내온도가 스스로 조절될 수 있도록 만들어진 정교한 수레여서 사람들은 온량거라 부른다고 했지만 장안을 떠난 황제의 친정군대가 동도인 낙양성에 들어선 것은 해가 바뀐 645년 봄이었다. 때문에 황제가 탄 수레 속이라고 할지라도 저 대륙의 그 무서운 폭풍설한을 막아낼 수는 없었다.

그 해따라 눈은 강산처럼 내리고 거대한 대륙을 몰아치는 매서운 바람은 황제의 대군이라고 예외로 봐주지는 않았다. 역전의 용사들은 적, 고구려와 싸우기 전에 이미 무서운 천기(天氣)와 싸워야만 했다. 수많은 병사와 말들이 혹한에 쓰러져 죽어갔다.

그러나 역전의 노장들인 태종의 정예부대들인 십만 대군은 추호의 빈틈도 없이 혹한의 대지 속을 동쪽으로 동쪽으로 나아가고 있었다.

수양제 당시 고구려를 침입했던 113만의 병력에 비하면 불과 10분의 1에도 못 미치는 병력이었지만 오랜 외정으로 훈련된 정병(精

兵)들이었으므로 일기당천의 기세를 갖고 있었다.

붉은 옷과 붉은 깃발의 당군은 눈보라 몰아치는 혹한 속을 질서정연하게 나아갔다.

당군은 태종의 직접 지휘하에 2개의 방면군으로 나뉘어지고 있었다. 하나는 장량(張亮)을 총사령관으로 하는 4만 3천의 군졸이었는데, 이들은 전선 5백 척에 나눠 타고 산동의 내주(萊州)로부터 직접 바다를 건너 평양성을 공격하는 수군(水軍)이었으며 또 하나는 이세적(李世勣)을 총사령관으로 하는 6만 명의 군졸로, 이는 요하 방면으로 진격해 들어가는 육군(陸軍)이었던 것이다.

용병의 천재인 태종은 수나라가 그 엄청난 대군을 갖고도 고구려를 이기지 못한 것은 수군과 육군의 양동작전을 벌이지 못한 때문이라는 것을 잘 알고 있었다.

장안의 모든 군신들이 황제에게 원정치 말기를 탄원하자 태종은 이렇게 답하였다.

"나는 반드시 이긴다. 이는 짐이 용병의 술수를 익히 알고 있기 때문이다. 또한 본(本)을 버리고 말(末)로 갈 수는 없으며 고(高)를 버리고 하(下)를 취할 수 없으며 근(近)을 버리고 원(遠)으로 갈 수는 없지 않는가. 짐이 고구려를 치는 것은 본을 얻는 일이요, 고를 취하는 일이요, 근으로 가는 길이다. 개소문이라는 신하가 감히 임금을 시해하고 또 대신들을 모두 죽였으니 이는 하늘의 순리에 역행하는 일이다. 하늘이 반드시 인륜의 본을 알아 우리를 도울 것이고 짐 또한 적을 이길 수 있는 그 길(道)을 알고 있으니 무엇이 두려울 수 있을 것인가. 또한 요동은 본래 우리 땅이니 짐으로서는 구토를 복원함으로써 선대로부터의 숙원을 풀려 함이로다."

그 긴 겨울 동안 혹한의 대륙을 가로질러 동도인 낙양성에 들어선 십만 대군은 그곳에서 대열을 정비하여 최종의 점검을 완비하였다.

그리하여 장량의 수군과 이세적의 육군이 합세하여 유주(幽州)에 집결하였다.

또한 황제는 친히 중공(衆工)들을 독려하여 운제(雲梯)와 충차(衝車)를 만들게 하고 친히 수레 위에 올라 십만 대군 앞에 칙서(勅書)를 지어 천하에 고하기 시작하였다.

"짐이 몸소 친정에 나서 활을 차고 우의(雨衣)를 말안장에 매는 것은 고구려의 연개소문이 왕을 시해하고 백성을 학대하기 때문이다. 이를 어찌 인정상 볼 수만 있겠는가."

그러고는 원정의 포고를 다음과 같이 선언하였다.

"옛날 수양제는 그 신민(臣民)을 잔혹히 대하고 고구려왕은 그 백성을 인애(仁愛)하였다. 잔혹한 군대로써 안화(安和)한 무리를 친 까닭에 성공하지를 못 하였다. 지금 짐의 군대가 이길 수 있는 필승의 도를 대강 말하면 다섯이 있다……."

태종은 친히 군사들을 모으고 그 앞에서 성난 호랑이처럼 포효하였다.

"이제 대강 필승의 길이 다섯이 있으니 첫째는 큰 것으로 작은 것을 치는 것이요(以大擊小), 우리 땅은 고구려에 비해 능히 크고 고구려는 약소하다. 둘째는 순종으로 거슬림을 치는 것이요(以順討逆), 셋째는 다스림으로써 어지러움을 타는 것이요(以理乘亂), 넷째로는 편안함으로 수고로움을 대적하는 것이요(以逸敵勞), 다섯째는 기쁨으로 원망함을 당하는 것이니(以悅當怨), 어찌 우리나라가 작고 거역하고, 어지럽고, 수고롭고, 원망에 가득 찬 소국 고구려를 이기지 못할 것인가. 이를 천하에 포고하니 의심하거나 두려워하지 말지어다."

또한 당주(唐主) 태종은 휘하의 장군들에게 다음과 같이 말하였다.

"요동은 본래 중국의 땅인데 수가 네 번씩이나 군사를 출동하였으나 이를 취하지 못하고 오히려 패퇴하였다. 짐이 이번에 동정함은 중국을 위해서는 자제의 원수를 갚고 고구려를 위해서는 군부(君父)의 수치를 씻으려 할 뿐이다. 또 사방이 모두 평정되었는데 오직 고구려만이 평정되지 못한고로 내가 아직 늙지 아니할 때 사대부들의 여력을 빌려 이를 취하려 하는 것이다."

그리하여 645년 봄, 당태종의 입에서 선전포고를 알리는 독전(督戰)의 호령이 터져 흘렀다. 이른바 당나라와 고구려의 숙명적인 전쟁이 발발한 셈이었다.

고구려로 본다면 보장왕 4년, 쿠데타에 의해서 연개소문으로 인해 선왕이었던 영류왕이 죽고 새로 신왕이 들어선 지 4년 뒤의 일이었다.

태종은 요동 지방의 겨울이 빨리 온다는 것을 알고 있었다. 그는 요동 지방에는 벌써 9월이 되면 한기가 들고 풀이 마르고 물이 얼어 야영하기가 쉽지 않음을 잘 알고 있었다. 요동 지방에서는 10월이면 벌써 눈이 내리고 혹한이 몰아친다. 이미 도읍인 장안성을 떠나 동도인 낙양성에 들어설 때까지 긴 겨울의 무서운 혹한을 경험하였던 태종은 천하무적의 붉은 당군이라 해도 요동의 설한을 당해 낼 수는 없음을 잘 알고 있었다.

그러므로 고구려의 심장부인 평양성까지 진격해 들어가기 위해서는 오직 6개월 간의 짧은 기간이 필요할 뿐이었다.

가을이 성큼 다가오는 9월까지 평양성을 함락시키지 않으면 당군은 고구려의 군사뿐 아니라 보다 혹독한 동장군과 격전을 벌여야 하기 때문이었다. 태종과 이세적이 출전을 서둘렀던 것은 바로 이러한 이유 때문이었다.

645년 4월, 당나라의 최정예부대인 요동도행군(遼東道行軍)은 요하의 서안(西岸)에 이르렀다.

당나라와 고구려의 국경을 가로지르는 요하는 한낮의 태양을 받고 유유히 흘러가고 있었다. 이미 지난해 고구려를 정토하기 위해서 황제의 친정군이 장안성을 떠났다는 급보를 분명히 전갈받았음에도 불구하고 강 건너의 들판은 인기척 하나 없이 평화롭기만 하였다.

4월이라고는 하지만 요동의 4월은 이제 간신히 들판의 들풀들이 기지개를 켜고 일어설 채비를 차릴, 그럴 초봄에 지나지 않았다. 긴 겨울 동안 얼어붙었던 요하는 우르르우르르 소리를 내면서 빠르게 흘러가고 있었다.

그래도 봄은 정녕 봄이어서 간신히 눈 비비고 일어선 풀들로 검은 대지는 푸르게 채색되어 있었다. 일제히 지난 한겨울의 묵은 빨래들을 깨끗이 씻어 널어 말리는 것 같은 이름 모를 들꽃들이 푸른 들풀 위에서 눈부시게 빛나고 있었다.

수레를 버리고 말 위에 올라 직접 갑옷을 입은 태종은 유유히 흐르는 요하 너머로의 신대륙을 노려보았다.

저 강 너머로의 저 넓은 들판을 빼앗아 내 발 아래 복속시키지 않는다면 나는 진정 중원을 천하통일한 황제는 되지 못한다. 내 반드시 저 요동의 대륙을 쳐부숴 저 평양성의 뜰 안을 말발굽으로 휩쓸고 저들의 임금을 말먹이 노비로 삼아 개선하여 돌아가지 않는다면 죽어 시신이 되어 수레에 실려 돌아갈 것이다.

나는 반드시 이를 이루고야 말 것이다.

태종은 강변에 줄지어 서서 출격의 명령을 기다리고 있는 좌우의 부하들을 돌아보았다. 붉은 옷을 입고 붉은 깃발을 세워든 요동군들은 한낮의 태양을 받아 붉은 선혈의 빛깔처럼 타오르고 있었다. 황제의 출격 명령을 기다리는 6만의 정예부대들은 숨소리 하나 없이 황제의 손끝을 지켜보고 있었다.

순간 태종의 손이 허공으로 치켜올려졌다. 허공으로 치켜올려진 황제의 손에는 붉은 깃발이 나부끼고 있었다. 일순 그 깃발이 강 너

머의 성벽을 향해 찔려졌다. 그와 동시에 출전을 알리는 북소리가
대지의 침묵을 깰 듯 터져 흘렀다.

둥, 둥, 둥, 둥, 둥.

강변에 늘어섰던 6만의 대군들은 황제의 명령에 따라서 미친 듯
이 도강(渡江)해나가기 시작했다.

마침내 당나라와 고구려는 국가의 존망을 건 일대 회전을 벌이기
시작한 것이다.

2

당주의 붉은 깃발을 떨어뜨리는 전쟁의 출발신호와 함께 요하를
건너간 당군은 즉시 고구려의 영토를 물밀듯이 쳐들어갔다.

당시 고구려는, 수나라와의 전쟁이 끝난 후부터 언젠가는 또다시
중국에서 한족이 쳐들어올 것이라고 굳게 믿고 요하를 따라 천리장
성을 쌓아두고 있었다.

연개소문이 한때 중앙호족들에게 미움을 사서 천리장성의 군역을
지휘 감독하는 한직의 장수로 좌천되었던 것은 오래 전의 일로서
631년부터 축조하기 시작한 천리장성은 이제 거의 완성 단계에 이
르고 있었다.

그러나 요하의 깊은 강을 따라 지어진 천리장성은 오랫동안 싸움
에 이력이 나 있는 당나라군의 최정예부대를 쉽사리 막아내지 못하
였다.

고구려는 1차로 천연의 요새인 요하를 당나라와의 국경으로 삼고
있었고 2차로 천리장성을 당나라와의 방어전선으로 구축하고 있었
는데, 두 개의 방어책은 당군의 물밀듯한 공격에 제대로 힘도 써보

지 못하고 쉽사리 무너져버리고 말았다.

이렇듯 천리장성이 그 수십 년 간에 걸친 축조에도 불구하고 당군에게 쉽사리 무릎을 꿇은 것은 태종의 치밀한 용병술 때문이었다.

당군이 당나라의 왕경인 장안성을 출발하였다는 급보를 전해 들은 고구려 측에서는 당군이 마땅히 평양성으로 들어오는 지름길인 건안성(建安城)이나 안시성(安市城)을 먼저 공격해 들어올 것이라고 믿고 요하의 남부지역에 군사를 총집결시켜두고 있었다.

천리장성을 따라 고구려의 요동 지방은 북으로부터 현토성(玄菟城), 개모성(蓋牟城), 요동성, 백암성(白岩城), 안시성의 순으로 여러 성들이 나란히 자리하고 있었다. 그중 안시성은 가장 남쪽에 있는 성으로 강력한 지방세력을 형성하고 있었다.

안시성은 양만춘이 성주로 있으면서 십만의 성민들을 다스리고 있었는데, 그 세력이 막강하여 정변으로 고구려의 정권을 장악한 연개소문에게도 굴신하여 신하로 복종하지 아니하였다.

연개소문이 수차례 그를 평양성으로 불러들여 그에게 신하로서의 예를 갖추고 충성을 다짐할 것을 기회 있을 때마다 명하였지만, 양만춘은 안시성이 고구려의 삼경 중의 하나로 요동 지방의 가장 중요한 군사적 요충지대라는 사실을 핑계로 한 발짝도 나가지 아니하고 의연히 버티고 있었다.

신하로서의 예를 받고 싶으면 나를 평양성으로 부르지 말고, 네가 이곳으로 와서 나를 무릎 꿇게 하라. 그것이 양만춘의 의중이었다.

이것은 또한 연개소문에 대한 은근한 도전이기도 했었다.

양만춘이 이렇듯 연개소문에게 있어서는 눈엣가시였지만 그렇다고 군사를 발하여 그를 쳐 복속시킬 수는 없는 노릇이었다.

양만춘은 대대로 안시성을 다스리던 호족 중의 하나로 안시성에서만큼은 그대로 왕이었다.

그를 쳐 다스린다면 그는 자칫 휘하의 군사를 몰아 반(反)하여, 어쩌면 더 큰 내란을 초래할지도 모르는 위험을 내포하고 있었던 것이었다.

당군이 마침내 황제 스스로 총사령관이 되어 요하를 건너 쳐들어온다는 급보를 받은 고구려에서는 마땅히 당군이 안시성이나, 좀더 남쪽에 있는 건안성으로 습격해 들어오리라고 믿고 있었다.

왜냐하면 그쪽은 평양성으로 쳐들어오는 지름길이었고, 안시성 북쪽은 습한 늪지대로 십만의 대군이 쳐들어올 때면 그 많은 양곡들을 실은 수레들이 진흙길에 빠지고 수많은 병기들을 실은 충차와 포석(礮石) 포차(抛車)들과 군졸들이 타고 올 말들이 진흙과 수렁에 빠져 재빠른 진군을 할 수 없음을 고구려의 조정들은 잘 알고 있었기 때문이었다.

그래서 고구려 측에서는 십만 대군을 발하여 안시성과 건안성 남쪽의 천리장성을 굳게 지키고 있었던 것이었다.

그러나 용병의 천재인 태종은 바로 이 점을 허점으로 이용하고 있었다. 그는 고구려의 의중을 손바닥 들여다보듯 낱낱이 읽고 있었다. 그는 바로 이러한 이유 때문에 고구려군이 천리장성의 남부 쪽을 굳게 지키리라 믿고 있었고, 따라서 그는 가장 북쪽에 있는 현토성을 가장 먼저 공격해 들어가기 시작했던 것이다.

또한 태종은 나름대로의 확실한 작전계획을 갖고 있었다. 그는 평양성으로 들어가 고구려를 멸망시키고 완전히 고구려의 숨통을 끊어놓기 위해서는 요동 지방의 모든 성을 차례차례 공격하여 행여 있을지도 모르는 화근을 미리 뽑아 제거해야 한다고 굳게 믿고 있었다.

만약 군사를 몰아 오직 평양성을 정복하는 데 급급하여 그저 앞으로 앞으로 나아가기만 한다면 뒤에 남아 있는 요동의 여러 성의 군사들이 힘을 합쳐 등뒤에서부터 공격해 나올지도 모르는 일이었다. 그렇게 되면 오히려 앞과 뒤의 고구려 군사들에게 포위되어 사면초가의 신세로 몰살해버릴지도 모르는 일이었다. 그러므로 고구려를 완전히 정복하려면 눈앞에 있는 성부터 차례차례 철저히 유린하고 정복하지 않으면 안 되었다.

고구려의 조정이 전혀 예기치 않았던 북쪽 공격로를 따라 총진격하는 태종의 의중은 그러므로 일석이조의 효과를 노리고 있는 셈이었다. 태종의 용병술은 그대로 맞아떨어졌다.

유성(柳城)을 지나 통정진(通定鎭)을 거쳐 신성(新城) 등 요동 지방의 북변 지방을 우회하던 당군은 전혀 상상도 할 수 없을 만큼 재빠른 속도로 무방비 상태의 요하 북쪽의 강을 급습하여 건넜다. 그들은 거의 무인지경의 천리장성을 운제(雲梯)를 걸쳐서 손쉽게 건넌 다음 가장 북변의 성읍인 현토성을 공략하기 시작하였다.

천연의 요새인 요하와 수십 년에 걸쳐 축조한 천리장성의 방어선을 쉽사리 무너뜨린 당군은 의기양양하게 북쪽으로부터 고구려의 숨통을 끊기 위해서 물밀듯한 공격을 단행하기 시작하였다.

이세적과 도종(道宗)의 친정군은 승승장구 군사를 몰아 북변의 성읍들을 차례차례 함락시켜나아갔다. 이어 천연요새인 장성과 강의 저지선이 뚫린 북변의 성읍들은 물밀듯이 쳐들어오는 당군의 기세를 막을 도리가 없었다. 태종이 직접 진두지휘하는 요동도행군은 두 개의 진으로 나뉘어 한꺼번에 현토성과 신성을 공격하였다. 이세적의 군은 현토성을, 도종의 군은 신성을 공격하였다.

두 성은 모두 북변의 작은 성으로 성민이 일만여 호가 채 못 되는 작은 성채였었다. 그러나 그곳을 그대로 두고서 남진해 내려갈 수는 없는 일이었다.

태종은 친정군의 두 장수를 불러 다음과 같이 말하였다.

"대총관(大總管) 이세적은 현토성을, 부대총관 강하왕(江夏王) 도종은 신성을 공격하라. 내게 하늘을 나는 비마(飛馬) 한 필이 있거늘 두 장수 중에서 먼저 성읍을 공격하여 취하는 자가 이를 차지하게 될 것이다."

황제의 명령을 받은 두 장수는 6만의 병력을 둘로 나누어 각자 목적지인 성읍을 향해 출발하였다. 두 개의 성읍은 모두 굳게 문을 잠그고 완강하게 저항하였지만 조금이라도 더 빨리 공을 세우려 하는 두 장수의 독전에 의해서 거의 동시에 함락되었다.

거의 같은 시간에 두 성이 한꺼번에 함락되었으므로 어느 쪽이 먼저랄 수는 없었다. 황제가 친히 하사하는 비마를 차지하기 위해서 두 장수가 서로 무공을 뽐내어 말하였으나 뚜렷하게 우월을 가릴 수가 없었다. 태종은 일만 이상의 포로병과 군량미를 5석 이상 얻은 대전과를 올린 두 장수에게 비마 대신 똑같이 칼을 내려 무공을 치하하고 다음과 같이 말하였다.

"이번에 그대들은 거의 동시에 성들을 함락시켰으므로 어느 쪽이 먼저고 어느 쪽이 나중이라고 그 우월을 말할 수는 없을 것이다. 그러므로 그대들에게 약속한 대로 말을 내줄 수는 없는 일이고, 그 대신 명검을 똑같이 내려서 그대들의 무공을 치하하는 바이다. 이번에는 따로 군사를 나누어 취할 것이 아니라 한꺼번에 힘을 합쳐 개모성을 취하려 한다. 개모성은 지금까지 그대들이 힘써 취한 현토성과 신성과는 비할 바가 되지 않는 큰 성으로 요동의 남쪽 지방으로 내려가는 전략의 요충지라고 할 수 있을 것이다. 약속하였던 비마는 먼저 개모성을 함락시켜 성주의 목을 베어 오는 군사 쪽에 내어놓을 것이다."

황제의 명을 받은 두 장수는 휘하의 군사를 몰아 즉시 개모성으로 달려갔다. 두 장수의 갑옷에는 아직 현토성과 신성을 취할 때 싸워 얻은 피의 얼룩이 그대로 묻어 있었다. 황제의 명령을 받은 이상 쓸데없이 시간을 지체할 필요는 없었다. 6만의 군사들도 마찬가지였다. 승전의 기쁨에 취해 있는 당군으로서는 사기가 충천하였으며 새로운 격전지로 나아가기 위한 휴식시간조차도 필요치 않았다.

붉은 갑옷과 붉은 깃발의 당군들은 붉은 피에 굶주린 늑대들처럼 개모성으로 달려나갔다. 태종이 이렇게 두 장수들에게 서로 경쟁을 시키듯 싸움을 시켜서 하루라도 빨리 남진해나가야 한다고 서두르고 있었던 것은 나름대로의 치밀한 계산 때문이었다.

태종은 선대의 수군이 고구려군과 싸워 이기지 못했던 것은 전쟁을 속전속결로 이끌지 못하고 지구전으로 이끌었기 때문이라는 것을 잘 알고 있었다. 혹한에 익숙지 않은 당군이 고구려군과 싸워 이길 수 있는 기한은 9월 들어 풀이 마르고 한기가 드는 늦가을까지가 고작이었기 때문이었다. 그때까지 평양성을 함락시키지 않으면 승전하기가 어렵다.

태종의 용병은 맞아떨어졌다. 당군이 요하를 건너 고구려의 국중으로 들어선 것이 바로 4월로, 그 4월 한 달 만에 당군은 현토성과 신성, 그리고 난공불락의 개모성을 단 이틀 만에 함락시켰다. 성주의 목은 도종의 부하인 도위(都尉) 조삼량(曹三良)이 직접 십여 기의 부하를 이끌고 성채로 쳐들어가 칼로 베어 가져왔으므로 서로 똑같이 힘을 합쳐 성을 함락시켰지만 황제의 명마는 도위의 장수인 도종이 차지하게 되었다.

도종은 황제의 앞에서 하사받은 비마를 타고 한 바퀴 맴돌았다. 총사령관 격인 이세적은 무공을 부하에게 빼앗긴 사실이 못내 마음에 걸렸지만 그러나 기꺼이 이를 치하하고 함께 즐거워하였다.

순탄한 개선의 행진으로 전군에게 술과 고기를 내려 모처럼 마음껏 먹고 마시고 즐기도록 태종은 명령하였다.

태종은 새벽의 군막 안에서 나와 밤새워 술을 마시고 떠들며 놀던 병사들이 마침내 곤히 지쳐 잠든 병영을 한 바퀴 돌아보았다. 파수를 보는 초병들만 지키고 있을뿐, 연일 격전에 지친 군졸들은 모처럼 퍼마시고 웃고 떠든 피로 끝에 그대로 땅 위에, 풀 위에 엎드린 채 곤히 잠들어 있었다. 먼 지평선의 대지 위에 아침 여명이 부챗살을 펴들고 있었다. 어느 한 곳을 둘러보아도 산과 구릉조차 없는 까마득한 지평선이 하늘과 땅의 경계선을 자로 대고 그은 듯 정확히 경계를 긋고 있었다.

싸움에서 크고 싸움 속에서 자라고 싸움으로 원숙기에 접어든 태종으로서는 격전의 전쟁터야말로 그가 가장 사랑하는 옥좌(玉座)라고 할 수 있었다. 그는 황제의 옷을 입고 황제의 관을 쓰고 어전에 앉아 있는 그 자리는 자기에게 어울리지 않음을 잘 알고 있었다.

그는 자신이야말로 찬란한 금옥의 황제관보다는 우의를 비끄러매고 궁시(弓矢)를 옆구리에 차고 말 타고 달리는 전쟁터가 훨씬 더 자신에게 어울리고 있음을 잘 알고 있었다.

수만의 군사들이 노숙하고 있는 대지의 저편에서 지난밤의 한기를 막기 위해 누군가 지폈던 불길이 스러지면서 새벽 여명 속에 검은 연기가 치솟아 오르고 있었다.

태종은 물끄러미 지평선 위로 떠오르는 붉은 태양을 정면으로 마주하면서 소리를 내어 중얼거렸다.

"전쟁은 이제부터다."

그는 끝없는 지평선 저 너머로 새벽 여명 속에 붉게 타오르고 있는 요원(遼遠)의 대지를 바라보면서 심호흡을 했다.

"저 끝없는 벌판. 타오르는 요원의 불길처럼 찬란한 아침 햇볕 속에 빛나는 광야를 차지하고 않고서는 내 스스로 하늘의 아들(天子)이라고 칭할 수 있을 것인가. 저 벌판, 광막한 대지를 내 손아귀에 넣지 않고서는 천하통일이라는 말은 헛된 환상에 불과한 것이다."

태종은 솟아오르는 태양을 향해 칼을 빼어 세우면서 자신을 향해 맹세하였다. 내 기필코 저 중원의 들판을 내 말발굽으로 짓밟아 내 영토로 복속시키고야 말리라. 그러지 않고서는 살아 돌아가지 않으리라. 싸움에서 태어나 싸움으로 뼈가 굵은 나로서는 싸움에 지고 비참하게 살아 돌아가느니보다는 죽은 송장의 몸으로 수레에 실려 돌아가고야 말리라.

그러나 태종의 심중은 이처럼 굳은 맹세와는 달리 낙관적이지만은 않았다. 당군이 공격을 개시한 지 불과 한 달도 못 되어 현토성과 신성, 개모성 등 세 개의 성들을 정복하였다고는 하지만 이제부터 공격해나가야 할 성읍들은 난공불락의 요새들이었다.

요동성, 백암성, 안시성, 건안성, 압록강을 건너 평양성으로 진격해 들어가기 위해서는 반드시 정복하여 평정해야 할 네 개의 성을 거쳐야 한다.

한 달 만에 정복한 세 개의 성들과는 달리 앞으로 남은 네 개의 성읍들은 하나같이 만만치 않은 군세를 자랑하고 있었다. 그중 요동성은 당군이 다음 차례로 목표하고 있는 철옹(鐵甕)의 산성이었다.

요동성은 수나라의 네 차례에 걸친 집요한 공격에도 단 한 번도 정복되지 않았던 난공의 요새였었다. 수양제의 독전에도 불구하고 요동성을 정복하지 못하고 압록강을 건너 평양으로 진격했던 30만의 대군들은 을지문덕의 계략에 말려들어 살수에서 한꺼번에 몰사하였다. 간신히 몸을 건져 도망친 수만의 군사들은 정복치 못하였던 요동성의 병사들에게 퇴로를 차단당하여 퇴귀(退歸)하는 길에 대부분 전사하였다.

30만 5천의 대군들이 요동성을 간신히 벗어나 도망쳤을 때 그들은 불과 2천 7백여 명에 지나지 않았다.

다음 해(613년), 수군의 최신무기로 정비하여 다시 요동성을 공략하였다.

이들이 사용하였던 무기는 종래에 볼 수 없었던 매우 과학적인 무기들이었다.

수나라 병사들은 그만큼 요동성에 대해서 깊은 원한을 갖고 있었다.

요동성을 침략할 때 이들이 사용했던 무기들은 성을 공격할 때 쓰는 비루당(飛樓撞), 운제(雲梯), 지도(地道), 충제(衝梯) 등과 포낭(包囊) 1백여 개의 흙을 넣어 만든 어량대도(魚梁大道), 또한 성보다 높게 제작한 팔륜차(八輪車) 들이었다.

이러한 최신무기로 요동성을 공격한 수군들은 20여 일의 치열한 공방 끝에도 이를 함락시키지 못하였었다. 그러자 수의 후방에서는 반란 기운이 고조되어 '무향요동랑사가(無向遼東浪死歌)'란 노래가 유행하기 시작했다. 아무것도 하릴없이 요동에서 죽어가는 가엾은 수군들의 넋을 달래는 이 노래는 삽시간에 전국을 휩쓸어 반란의 기운이 고조되기 시작했던 것이었다.

이렇듯 요동성은 선대 이래로 고구려가 자랑하는 철의 성벽이었다. 수나라의 30만 대군을 막아내었을 뿐 아니라 수나라의 최신무기에도 20여 일이나 버티어내었고, 수나라를 멸망시키는 데 결정적인 역할을 한 난공불락의 요새였었다.

그러나 태종은 떠오르는 아침 해를 바라보면서 이를 악물어 맹세를 했다. 수나라의 30만 대군도 함락지 못하였던 요동성이라 할지라도 사기충천의 6만 당군은 막아내지 못할 것이다. 하늘이시여, 천자로서 태종은 아버지인 하늘과 어머니인 떠오르는 태양을 보면서 소리쳐 기원하여 말하였다.

하늘이시여, 태양이시여, 나를 도우소서. 나를 도와 저 무변(無

邊)의 대지를 정복케 하여주소서.

날이 밝기를 기다려 당군들은 요동성을 향해 출발하였다. 요동성
으로 이르는 들판은 늪지대였다. 진흙길이 2백여 리에 이르러 인마
가 통할 수 없었다. 말은 진흙에 빠지고 무기들을 실은 수레들은 늪
에 잠겼다. 그러나 어떠한 험로라 할지라도 갈 길을 막을 수는 없었
다. 행군을 돕기 위해서 병사들은 마른 흙을 실어 날라다가 늪을 메
우고 다리를 놓아 인마가 다닐 수 있도록 길을 만들지 않으면 안 되
었다. 고구려 쪽에서는 당군이 차마 이런 늪지대로 요하를 건너 쳐
들어오리라고는 꿈에도 생각지 않았을 것이었고, 바로 이 점 때문에
태종은 북변의 요동 지역으로 진격해 들어왔던 것이다.

밤낮 없는 행군으로 일주일 만에 2백여 리의 진흙길을 빠져 나와
당군은 마침내 다음 공격지인 요동성에 이르고 말았다.

늪을 건너오느라고 병사들은 지치고 병마들은 피로에 잠겨 있었
다. 새로운 싸움을 벌이기 위해서는 새로운 휴식이 필요할 수밖에
없었다.

그러나 이때, 새로운 승전보가 태종에게 날아들었다. 산동반도에
서 직접 전함 5백 척에 4만 군사를 싣고 고구려의 영토 깊숙이 바다
를 건너 쳐들어간 장량의 수군들이 건안성을 함락시키고 또한 비사
성(卑沙城)까지 엄습하여 8천여 명의 성민들을 노비로 삼았다는 전
갈이 급보로 날아 들어온 것이었다.

그 승전보가 지친 병사들의 사기를 진작시켰다.

태종은 장량이 비사성을 함락시킨 그 증거로 보내 온 성주의 수급
을 칼끝에 세워들고 친히 말 위에 올라 전군을 향해 호령하여 말하
였다.

"방금 평양도행군 대총관 장량으로부터 전갈이 날아 들어왔다.
평양도행군은 벌써 건안성을 파하여 함락시켰으며, 마침내 비사성

을 엄습하여 이를 파하여 우리 영토로 복속시키었다. 이것이 장량이 비사성을 파하고 성주를 참하여 목을 베어 소금에 절여 짐에게 가져온 성주의 수급이다."

태종은 창끝에 찔려 꽂힌 성주의 수급을 만군에게 잘 보이도록 언덕 위에 세워놓았다. 수백 리의 진흙길을 달려온 지친 병사들은 이 환희의 승전보 앞에 솟구쳐 오르는 생기를 되찾았다.

"무엇을 두려워할 것인가. 무엇을 망설일 것인가. 평양도행군의 수군들은 벌써 두 개의 성을 파하고 압록강을 건너 적도로 공격해 들어갈 준비를 갖추었다. 무적의 요동도행군의 육군들은 그 공을 수군에게 빼앗겨 수치를 맛볼 것인가, 아니면 붉은 깃발과 붉은 갑옷을 고쳐 입고 말을 몰아 선대의 복수를 단행할 것인가."

전군의 몸에서 끓어오르는 열정이 솟아올랐다. 절대로 수군에게 만큼은 질 수 없다는 육군 특유의 투지가 불타올랐다.

"어떻게 할 것인가. 그대들은 잠시 이곳에서 쉬며 기운을 되찾아 저 요동성을 쳐들어갈 것인가, 아니면 이제라도 당장 일어서서 말을 몰아 성채로 쳐들어갈 것인가."

태종의 교묘한 설법에 지친 병사들은 칼과 창끝을 세워들고 소리쳐 말하였다.

"이제라도 당장 쳐들어가겠나이다."

일제히 창과 칼을 세워들고 소리쳐 외치는 전군들의 고함 소리는 천지를 진동하고 대지를 뒤흔들고 있었다. 이에 용기를 얻은 태종은 도종을 선발부대로 성채의 정면으로 공격케 하고 자신은 이세적 군과 더불어 성채의 서쪽인 마수산(馬首山)에 진을 치고 요동성을 포위, 양면공격을 개시하였다.

한편 고구려 측 조정에서도 이미 한 달 새에 세 개의 성읍을 빼앗겼지만 이제부터는 더 이상 물러설 수 없음을 인식하고 있었다. 고구려 조정에서는 요동성이 전략의 요충지로서 이를 빼앗긴다면 왕도인 평양성으로 들어오는 지름길을 적에게 빼앗기는 일이며 양곡과 군량을 수송하는 그 평탄한 보급로를 적에게 무상으로 제공하는 결과가 될 가능성이 있었으므로 필사적으로 반격의 준비에 나서게 되었다.

보장왕과 연개소문은 고구려의 삼경 중의 하나인 국내성(國內城, 지금의 輯安 通溝)에 사람을 보내어 급히 성 중의 군사를 요동성으로 보내어 위급에서 이를 구하라고 급명을 내렸다. 어명을 받은 국내성에서는 급히 군사를 발하여 4만의 보병과 기병들을 모아 서둘러 요동성으로 나아가도록 채근을 하였다.

당군이 2백여 리의 진흙길과 늪지대를 헤쳐 오는 동안 4만여 기의 고구려 군사들은 중원의 대지를 가로질러 붉은 군대인 당군과 일대 회전을 벌이기 위하여 고구려 특유의 군복 빛깔인 검고 흰 흑백의 얼룩 빛깔을 번득이며 요동성으로 달려오고 있었다.

4만여의 고구려군을 지휘하는 대장군은 고검(高儉)으로서 그는 왕손의 후예였었다. 그는 요동성을 빼앗기는 날에는 중원이 풍전등화의 위급에 빠지게 됨을 잘 알고 있었다.

어떻게 해서든 당군이 늪지대를 빠져나오기 전에 요동성에 도착해야 했으므로 고구려군은 밤낮을 가리지 않고 달렸다. 요동성은 요동성대로 당군의 말고삐가 자신의 성으로 이미 돌려졌음을 잘 알고 있었기 때문에 온 성민들이 힘을 합쳐 당군을 맞아 싸울 준비를 완벽하게 갖추고 있었다.

요동성의 성민들은 자신들이 그 무시무시한 수군의 공격에도 끝내 굴복지 않고 끝까지 저항하여 이를 패퇴하여 물리쳤던 빛나는 과거를 결코 잊지 않고 있었다.

　요동성의 성내에는 고구려의 시조신인 고주몽(高主蒙)의 사당(祠堂)이 있었다. 당군들이 이미 개모성을 함락시키고 요동성으로 출발하였다는 전보를 전해 듣고 성주는 친히 목욕재계하고 동명성조의 사당 앞에 나아가 무릎을 꿇어 예를 올리면서 슬피 울며 탄하였다.

　"선조께오서는 그 영험하신 영령의 힘으로 국난의 위급에서 구하시고 성을 완전히 보존토록 힘써주옵소서."

　사당 앞에는 주몽의 화상이 그려져 있었고, 그 화상 위에는 주몽이 사용하였다는 쇄갑(鎖甲)과 궁시가 걸려 있었다. 성주가 목욕하고 짐승의 목을 베어 그 피와 술을 주몽의 화상 앞에 올려 바치자 벽에 걸린 쇄갑과 궁시가 일제히 흔들리면서 떨리고 있었다. 모든 신하들이 이를 두려워하고 무서워하자 성주는 무당을 불러 그 까닭을 알고자 하였다. 성내에는 늙은 무당이 하나 살고 있었는데 어떤 사람들은 그녀가 백 살이 넘었다 하고 어떤 사람은 그녀가 사람이 아니라 늙은 여우라고 말하였다. 그 늙은 무당은 사당 앞에 불려 와서 신을 불러 올렸다. 주몽의 넋이 그 늙은 무당의 얼굴 위에 떠오르자 늙은 할멈은 작두 위에서 춤추고 온 사당을 헤매면서 노래하고 춤을 추었는데 그 모습이 젊은 계집과 같아 보였다. 마침내 신이 사라지자 할멈은 기진한 목소리로 성주에게 말하였다.

　"알았나이다. 어찌하여 쇄갑이 흔들리고 화살이 떨렸는가 그 까닭을 알았나이다."

　"그 까닭이 무엇인가. 속히 말하거라."

　성주는 성주대로 몹시 급하였다. 미구에 밀어닥칠 중대한 전란에서 온 성채가 온전히 보존되기 위해서는 어떻게 해서든 동명성조의 성신의 도움을 받고 그의 힘을 빌리지 않으면 안 된다는 것을 성주는 잘 알고 있기 때문이었다.

그러자 무당은 젊은 계집처럼 호호호 소리를 내어 웃으면서 말하였다.

"주몽님의 성신께서 몹시 외롭고 쓸쓸해하고 계십니다."

"그 뜻이 무엇인고, 서둘러 말하여라……."

"이를테면 기나긴 세월 홀로 지내시는 일로 심기가 적적하옵시고 신색이 좋지 않으시다 하옵니다. 주몽께오서 바라옵시는 것은 자신에게 부신(婦神)이 하나 필요한 것입니다. 말하자면 아내와 같은 것이지요. 그렇습니다요, 성주님. 주몽님은 자신의 처를 원하고 계십니다요. 호호호."

무당의 점괘는 실로 해괴한 것이었다. 죽은 신령이 어찌 살아 있는 여인을 부신으로 원하고 있을 것인가.

그러나 어쩔 수 없는 일이었다. 동명성신의 신명(神明)의 진의가 정녕 그러하다면 그 뜻을 저버릴 수는 없는 일이었다.

성주는 그 즉시 성내에서 가장 어여쁜 계집을 한 명 구해 올 것을 신하들에게 명하였다. 즉시 몇 명의 후보들이 뽑혀 올라왔는데, 성주가 직접 나서서 그중 한 명의 계집을 선택하여 골라 들였다. 경도(經度) 중의 계집은 부정탄다 하여 제외하였고, 살빛이 검은 계집은 음하다 하여 제외하였다. 성 중의 한 계집이 최후로 남아 부신으로 간택되었다.

가신들이 몰려들어 계집을 향기 나는 물로 목욕시키고 신부의 예로서 곱게 분단장을 시키었다.

그날 밤 계집은 주몽의 사당에 신부로서 홀로 앉아 찾아올 주몽의 신명을 기다렸다. 밤이 이슥하도록 기별이 없었지만 자정이 넘자 갑자기 바람도 없는데 촛불이 흔들리고 화상 위에 걸린 쇄갑과 화살이 몹시 떨리고 흔들리기 시작하였다.

문 뒤에 숨어 죽은 신과 살아 있는 사람과의 합환(合歡)을 지켜보던 무당은 마침내 신이 내린다고 몸을 떨면서 두려워하였다. 느닷없이 하늘에 떠 있던 밝은 만월을 검은 구름이 눈을 가리듯 덮어버리자 갑자기 사위가 칠흑처럼 어두워졌다.

그와 동시에 사당 안을 밝히던 촛불이 갑자기 꺼져버리더니 수상한 기운이 방문을 밀어젖히고 사당 안으로 쏟아져 들어왔다. 벽 위에 걸린 쇄갑과 화살이 곤두박질하며 떨어져 깨어지고 신부의 화장을 하고 앉아 있던 계집은 그 자리에 쓰러졌다.

수상한 기운이 계집의 저고리 고름을 벗기고 계집의 몸에서 옷을 벗겨내었다. 계집은 정신이 혼미하여 그 자리에서 혼절하고 말았다. 새벽닭이 울 때까지 죽은 귀신은 산 계집의 몸에서 떠나지 아니하였다. 이리저리 희롱하고 데리고 노닐고 어떤 때는 혼절한 계집을 허공에 띄워 올리기도 하였다. 기분이 내키면 거꾸로 세우기도 하였고 때로는 계집의 몸에 술을 뿜어 희롱하기도 했다.

닭이 울고 날이 밝아오자 신령은 제사상 위에 차려놓은 술과 맛난 음식들을 모두 포식하고 나서 미련 없이 사라져버렸다.

이튿날 간밤의 일을 몹시 궁금해하고 있는 성주 앞에 나아가 무당이 상세히 고하기 시작하였다.

"어찌 되었느냐?"

성주는 몹시 궁금한 얼굴로 무당을 쳐다보았다.

"간밤의 일은 잘 진행되었느냐?"

"잘 되었습니다. 나으리."

무당은 이빨이 모두 빠진 구멍과 같은 입으로 킬킬 웃으면서 대답하였다.

"동명성신께오서는 계집이 마음에 드셨는지 밤을 새워 합환하시고 운우(雲雨)의 정을 나누시었습니다. 제사상 위에 놓인 온갖 음식과 술을 모두 드시옵고 신방을 즐겁게 지내시었습니다."

성주는 무당의 말을 듣자 우선 안심이 되었다. 성 중에서 빼어난 미녀를 골라 신령에게 바쳤지만, 마음에 들지 아니하면 함께 밤을 지내지 않는다는 고래의 구전들을 익히 알고 있었으므로 우선 신령이 계집을 멀리하지 아니하시고 밤새워 함께 노닐었다는 이야기를 전해 듣자, 마음이 놓였다.

"그러면 이제 되었는가?"

"이제는 되었습니다."

무당이 대답하였습니다.

"이제 잠시면 그 부신의 몸에서 아이가 태어날 것입니다. 그 아이는 산 자도 아니요, 그렇다고 죽은 자도 아닐 것입니다. 성주님께오서는 마땅히 그 아이를 신지(宸旨)로 삼고 친히 손으로 기르셔야 할 것입니다."

"그야 이를 말인가."

성주는 고개를 끄덕이면서 답하였다.

"동명성조께오서 당군의 침입에도 우리 성을 지켜주시고, 전번의 수나라와의 싸움에서도 싸워 이겨 살아남도록 지켜주옵시듯, 이번에도 온전히 주켜주시온다면 내 마땅히 그 아이를 내 친자식처럼 돌보아 장차 이 성을 물려주도록 하겠네. 어떠신가. 밤새워 지켜본 그대의 소견으로 성신께오서 산 계집의 뜨거운 피를 즐겨 취하셨다고 보는가."

"취하다마다요. 밤새워 노셨습니다."

"그러하오면."

성주가 궁금해서 물었다.

"그러하오면 동명성조께오서 미구에 들이닥칠 당군의 공세에도 우리 성을 온전히 지켜주시리라 믿는가. 그대의 의견은 어떠한가."

"성은 반드시 무사할 것입니다. 만군으로도 성채를 부수지는 못할 것입니다."

성주는 크게 기뻐 무당에게 후한 상을 내리고 하룻밤을 지낸 그 계집을 잘 돌봐줄 것을 가신들에게 명하였다. 과연 무당의 말대로 귀신과 하룻밤을 지내고 난 뒤부터 그 계집의 몸에는 태기가 있어 배가 불러 오기 시작하였다. 한편 성 중의 백성들은 이 소식을 전해 듣자 크게 기뻐하였다.

수나라의 30만 대군도 이를 싸워 물리칠 수 있었던 것은 오직 주몽님의 신령한 신통력 때문이라고 믿고 있었던 성민들은 주몽님의 신명이 새로 뽑아 올린 부신의 몸에 임하여서 태기가 있다는 소식을 전해 듣자, 이는 하늘이 아직 요동성을 돌보아주고 계신 증거라고 굳게 믿고 있었다. 그리하여 성 중의 백성들은 사기가 크게 떨쳐 올랐다.

당군의 십만 정예군이라 할지라도 얼마든지 싸워 이길 수 있다고 그들은 몸을 떨쳐 일어나 성 주위에 참호를 파기 시작하였다. 수십일 견딜 수 있는 군량과 양곡을 거둬 모두 성 중의 창고에 쌓아두고, 힘을 쓸 수 있는 장정들은 무기와 연장들을 갖추어 준비하였다. 아낙네라고 할지라도 그냥 이를 볼 수만 없었으므로, 함께 일어나 성 주위를 둘러가면서 참호를 파고, 그 참호 속에 수로를 만들어 물을 끌어들여 일시에 말과 군대들이 성벽에 붙어 올라올 수 없도록 튼튼히 방비하였다.

한편 선봉부대로 나선 도종은 기병(騎兵) 4천 명을 선발대로 앞세워 요동성의 정면을 공격하고 나서기 시작하였다. 바로 이때, 고검을 총대장으로 하는 국내성의 고구려 원군은 곧 요동성의 남쪽에 도착하였다. 양군은 요동성의 남쪽 들판에서 맞닥뜨렸다.

당군은 비록 사기충천하였으나, 4만여 기의 원군을 보자 수적으로 워낙 열세의 입장이므로 자칫 회전하였다가는 초전에 패퇴할 것만 같았다. 많은 장수들이 심구(深溝)와 고루(高壘)에 의지하고 싸움을 지연시켜 황제의 어가(御駕)가 이를 때까지 기다리자고 주장했지만, 도위(都尉) 마문거(馬文擧)가 이를 막고 나섰다.

"적의 숫자가 많음을 알고 이를 무서워만 하고 있으면 어찌하겠는가. 사나운 적을 만나지 않으면 무엇으로서 장사임을 나타내겠는가. 총관께오서 천 기의 기병만 내게 주신다면 적진으로 뛰어들어 적들을 물리치겠나이다. 또한 적들은 자신들의 숫자만을 믿고 우리를 가벼이 여기는 마음이 있고, 또 멀리서 와서 피곤히 머물고 있을 것이니 이를 놓치지 말고 이때를 보아 즉시 치면 반드시 파할 수 있을 것입니다. 마땅히 길을 깨끗이 하고 동가(東駕, 황제의 수레)를 기다릴 일이지 어찌 적을 군부(君父)에게 맡길 것인가······."

마문거의 말을 듣고 도종도 크게 기뻐하며 천여 기의 기병을 주어 즉시 적을 공격하도록 하였다. 마문거는 즉시 군사를 몰아 고구려의 군영으로 돌격하였으나, 이를 간파하고 있었던 고구려군에 의해서 단숨에 몰살당하였다. 마문거는 온몸에 화살을 맞고 피투성이가 되어 죽었다. 마문거의 선공부대를 따라서 항전하던 장군부(張君父)는 선공부대가 몰살하는 것을 보자, 겁이 나고 몹시 두려워서 제대로 싸워보지도 못하고 말머리를 돌려 도망치고 말았다.

앞선 장수가 도망치자, 뒤따르던 병사들도 말머리를 돌려 도망치기에 급급하였다. 고구려의 군사들은 사기충천하여 도망가는 당군을 칼로 찔러 죽이고 화살을 쏘아 땅바닥에 거꾸러뜨렸다. 높은 곳에 올라 사태의 추이를 관망하던 도종은 사태가 심상치 않고 당군의 진(陣)이 흐트러져 형세가 몹시 불리한 것을 알자, 일제히 남은 기병들을 모아 필사의 반격을 시도하였다.

간신히 날이 어두워져 한바탕 회전이 끝나고 나서 도종은 남은 무리들과 산졸(散卒)을 헤아려보았다. 4천의 기병들은 거의 반수 이상 몰살하거나 적에게 사로잡혀 2천 명도 채 남아 있지 못하였다.

도종은 즉시 칼을 빼어 말머리를 돌려 도망쳐 온 장군부의 목을 베었다.

"네가 말머리를 돌려 도망쳐 왔으므로 아군의 진이 무너지게 되었다."

도종은 장군부의 목을 베어버리고 피 묻은 칼을 땅에 박고 무릎을 꿇어 울면서 말하였다.

"내 군영에서 30년을 지내왔으되, 싸움에 져서 스스로 말머리를 돌려 도망쳐 물러서본 적은 없었다. 오늘 처음 나는 적에게 등을 돌려 살 길을 찾아 도망쳐 퇴각하였다. 이제 어떻게 당주의 천안(天顔)을 우러러뵐 수 있을 것인가."

도종은 장군부를 죽인 피 묻은 칼을 세워들어 스스로 자신의 배를 찔러 자진하여 죽으려 하였다. 주위에서 패퇴를 슬퍼하며 함께 지켜보던 여러 장수들이 모두 놀라서 덤벼들어 도종을 막아 세웠다.

개모성을 함락할 때 성주의 목을 베어 공을 세웠던 도위 조삼랑이 도종의 손에서 칼을 빼앗아들고서 말하였다.

"어찌 총관께오서는 작은 일에 스스로 목숨을 끊으려 하십니까. 천여 기의 적은 군사로써 4만여 기의 적군을 당해 이길 수는 없는 일입니다. 이제 말머리를 돌려 후퇴함은 적에게 져서 패퇴한 것이 아니라 전략상 잠시 물러선 것에 지나지 않습니다. 우리 군중(軍中)의 중과(衆寡)가 현절(懸絶)하므로 처음부터 적과 맞붙어 싸워서는 안될 일이었습니다. 이제 잠시 후면 천제께옵서 동가(東駕)에 몸을 싣고 이곳에 이를 것입니다. 그때 함께 일어나 적과 싸워 오늘의 원수를 갚을 일이지 이처럼 자진하여 헛되이 생명을 버리실 일은 아닙니다. 부디 마음을 고쳐 안정을 찾으십시오."

조삼랑의 간원이 도종의 마음을 움직였다. 도종은 이제 스스로 목숨을 끊어버릴 마음에서 벗어나게 되었다. 이윽고 태종은 이세적과 더불어 전군을 이끌고 요동성 밑에 이르렀다. 그는 도종에게서 그간의 경위를 낱낱이 보고받고 그를 꾸짖기는커녕 그간의 노고를 치하하였다. 또한 태종은 용감히 싸우다 죽은 마문거를 중랑장(中郞將)에 초배(超拜)하고 이세적을 시켜서 퇴로에 놓인 요수 위의 다리를 무너뜨릴 것을 명령하였다.

전군이 요하를 건너올 때 어렵게 놓은 다리였었다. 물살이 빠르고 강이 넓어 전군이 건너오기 위해서는 튼튼하고 넓은 부교(浮橋)를 세워야 했었다. 근처의 배를 모두 거둬들여 배를 잇대어서 널빤지를 깔아 다리를 만들어 전군이 강을 건너 도하할 수 있었던 것이었다. 태종은 그 어렵게 만든 다리를 일시에 무너뜨릴 것을 명령하였다. 이세적이 부교를 무너뜨리자 태종은 스스로 말 위에 올라 전군을 향해 호령하였다.

"이제 우리들에게 퇴주(退走)는 있을 수 없다. 적에게 져서 도망갈 길은 저 요하에 뛰어들어 물 속에서 스스로 몸을 던져 물고기의 밥이 되는 일뿐이다. 우리가 살아남기 위해서는 필히 적을 무찔러 이겨서 앞으로 나아가는 길뿐이다. 우리는 이제 배수(背水)의 진(陣)을 치고 적과 싸우는 병법에 이르르게 되었다. 우리는 이제 앞으로 나아갈 뿐이지 뒤로 물러설 수는 없는 일이다."

전 병졸들은 애써 만든 다리가 흐트러져 물살 빠른 강물에 실려 산산조각으로 흘러 내려가는 것을 묵묵히 지켜보았다. 황제의 말대로 이제는 살아남기 위해서 적과 싸워 이길 단 하나의 길만 남아 있을 뿐이지 물러서서 다른 방도를 구할 길은 전혀 없다는 사실이 전군의 가슴 속에 화살처럼 박혀들고 있었다.

태종의 병법은 무서운 효과를 거두었다. 스스로 퇴로를 차단하고 강물을 등에 지고 싸우는 당군은 무서운 기세로 고구려군과 싸워나 갔다. 초전에 승리를 거두었던 고구려군은 기세등등하게 맞부딪쳐 나왔지만 도저히 배수의 진을 치고 덤벼드는 당군을 당해낼 수는 없었다.

태종의 당군은 세 번을 싸워 세 번을 모두 이겼다. 그러자 고구려 군의 대장군인 고검은 군사들을 모아 국내성으로 퇴각하였다.

4만의 고구려군은 당군에게 대패하여 퇴주할 때에는 그 숫자가 2만에 불과하였다.

고구려군이 물러서자 당군은 선대 이래의 난공불락의 요새인 요동성 안으로 물밀듯이 몰려들었다. 성 중의 성인들이 성을 따라서 참호를 파고 그 참호 속에 깊은 수로를 만들어 당군의 접근을 막고 있었으므로 우선 성채에 달라붙기 위해서는 참호를 메워야만 했었다. 전군은 흙을 날라다가 수로를 메우기 시작하였다. 그러나 그것은 쉬운 일이 아니었다. 흙을 메우느라면 성 위에서 고구려군의 화살이 날아와 당군을 쏘아 죽이곤 하였다. 당군은 흙을 져서 날라 참호를 메우는 일과 한편으로 적과 싸우는 두 가지의 고된 일을 동시에 수행해야만 했었다.

이세적은 최신 무기인 포차를 성채의 3백 보쯤 앞에 일렬로 세워 놓고 성을 쳤다.

포차는 당군이 자랑하는 큰 돌을 날릴 수 있는 기계로 큰 돌을 장전하였다가 방아쇠를 당기면 성채를 향해 집채만한 바위가 날아가는 최신무기였었다. 이세적의 지휘에 따라 포차에서는 큰 돌이 한꺼번에 날아가 성을 때리고 성은 돌을 맞은 곳마다 무너지기 시작하였다. 그러나 성 안의 고구려 군사들은 만만하게 물러서지 않았다. 집채만한 바윗돌들이 날아와 성을 부술 때마다 재빨리 목루(木樓)를 쌓아 뚫어진 곳을 막아 방어하곤 했었다.

흙을 날라다가 참호를 메우는 작업은 끈질기게 계속되었다. 병사들의 지치고 피곤한 기색을 알아챈 태종은 어가에서 내려 스스로 무거운 흙을 지고 참호를 메웠다. 종관(從官)들은 황제가 친히 흙을 날라 수로를 메우는 것을 보자 감격하여 용기백배하여 개미처럼 흙을 나르고 수로를 메웠다.

한편 포차로써 단단한 성옥(成屋)을 부술 수 없었던 이세적은 당차(撞車)를 바짝 성에 가까이 세워놓고 당차 위에서 적을 공격하는 비상수단을 강구하였다.

당차는 성채의 높이보다 훨씬 높은 바퀴가 달린 이동용 수레로서 수십 명의 군사가 이 당차 위에 올라가 높은 위치에서 성 안의 적을 공격할 수 있도록 만들어진 무기의 일종이었다.

참호는 닷새 만에 밤낮을 가리지 않은 당군들에 의해서 완전히 메워졌다. 당군은 악착같이 성채에 달라붙었다. 보병들은 운제를 성채에 걸치고 사닥다리를 타고 올랐으며 그럴 때마다 성 안에서는 올라오는 당군을 향해 화살을 쏘고 뜨거운 물을 내리 부어 적들을 공격하였다. 공격하는 측도 필사적이었으며, 이를 방어하는 고구려 측도 필사적이었다.

아귀다툼의 격전은 십여 일이 지났다. 그래도 요동성은 함락되지 않았다. 피아간에 밤낮을 가리지 않는 싸움으로 병사들은 지칠 대로 지치고 성민들도 기진하여 지쳐 있었다.

태종의 마음은 차츰 초조해지기 시작하였다. 가야 할 길은 멀고 아득하여 이곳에서 더 이상 시일을 지체할 수는 없는 일이었다. 그러나 그 동안 준비하였던 수십 가지의 최신무기들도 집요한 고구려 군들의 방어와 성민들의 무서운 반격으로 별 효력을 거두지 못하고 무용지물이 된 느낌이었다. 태종은 초사(焦思)하여 제대로 잠을 이루지 못하였다.

이때, 태종의 심중을 헤아린 시신 장립덕(張立德)이 넌지시 간하여 말하였다.

"무릇 전쟁은 사람과 사람 간의 일이옵고 사람이 사람을 상대로 싸우는 것이옵니다만, 만약 이것이 여의치 않으면 다른 방도를 구하는 일이 상책이라고 병법에 알려져 있습니다. 선대의 수나라가 일찍이 30만 대군을 몰고 요하를 건너 파죽지세로 요동을 정벌하고 압록강을 건너 살수(薩水)에 이르렀을 때, 고구려의 적장 을지문덕은 물[水]로써 30만 대군을 일시에 격침시켰습니다. 을지문덕은 일곱 번 싸우고 일곱 번 패하는 체하여 적을 평양 가까이 유인하여 깊숙이 들어오게 한 다음, 마침내 다음과 같은 유명한 오언시(五言詩)를 지어 수의 대장군 우문술(宇文述)을 희롱하였습니다.

신묘한 그대의 책략 천문(天文)을 뚫었고
기묘한 그대의 계산 지리를 통달했구려.
전쟁에 승리한 공 이미 높지만
만족한 줄 알았거든 그치기를 원하노라.

그리하여 적장 을지문덕은 살수를 상류에서 막아 그 물을 저장한 다음, 거짓 패퇴하는 체하여 적들을 강 속으로 유인하였다가 한꺼번에 막은 강물을 흘러내려 30만 대군을 일시에 몰살시켰던 것입니다. 적장 을지문덕은 사람의 힘으로 적과 싸워 이길 수 없음을 알고 물의 힘을 빌려 싸움을 승전으로 이끈 것입니다. 신이 바라보건대, 요동성의 공방은 피아간에 사람과 사람 간의 싸움으로 해결책이 보이지 않을 만큼 긴 시일이 소요되리라 생각되옵니다. 때문에 신이 가진 책략으로는 사람의 힘으로 적을 쳐 이길 것이 아니라, 적장 을

지문덕처럼 자연의 힘으로 적을 쳐 이기는 것이 상책이라 생각되옵니다."

"그 자연의 힘이란 무엇인가."

태종이 장립덕을 바라보며 물었다.

"물인가."

"아닙니다. 물이 아니라 불〔火〕입니다. 다행히 매일 밤 저녁이면 저 먼 대륙에서 불어오는 남풍이 성쪽으로 강하게 불어가고 있습니다. 남풍에 실려 화공(火攻)을 쓰면, 굳이 사람의 힘을 빌리지 않더라도 성 중의 모든 사람들과 물건을 일시에 태울 수 있을 것입니다. 적들이 무서운 화염에 싸여 혼비(魂飛)하여 있을 때, 그 틈을 타서 전군이 일시에 공격에 들어간다면 쉽게 성을 정복하여 함락시킬 수 있을 것입니다."

장립덕의 말에 태종은 크게 기뻐하며 말하였다.

"그대의 말이 짐을 초려(焦慮)에서 벗어나게 하였다. 그대의 말한 마디가 백만의 원군을 얻은 것과 같다."

과연 그의 말대로 저녁이 되자 대륙에서 불어오는 강한 남풍이 성쪽으로 불어가고 있었다. 태종은 친히 동차(棟車) 위에 올라가 기름을 먹여 불을 붙인 화살을 쏘아 성 안으로 띄워 보내었다. 이를 시작으로 전군이 불화살을 성 안으로 날려 보내었고, 한꺼번에 수십 개의 화살을 쏘아 날릴 수 있는 쇠뇌 역시 불붙인 화살을 맹렬히 성 안으로 쏘아 보내기 시작하였다. 때는 봄이어서 아직 풀과 나무들에 물기가 오르기 전이었다. 성 안의 수목들과 건물들은 바짝 말라 작은 불티에도 금세 타오를 수 있도록 건조해 있었다. 한꺼번에 날아온 불화살들은 마침 강하게 불어오는 남풍으로 금방 여기저기서 무서운 화광(火光)을 일으키기 시작하였다.

나무가 타오르고 누각이 타오르고, 불은 충천하여 가옥으로 번져나갔다. 성 안은 금세 아비규환의 불지옥으로 변해버렸다. 이를 신호로 당군은 징과 피리를 불면서 일제히 성채에 달라붙어 성 안으로 쳐들어가기 시작하였다. 30만의 대군으로도 결코 함락시킬 수 없었던 요동성이었지만 화공 앞에서는 어찌할 도리가 없었다.

새벽녘이 가까워서야 당군은 성채에 올라 문을 열고 황제의 어가를 받아들일 수가 있었다. 황제의 어가가 성 안으로 진입하였을 때에는 비록 남풍은 잦아들어 불은 꺼진 상태였지만 그 대신 밤새워 타오른 불은 거의 모든 성 중의 건물들과 나무들을 태워 검은 숯을 만든 뒤였다.

여기저기 타죽은 짐승들의 시체가 널려져 있었고 아직 타다 완전히 재가 되지 않은 시체의 끝에서는 검은 연기가 피어오르고 있었다. 피비린내와 타오르는 연기의 노린내로 성 안은 화염의 심판을 받은 생지옥처럼 보였다.

황제를 태운 어가는 그토록 집요하게 방어하였던 성 안의 대로를 따라 천천히 나아갔다.

온통 검게 타오른 잿더미 속에서 유독 한 건물만 온전하게 보존되어 우뚝 서 있는 것이 태종의 눈에 띄었다.

"저것이 무엇인고?"

황제의 신호에 따라 수레가 멎었다.

곁을 따르던 시신 하나가 다가와 황제에게 귀엣말로 간하였다.

"고구려의 시조 주몽을 모신 사당이라고 하옵니다."

"그런데 어찌하여 저것만 유독 타지 아니하고 온전하게 버티고 있단 말인가. 당장 태워 잿더미로 만들어버리라고 명령하여라."

태종은 요동성에 대해서 강한 적개심을 품고 있었다. 십여 일에 걸친 공격에도 끄덕하지 않던 요새. 아니다, 어찌 그것으로 이 성을 말할 수 있으랴. 30만의 대군으로도, 3차에 걸친 수나라의 공세에서도 끄덕도 하지 않던 난공불락의 성. 그 성이 마침내 내 말발굽 아래 무릎을 꿇었다.

태워라.

무엇이든 살아 있는 것은 태우고 잿더미로 만들어버려라.

주몽의 사당은 태종의 명을 받고 즉시 태워졌다. 주몽의 화상도, 벽에 걸린 쇄갑도. 그러나 이상하게도 함께 걸려 있던 궁시는 어디로 갔는지, 하늘로 올라갔는지 땅으로 숨었는지 보이지 않았다.

4

안시성의 성주 양만춘은 어느 날 정침에서 일어나 주위를 둘러보 았을 때 매우 낯선 물건이 자신이 잠들어 있던 침상 위에 놓여 있는 것을 발견하였다. 양만춘은 크게 놀라서 그 낯선 물건이 무엇인가, 유심히 들여다보았다. 그것은 궁시였다.

양만춘은 혹시 지난밤에 누군가가 자신을 위해하기 위해서 몰래 침입하였다가 여의치 못하자 그만 활을 떨어뜨리고 간 것이 아닐까 몹시 낙심하면서 주위를 둘러보았다. 그러나 그러한 생각은 지나친 오산이었다. 누군가 자신을 위해하기 위해서라면 활을 쓰기보다는 칼을 사용함이 정도일 것이다. 몰래 숨어들어 자해하기 위함이었다 면 굳이 원거리에서 사용할 수 있는 활을 사용할 리는 없었을 것이 다. 그렇다면 이 활은 도대체 어디서 온 것일까. 양만춘은 떨리는 손 으로 그 활을 집어들어보았다. 활은 몹시 낡아서 이제라도 살을 메 겨 사위를 잡아당기면 금방이라도 줄이 끊어질 만큼 오래된 물건이 었다. 한 번도 보지 못했던 낯선 물건이 침상 위에 놓여 있었다면 분 명히 누군가 자신이 잠들어 있을 때 그 물건을 머리맡에 놓고 갔음에 틀림없는 일이었다.

양만춘은 가신들을 불러 혹 누가 간밤에 자신의 정침으로 들어온 적이 있는가고 물었다. 가신들은 밤새워 성주의 정침을 지키고 있었지만 개미새끼 하나 얼씬거리지 않았다고 대답하였다. 그들의 보고는 틀림없는 사실이었다.

때가 때이니만큼 안시성의 성 안은 전시체제에 돌입되어 있었다. 성주의 정침은 그대로 군영의 군막이 되었으며, 성민은 군과 민을 따로 구분하지 않고 너 나 할 것 없이 칼과 활로써 무장되어 있었다.

그러한 성주의 침소를 누가 감히 허락도 없이 얼씬거릴 수가 있을 것인가. 하물며 그러한 성주의 침상 위에 낡은 궁시 하나를 놓고 갈 것인가. 가신들의 보고를 듣고 나서 양만춘은 곰곰 생각하였다.

그렇다면, 이 활은 어디서 온 것일까. 누가 보낸 것일까. 간밤에 개미새끼 하나 얼씬거리지 아니하였다면, 그렇다면 이 활은 제 발로 걸어 이곳으로 옮겨온 것인가, 땅에서 솟은 것인가, 하늘에서 떨어진 것인가.

양만춘은 이 변고를 어떻게 해석해야 할지 마음이 심히 불안하였다. 그렇지 않아도 미구에 당군과 전면적인 전쟁이 시작된다는 것은 손바닥 들여다보듯 분명한 일이었다. 난공불락의 요동성이 20일 만에 화공에 의해서 당군에게 함락되었다는 소식이 전해 들려온 것은 불과 사나흘 전의 일이었다.

요동성이 함락되고 고구려군으로서 당군에게 포로가 된 자는 1만여 명, 남녀 민간인은 4만 명, 적에게 빼앗긴 양곡은 50만 섬에 이르렀다고 한다. 성주는 적들에게 용감히 대항하여 싸우다 능지되었고 성 안은 초토화되었다. 그것이 불과 사흘 전의 일이었다.

그러나 그 사나흘 동안에 일어난 일은 '요동성의 함락'이라는 한 가지의 비보에만 그친 일은 아니었다.

요동성을 함락시킨 당군은 기세가 등등하여 다음날 요동성 남쪽의 백암성(白巖城)을 공략하기 시작하였는데, 요동성보다 훨씬 군세가 떨어짐을 잘 알고 있는 백암성의 성주 손대음(孫代音)은 도저히 자신의 성이 당군과 싸워 이를 물리쳐 이길 승산이 없음을 미리 짐작하고 있었다. 천하의 요동성을 쳐 이를 함락시킨 당군이라면 굳이 무슨 요행을 바라보면서 승산도 없는 싸움을 하겠는가고 손대음은 미리 싸워보기도 전에 겁을 집어먹고 있었다.

그리하여 당군이 백암성 아래 이르자 성주는 자신의 심복을 몰래 보내어 태종에게 항복하기를 청원하였다.

"성주께오서는 항복하기를 원하지만 성 중의 군사들 중에는 이를 따르지 아니하는 자가 있었습니다."

이 말을 듣고 태종은 붉은 당기(唐旗)를 사자에게 주어 보내면서 말하였다.

"반드시 항복하려거든 이 붉은 당기를 성 위에 세워라. 그러하면 성 중의 군사들도 이미 당군이 성채 안에 숨어들어 이를 정복하였음을 알고 스스로 칼과 활을 내리고 항복하여 나올 것이다."

자신의 충복으로부터 당기를 전해 받은 손대음은 그날 밤 성 위에 붉은 당기를 꽂아 세웠다. 그날 밤이 지나고 아침이 되었을 때 성 중의 백성들은 성 안에 붉은 당기가 펄럭이고 있음을 보았다. 군졸들은 이미 지난밤 사이에 당군이 성채를 함락시켰으리라 믿고 스스로 칼과 활을 내리고 항복하여 성문을 열어 당군을 맞았다.

요동성이 당군에게 함락된 지 20여 일 만에 백암성은 불과 이틀 후에 활시위 하나, 피 한 방울 흘려보지도 않고 무혈로 당군을 입성시켰다. 그 비보를 전해 들은 것이 지난밤의 일이었다.

안시성의 성주 양만춘은 그 비보를 전해 듣자 마음이 몹시 착잡하였다. 지난 4월에 요하를 건너 요원의 불길처럼 현토성을 공략하더니 4월 한 달 간에 벌써 세 개의 성을 취하고 5월에 들어서서 벌써 요동성과 백암성 두 개의 성을 적에게 빼앗겼다. 이제 요동 지방에서 남은 성이라고는 안시성과 건안성, 둘뿐이었다.

등 뒤의 비사성은 이미 수군에 의해서 함락되었고 이제 최후로 남은 안시성과 건안성마저 함락된다면 당군은 탄탄대로로 압록강을 건너 평양성으로 진격할 수 있을 것이었다. 그러므로 안시성이야말로 고구려의 사직을 지키는 최후의 보루라고 할 수 있었다. 고구려 3성 중의 하나인 안시성을 빠른 시일 내에 쳐 함락하고 못 하고는 당 태종의 친정군이 승리를 거두느냐, 아니면 패퇴하여 도망치느냐 하는 것만 남아 있었다.

이를 용병의 천재인 태종이 모를 리가 없는 것이다. 백암성에서 안시성까지는 육로로 2백 리. 승전에 취한 당군의 기세라면 내일이나 모레쯤이면 노도와 같이 안시성의 성 앞으로 밀려들 것이다. 이런저런 걱정에 양만춘은 새벽닭이 울 때까지 잠을 이루지 못하다가 간신히 눈을 붙였던 것이다.

악몽인지 흉몽인지 알 수 없는 이상한 기운에 휩싸인 것 같은 느낌을 받은 양만춘은 소리쳐서 간신히 꿈에서 깨어나 온몸에 비 오듯 흐르는 땀을 닦으면서 문득 머리맡에 놓인 이상한 물건을 보았던 것이었다.

어디서 날아온 것인가, 어디서 솟아오른 것인가 알 수 없는 낡은 활 하나는 도대체 무슨 변고를 의미하고 있는 것일까. 내일이나 모레면 밀어닥칠 무시무시한 살육의 전운을 앞에 두고 돌연 머리맡에 나타난 저 궁시를 어떻게 받아들여야 할 것인가. 양만춘은 그 궁시를 들고 성루에 올라 주위의 군사들을 불러모은 후에 말하였다.

"간밤에 내가 잠든 침소의 머리맡에 이 낡은 궁시 하나가 놓여 있었소. 지금껏 내가 보지도 듣지도 못한 활이 내 머리맡에 놓여 있었

소. 집을 지키는 근시들도 누구 한 사람 내 잠든 처소의 곁에 얼씬
거리지 않았다고 하오. 그렇다면 이 난데없는 변고는 무엇을 의미
하는가, 어떻게 해석해야 하는가 몹시 궁금하고 불안하기 그지없
소. 국내가 어지럽고 국운이 쇠퇴하여 국가의 운명이 풍전등화에
이르렀소. 미구에 적군이 우리 성채에 이르러 우리를 취하기 위해
공략해 올 것인즉 이때의 이 변고는 무슨 뜻인가 심히 해괴하기 이
를 데 없소.”

　성주의 말이 끝난 후에도 누구 하나 입을 열어 답하는 자가 없었
다. 그들은 모두 이 변고가 길조가 아닌 흉조인 것 같은 불안한 예감
에 사로잡혀 있을 뿐이었다. 오랜 침묵이 흐른 뒤 나이 든 시신 하나
가 입을 열어 간하였다.

　“성 안에 유중사(有中寺)란 절이 있는데, 그 절에 고승이 한 분 있
다 하옵니다. 일찍이 득도하여 아는 것이 많고 깨침이 있어 천 리 앞
을 보고 헤아릴 수가 있다고 하옵니다. 그 부도(浮屠)를 청하여 물어
보시면 반드시 그 뜻을 알 수 있을 것입니다.”

　양만춘은 크게 기뻐 즉시 그 중을 불러 올 것을 명하였다. 잠시 후
그 중이 불려 왔는데 행색이 남루하고 몹시 더러웠다. 간신히 승복
을 입고 있고 머리를 깎아 승려의 행색임은 틀림없었으나 몸은 더럽
고 신발조차 신지 않은 맨발이었다. 온몸에서는 구더기가 들끓고 있
었고 벌레들이 자라고 있었다. 나무뿌리를 깎아 만든 지팡이를 들고
있었는데 성주 앞인데도 무례하게 예를 갖추지 아니하였다. 좌중의
신하들이 몹시 성을 내면서 꾸짖으려는 것을 양만춘이 나서서 가로
막으면서 정중히 고승에 대한 예를 갖추면서 물었다.

　중은 거만하게 앉아서 성주의 말을 모두 듣고 나더니 묵묵히 그
낡은 궁시 앞으로 다가와 물끄러미 활을 들여다보았다. 그리고 그는
두 손으로 그 활을 들어올려보았다.

"이는 신궁(神弓)입니다."

오랜 침묵이 흐른 뒤 중은 몸을 떨면서 입을 열어 말하였다.

"이는 예사의 활이 아닙니다. 이 활은 동명성조께오서 친히 쓰시던 궁시입니다."

중의 말에 갑자기 좌중에 소요가 일어났다. 행색과 신색으로 보아 미친 돌중이라고 생각하고 있던 좌중의 신하들은 난데없이 튀어나온 결론에 어안이 벙벙하였다.

"그러하면 이 활이 신궁이란 말인가요."

양만춘이 탁상 위에 놓인 활을 가리키면서 중에게 물었다.

"그렇습니다."

중이 몸을 떨면서 대답하였다.

"성주님께오서도 잘 아시다시피 우리나라 고구려의 시조이신 동명성왕은 성은 고씨요, 위(諱)는 주몽이라고 알려져 있습니다. 동명성조께오서는 원래 알에서 스스로 껍데기를 깨뜨리고 태어나셨습니다. 외모가 영특하여 나이 일곱에 벌써 제 손으로 궁시를 만들어 쏘았는데 백발백중이었습니다. 옛 부여의 속어에 활을 쏘는 '선사자(善射者)'를 '주몽'이라고 하였습니다. 동명성조께오서 워낙 활을 잘 쏘았으므로 사람들은 주몽이라고 부르고 주몽이라고 이름하였던 것입니다. 이 활은 그 동명성조께오서 스스로 활을 만들어 쓰시던 그 신궁임에 틀림이 없습니다."

"……그렇다면."

양만춘이 고개를 끄덕이면서 그 고승을 쳐다보았다.

"이 활이 그대의 말처럼 동명성조께오서 쓰시던 신궁임에 틀림없다면 어째서 이 활이 내 침상 위에 놓였던 것인가. 그 활이 어떻게 해서 내게로 온 것인가. 이 궁시는 어디에 있었으며 어떻게 내 곁으로 온 것인가."

중은 묵묵히 가사를 들어 흘러내리는 콧물을 닦았다. 봉두난발의 그의 더러운 몸에서는 몹시 심한 악취가 풍겨나오고 있었다.

"신중이 잘은 모르지만 전해 들은 바에 의하면 요동성의 성내에 동명성조의 화상을 모시던 신당이 있었다고 하옵는데 그 신당 안에 동명성조께오서 쓰시던 쇄갑과 궁시가 벽에 걸려 있었다 하옵니다. 직접 눈으로 보고 확인한 것은 아니지만 만약 이 신궁이 그 요동성에서 날아온 것이라면 이는 안시성을 위해서는 분명 길조라고 할 수 있을 것이며, 성주님을 통해 자신의 영험하신 힘을 부려서 적들을 물리치겠다는 동명성조의 깊은 뜻이라고 할 수 있을 것입니다. 어쨌든 이 백발백중의 신궁이 우리 성으로 옮겨 온 이상 어떠한 국난에도 우리 성은 무사히 보존되고 무사할 수 있을 것입니다."

양만춘과 여러 신하들은 반신반의의 마음으로 궁시를 물끄러미 내려다보았다. 고승의 말이 그렇다고 하더라도 그 말을 확실히 믿게 할 증거는 아무것도 없었다. 어쩌면 미친 중의 헛소리에 불과할지도 모른다는 의심이 좌중을 지배하고 있었다.

"그대의 말이 사실이라면, 그리하여 이 활이 동명성조께오서 쓰시던 활이 분명하다면, 이 활로써는 무엇이든 쏘아 맞힐 수 있을 것이 아닌가. 동명성조께오서는 일곱의 나이에 스스로 활을 만들어 새를 쏘아 맞히셨으며, 원야(原野)에서 사냥을 하실 때 가장 적은 화살로써 가장 많은 짐승을 잡으셨었다. 또한 동명성조께오서는 비류국(沸流國)의 왕과 활쏘기 시합을 하여 이겨 그 나라를 다물(多勿)이라 칭하고 신하로 삼으셨었다."

양만춘이 그의 말을 반하고 말하였다.

"이렇듯 활의 명인이신 동명성조께오서 쓰시던 그 신궁이 분명하다면 이 활로써 무엇이든 쏘아 맞힐 수 있을 것이 아닌가. 이 활에는 신명(神明)이 깃들여 있어 쏘는 사람의 솜씨에 의하지 아니하고 신궁에 깃들인 신령의 뜻에 따라 화살은 날아갈 수 있을 것이 아니겠는가."

"……그렇습니다."

중이 대답하였다.

"무엇이든 원하는 사람의 마음에 따라서 이 활을 쏘면 화살은 백발백중 명중될 것입니다."

"눈을 감고 쏘아도 말인가."

"심안(心眼)만 바르게 떠 있다면 눈을 감은 봉사가 화살을 먹여 시위를 잡아당긴다 해도 화살은 마음먹은 대로 백발백중 명중할 것입니다."

"그대의 말이 사실이라면 이 활을 쏘아 저 뜨락의 나뭇가지 위에서 아까부터 노니는 새 한 마리를 맞혀볼지어다."

열린 창 밖 너머 넓은 뜨락에는 이제 마악 신록이 솟아오르는 활엽수가 싱싱한 잎을 드리우고 밝은 햇볕 속에 서 있었는데 그 나뭇가지에서는 진작부터 서너 마리의 새들이 울어대며 노닐고 있었다.

"소승은 불도에 몸을 담고 있기 때문에 살생은 스스로 삼가야 할 몸이옵고 더구나 태어나 한 번도 궁시를 손에 들어본 적도 없나이다. 따라서 소승으로 그 활을 쏘아 저 새를 맞히게 하심은 불가한 일이라 생각되옵니다. 또한 성주님께오서는 신궁으로 쏘아야 할 대상을 잘못 고르셨사오며 신궁을 경망되이 말하여 그 신성한 뜻을 해칠까 몹시 염려되옵니다. 소승이 바라옵기는 이 신궁을 예를 다하여 모셔 받들어 장차 다가올 국난에 대비하심이 옳은가 생각되옵니다."

"신이 한번 쏘아보겠습니다."

고승의 말이 채 끝나기도 전에 고원부(高原夫)가 나가면서 말을 잘랐다. 고원부는 성 중의 2만 군사를 지휘하는 장수로서 무술에 능하고 특히 창법(槍法)과 궁술(弓術)에 남다른 재능을 갖고 있었다.

고원부는 전통(箭統)에서 화살 하나를 꺼내어 조심스럽게 손끝으로 세워들었다.

"신이 궁술에 약간의 재주가 있다고는 하지만 저처럼 날아다니면서 움직이는 표적은 쏘아 맞혀본 적이 별로 없습니다. 만약 신이 이 화살을 쏘아 저 나뭇가지를 분주히 날아다니는 새의 심장을 꿰뚫어 명중시킬 수 있다면 이는 신의 궁술이 뛰어난 까닭이 아니라 이 활이 신궁이기 때문이라는 것이 분명해질 것입니다."

고원부는 낡은 활줄에 화살을 먹여 시위를 잡아당겼다. 좌중은 긴장으로 물을 끼얹은 듯 조용하였다. 열린 문 밖 뜨락에는 눈부신 양광(陽光)이 흘러 넘치고 있었다. 잔뜩 잡아당긴 활줄이 어느 순간 핑— 소리를 내면서 튕겨졌다. 그와 동시에 화살이 허공을 날았다. 허공을 찌르는 화살에 의해서 나뭇잎 하나가 베어져 떨어져내리는 듯싶더니 나뭇가지 위에서 뭔가 아주 무거운 추(錘)처럼 떨어지고 있었다. 사람들은 햇살이 가득한 마당 위에 새 한 마리가 화살에 명중되어 파들파들 몸을 떨면서 죽어가는 모습을 발견할 수 있었다.

한편 고구려 조정에서도 안시성이 당군에게 함락되는 것을 우두커니 지켜볼 수만은 없었다. 안시성을 당군에게 빼앗긴다면 그야말로 평양성으로 진격해 들어올 수 있는 지름길을 적에게 무언으로 열어주는 셈이었기 때문이다.

당시 오골성(烏骨城)에는 압록강을 지키는 요동군 15만이 주둔하고 있었다. 오골성은 압록강 연변에 위치한 최후의 거점이었다.

고구려의 조정에서 두 달 사이에 일곱 개의 성을 빼앗기면서도 15만의 요동군을 파견하지 않았던 것은 나름대로의 이유가 있었다. 쓸데없이 대군을 이동시켜 전진하여 싸우게 하느니보다는 있는 곳을 지키며 들어오면 맞아 싸우는 편이 훨씬 유리하다고 생각했기 때문이었다.

　최악의 경우 안시성과 건안성을 빼앗긴다 하더라도 당군이 압록강을 도하해 오기 위해서는 오골성에서 15만의 요동군과 일대 격전을 치르지 않으면 안 될 것이다. 때문에 고구려 조정에서는 요동성이 당군을 맞아 싸울 때 국내성에 급보를 보내어 고검을 총대장으로 하는 4만의 별군을 급파하여 구원하도록 명령하였을 뿐 15만의 요동군을 움직이려 하지는 않았던 것이다.

　그러나 사정은 급전하여 몹시 긴박한 상황에 이르고 말았다. 붉은 갑옷의 당군이 비록 산전수전 다 겪은 역전의 노장이며 정예부대라고는 하지만 어쨌든 십만의 숫자에도 못 미치는 소수부대가 아닌가. 30만의 수군도 요동성 하나를 제대로 깨지 못하였거늘 당군은 십만의 숫자에도 두 달 동안에 일곱 개의 성을 격파하고 함락시켰다.

　고구려의 조정은 설마 그토록 무기력하게 요하변의 성들이 무너져버릴지는 모르고 있던 셈이었다. 적어도 일곱 개의 성들은 나름대로 버틸 만큼 버티어서 당군이 압록강을 건너기 위해서 15만의 요동군과 일대 회전을 벌일 무렵이면 이미 기세는 꺾이고 적의 사기는 많이 저하되어 원정군 사이에 염전 기운이 팽배할 것이라고 미뤄 짐작하고 있었다. 그때를 노려 한바탕 국운이 걸린 전쟁을 벌인다면 적들은 더 이상 버티지 못하고 물러가게 될 것이라는 나름대로의 작전을 짜두고 있었던 것이었다.

　그러나 사정은 많이 달라져 있었다. 요하변의 성들은 제대로 맥을 쓰지 못하고 파죽지세로 달려드는 적의 말발굽 아래 무릎을 꿇었으며 적들은 이제 마지막 남아 있는 두 개의 성마저 집어삼키기 위해서 내처 달리고 있었던 것이다.

　이 기세로 본다면 안시성과 건안성도 며칠을 버티지 못하고 적의 무리에 무릎을 꿇게 될 것이다. 그렇게 되느니 있는 곳을 지키면서

맞아 싸우는 것보다 나아가 적의 무리들과 맞싸우는 편이 상책이라
고 고구려 조정에서는 결정을 내리게 되었던 것이다.

연개소문은 즉시 오골성으로 사람을 보내어 밀서를 전하였다. 막
리지의 지위에 있는 연개소문의 명령은 하늘을 나는 새를 떨어뜨릴
정도로 막강하였다.

밀서의 내용은 다음과 같았다.

'이 문서를 받은 즉시 군사를 몰아 움직여서 안시성을 향해 출발
하라. 신명을 받들어 안시(安市)를 구하도록 하라. 그리하여 적들의
무리가 한 치도 아국의 국경을 침범치 못하도록 엄히 방비하라.'

대막리지의 인장이 찍힌 국서를 받자 오골성을 지키고 있던 요동
군은 즉시 이동을 시작하였다.

당시 요동군은 두 명의 장수가 지휘하고 있었다. 하나는 북부욕살
(北部褥薩) 고연수(高延壽)와 또 하나는 남부욕살(南部褥薩) 고혜진
(高惠眞)이었는데, 고연수가 고혜진보다 연상으로 전군의 지휘는 북
부욕살 고연수가 맡고 있었다.

15만 대군 중에서 5만 정도가 고구려의 정예군이었고 나머지 10만
은 말갈인들과 돌궐족들의 유민들을 합쳐 모은 외인부대들이었다.

국서를 받은 즉시 전군은 벌떼처럼 일어나 안시성으로 급히 출
발하였다. 이미 요동성과 백안성을 함락시킨 당군은 2백여 리의 길
을 몰아 안시성으로 출발하였다는 급보를 전해 듣고 있었기 때문이
었다.

당군이 안시성에 이르기 전에 군사를 몰아 일대 회전을 벌여야 할
것이었다.

막 군사가 출발할 무렵 요동군의 군영으로 한 노인이 찾아왔다.
수염이 길어 무릎까지 내려오고 허리가 몹시 굽은 노인이었다. 긴
지팡이로 간신히 몸의 균형을 유지하고 있었는데 흰 눈썹 속의 눈만

은 홀로 빛나 안광이 불타고 있었다.

군막을 마악 떠나려던 고연수는 그 노인을 보자 망 위에서 내려 무릎을 꿇고 예를 갖춰 인사를 드렸다.

"웬일입니까, 대인 어른."

찾아온 사람은 오골성의 호족으로 대대로 지위를 갖고 있는 고정의(高正義)였다. 고연수와는 인척지간으로 이제는 비록 나이가 들어 거동이 불편할 만큼 노쇠하였지만 아직도 눈이 밝아 사물에 익숙하고 사리 판단에 능하였다.

"안시성으로 출발하는가?"

노인은 노인답지 않은 큰 목소리로 물었다.

"그렇습니다, 대인 어른."

"내 한 마디 장군에게 일러줄 말이 있어 찾아왔네. 한 마디만 해도 되겠는가."

"이를 데가 있겠습니까, 대인 어른."

고정의가 비록 연로하여 나이가 들었다고 하지만 젊었을 때에는 수군과 싸워 혁혁한 무공을 세운 용장 중의 용장이었다.

"안시성이 적에게 무너지면 나라의 운명은 끝장이네. 이를 알고 계신가?"

"……알고 있다뿐이겠습니까."

"장군의 짐이 그처럼 무겁고 중한 것이네. 내 바라보건대 당주 태종은 안으로 군웅(群雄)을 제거하고 밖으로는 여러 국가들을 쳐서 정복하고 마침내 홀로 서서 황제가 되었으니 이는 보통 출중한 사람이 아니네. 이제 그가 군사를 이끌고 국내로 들어오니 나아가 맞아 대적하지 않으면 안 되게 되었네. 우리로서 취할 계략은 단 한 가지뿐이네. 이 말을 꼭 장군에게 전해주기 위해서 찾아왔네. 우리가 전날 30만의 수군을 쳐서 이길 수 있었던 것은, 싸워서 적을 파하여 이겼다기보다는 물러서고 도망쳐서 적을 자꾸자꾸 끌어들여 시일을 끌고 지구전으로 전쟁을 이끌었기 때문이네. 그리하여 양도(糧道)를 끊어 적의 보급로를 차단함으로써 적들은 우리들과 싸우기보다는 굶주림과 기아에 스스로 무너져 자멸하고 말았던 것이네."

노인은 지팡이를 짚고 의연히 버티고 서서 늙은이답지 않은 카랑카랑한 말투로 말을 이어나갔다.

"이제 당군을 맞아 싸울 우리들의 계략은 단 한 가지뿐이네. 군사를 몰아 안시성에 이르러 당군을 맞으면 군사를 멈추어 절대 나아가 싸우지 말게. 이 말을 명심하게. 높은 곳을 차지하여 진을 치고 시일을 오래 끌면서 간혹 기습하는 기병만을 보내어 적을 교란시키고 적의 퇴로를 차단하여 양도를 필히 끊어버리도록 하게. 그렇게 되면 적은 싸우려 해도 싸울 수 없고 돌아가려 해도 길이 없으니 곧 이길 수 있네."

고연수는 노인의 말이 끝나기를 기다려 예를 갖추어 답하였다.

"잘 알겠습니다, 대인 어른. 필히 명심하여 이를 행하도록 진력하겠습니다."

이미 출동 준비를 완료한 전군은 대장군의 출발을 목마르게 기다리고 있었다. 전군이 시각을 다투어 당군이 도착하기 전에 그보다 더 빨리 안시성에 도착하지 않으면 안 되었다. 고연수는 노인에게 작별인사를 드린 뒤 말 위에 올라타 앉았다.

"다녀오겠습니다, 대인 어른."

"……내 말을 잊지 말게. 우리로서 취할 계략은 오직 그 방법 한 가지뿐이네."

"알겠습니다, 대인 어른."

고연수가 말 위에 오르기를 기다려 커다란 북소리가 전군에 울렸다. 일제히 요동군의 15만 대군이 안시성을 향하여 출발하기 시작하였다. 고구려군은 대부분 말을 타고 있는 기병들이었고 창과 활을 든 보병들은 모두 말갈족과 돌궐족들이었다. 그들은 한결같이 맨발이었다. 말갈족들과 돌궐족들은 예로부터 창이나 칼보다는 활을 잘 쏘는 재질을 갖고 있었는데, 성질이 워낙 잔혹하여 간혹 적과 싸우다 양식이 떨어지면 적의 시체를 베어 구워먹기도 하였었다. 다만 싸움에는 능하였지만 신의가 없어서 싸우는 적군과 아군을 구별하지 못하였고 그저 조금이라도 나은 식사 또는 나은 대접을 해주면 당장에라도 적군을 따를 수 있을 만큼 의리가 결여되어 있었다.

때는 5월.

남도 평양은 초여름에 접어들 무렵이었는데 계절 감각이 무딘 요동의 들판은 이제 막 봄이 무르익는 절정에 이르고 있었다. 넓은 들은 푸른 풀들로 덮여 있었고, 그 초원 위에는 눈부신 들꽃들이 만개되어 있었다. 끝간 데를 모르는 지평선 너머로는 이제 잠시 후면 닥쳐올 무시무시한 피의 전쟁과는 상관없이 아지랑이가 물결처럼 타오르고 있었다.

그 요동의 원야를 고구려군들은 사흘 밤 사흘 낮을 쉬지 않고 계속 전진해 나아갔다. 안시성에서 40여 리에도 못 미치는 곳에 이르렀을 때 고구려군들은 산 아래 넓은 들판에 붉은 바다가 넘실거리는 것을 보았다.

그것은 붉은 바다가 아니라 붉은 옷과 붉은 깃발을 세워든 당군의 무리였다. 마침내 당군과 고구려군은 안시성과 40리 떨어진 넓은 들판에서 정면으로 맞닥뜨리게 된 것이다.

태종은 고구려의 요동군이 마침내 거병하여 안시성 40리 남쪽의 들판에 진을 치고 이르렀다는 말을 전해 듣자, 친히 무기(無忌)를 거느리고 높은 산에 올라가 산천의 형세를 바라보았다.

과연 높은 산에 올라가 주위의 산천을 바라보니 고구려의 위세는 장관이었다. 15만의 고구려군은 당군을 상대로 진을 치고 있었는데, 그 길이가 40리가 넘어 있었다. 지금껏 막연히 생각해오던 오합지졸의 고구려군이 아니었다. 사흘 낮 사흘 밤을 내쳐 달려왔으되, 진영은 기세가 당당하고 사기는 하늘을 찌를 것처럼 충천하고 있었다.

태종을 둘러싼 휘하의 장수들의 얼굴에 두려워하는 기색들이 완연하였다.

말 위에 올라 주위의 산천과 형세를 말없이 바라보던 태종이 주위의 문무신(文武臣)을 돌아보고 물었다.

"어떻게 하면 적을 무찔러 이길 수 있겠는가? 누가 좋은 계책이 있으면 말하여보라."

그러자 우진달(牛進達)이 간하여 말하였다.

"적의 병력이 막강하고 기세가 등등한 것으로 보아 서둘러 교전하여 파하려 할 것이 아니라, 시간을 끌면서 적의 후면을 기병으로 공격하여 스스로 진을 허물어뜨리고 교란에 빠뜨리는 병법이 상책이라 생각되옵니다."

묵묵히 우진달의 말을 전해 듣던 태종은 그가 말을 끝내자 고개를 끄덕이면서 말하였다.

"공의 말이 가하오."

그러자 무기(無忌)가 낯을 붉히면서 반하여 나섰다.

"우 공의 말은 심히 불가합니다. 신이 들으니 적과 싸우려 할 때에는 반드시 먼저 사졸(士卒)들의 사정을 살펴보는 것이 우선이라 합니다. 신이 마침 여러 병영들을 지날 때 사졸들이 고구려의 병졸들이 이르렀다 하는 말을 전해 듣고 모두 칼을 빼어들고 기(旗)를 매며, 얼굴에 희색이 만면한 것을 보았는데, 이는 필승의 기세입니다. 적들은 먼 길을 쉬지 않고 달려와서 이제 몹시 지쳐 있고 사기는 저하되어 있을 것입니다. 그러므로 시간을 끌어 적들에게 피로를 이길 시간을 벌어주는 것보다, 이때를 놓치지 말고 단숨에 기습하여 적을 무찔러 파함이 상책이라 생각되옵니다."

무기의 말을 묵묵히 경청하고 나서 태종은 역시 고개를 끄덕이면서 말하였다.

"공의 말도 심히 가하오."

둘러서 있던 여러 제장(諸將)들은 황제의 흉중을 알 수 없어 서로 고개를 들어 얼굴을 바라보았다. 설인귀(薛仁貴)가 주위의 눈치를 살피면서 황제에게 조심스레 물었다.

"폐하께오서는 단숨에 적진으로 쳐들어가 싸우는 것도 가하다 말씀하시고, 물러가 적의 형세를 면밀히 살핀 후에 공격하는 것도 가하다 말씀하시니 폐하께오서 생각하옵는 기계(奇計)는 과연 무엇입니까."

그러자 태종은 껄껄 소리내어 웃으면서 답하였다.

"그대의 말 역시 심히 가하다."

제장들은 황제의 뜻을 알 수 없어 어리둥절하였다. 이러한 장수들의 마음을 헤아린 태종이 비로소 얼굴에서 웃음을 거두고 나서 자신의 뜻을 말하기 시작하였다.

"이미 짐은 산 위에 올라 적의 형세를 바라본 후 적을 이겨 무찌를 수 있는 성모(聖謀)를 성산(成算)해내었다. 무릇 형세가 난하여 행진(行陣)의 기계가 잘 떠오르지 아니하면 일단 적의 편에 서서 생각해봄이 상책이라 할 수 있다. 그대들이 만약 적의 장수 고연수라면 우리 당군을 어떻게 쳐 이길 수 있겠는가. 짐이 적장 고연수라면 두 가지의 계략이 있을 것이다. 그 하나는 군사를 이끌고 저처럼 우리 군사 직전(直前)에서 안시성과 연결하여 누(壘)를 만들고 높은 산의 험한 곳에 의지하여 성 중의 양식을 먹고 말갈병을 놓아 우리의 우마를 노략하고 이따금 기병들을 풀어놓아 우리의 진을 교란하여 시일을 끌어 지구전을 벌인다면 우리가 이를 쳐도 갑자기 함락시킬 수도 없고, 돌아가자면 간신히 건너온 진흙길이 장애가 되어 앉아서 오군(五軍)을 괴롭힐 것이 그 한 가지 방책이요, 나머지 하나는 앞뒤와 지능(知能)을 헤아리지 않고 당장 나와서 우리의 군대와 한바탕 일전을 벌임이 또 한 가지 방책이라 할 수 있다. 짐이 보건대 전자는 상책이요, 후자는 하책인 바, 그러하다면 이를 역용하여 적을 끌어들여 당장 싸움에 응하게 함이 우리가 취할 방책이 아니겠는가. 다만 전군이 일어나 적과 맞싸우려 한다면 적은 마땅히 우리의 책략을 알아 쉽게 일어나 싸우려 하지 않을 것임이 분명하므로 기계를 발하여 적은 군사로써 몇 번을 나아가 싸우다 지고, 또 져줌으로써 적을 허장(虛張)되게 만들어 유도하여 싸움이 우리가 취할 방도다. 이제 우진달이 형세를 보아 싸우자는 말도 짐이 심히 가하다고 말한 것은, 이러한 이유들 때문이었다. 이제 중요한 것은 적은 군사로써 적진 앞에 나아가 싸워 적을 헛되이 승전의 기쁨에 취하도록 유도하는 책략이다. 누가 이를 맡아 싸우려 할 것인가."

태종은 주위의 여러 장수들을 돌아보았다. 그러나 태종의 뜻을 이미 헤아린 여러 장수들은 낯빛을 흐트릴 뿐 누구 하나 먼저 나서서 자청하는 사람은 없었다. 싸우긴 싸우되 절대로 이겨 무공을 세울 수 없는 허전(虛戰)에 자청하여 나아갈 장수는 드물었기 때문이었다.

제장의 의중을 헤아린 대장군 아사나(阿史那)가 무릎을 꿇고 말하였다.

"신에게 출전의 기회를 주옵신다면 신이 폐하의 뜻을 받들어 나아가 싸우고 싸우다가 패하기를 수십 번 하여 적들을 반드시 전장으로 유도하여 빠른 시일 내에 교전하게 만들 것입니다."

황제가 스스로 허리에 찼던 칼을 빼어주면서 말하였다.

"최후에 이기려 하는 자는 우선 작은 것에서 지는 것을 배울 것이다. 지는 것을 두려워하지 않고 지는 것을 부끄러워하지 않는 자만이 마침내 큰 승리를 얻을 것이다. 그대는 당장 나아가 적과 싸워 이를 행하라."

아사나는 황제가 하사한 장검을 빼어들고 즉시 수천의 군사를 몰아 적진 앞으로 나아갔다. 스스로 싸워 이기려는 군사가 아니라 스스로 싸워 질 것을 목표로 하는 군사들이었으므로 여러 장수들이 그를 비웃고 조롱하는 기색이 완연하였다.

그러나 아사나는 황제의 의중을 분명히 알고 있었으므로 이를 부끄러워하지 않았다.

아사나는 군사를 몰고 고구려의 진영 깊숙이 들어가 북을 치고 피리를 불어 싸움을 유도하였다. 그러나 절대로 현재의 진영에서 한 발자국도 나아가서는 안 된다는 고연수의 엄명을 받은 고구려군은 절대로 이를 모른 체 무시하고 응전하지 않았다.

출전에 앞서 대대로 고정의 노인에게 절대로 서둘러 교전치 아니하고 지구전으로 싸움을 이끌어야 한다는 책략을 전수받은 고연수였으므로 이를 굳게 믿고, 이를 굳게 실천하고 있을 뿐이었다. 그러나 이러한 책략을 내심으로 심히 못마땅하게 생각하고 있는 사람은 남부욕살 고혜진이었다. 둘 다 욕살의 지위로서 요동군을 지휘하는 양대장군의 위치는 진배 없이 같거늘 다만 나이가 적어 총대장군의 위치를 고연수에게 양보하고 있는 고혜진으로서는 겨우 수천의 적은 군사들이 바로 코앞에까지 다가와 피리를 불고 북을 치면서 싸움을 촉구해도 이를 모른 체 무시하고 있다는 것은 심히 못마땅하고 자존심이 허락지 않는 용렬한 짓이었다.

아사나는 한 방의 화살이면 즉시 거꾸러질 수 있을 만큼 고구려의 진영 가까이 다가와 고함쳐 말하고 있었다.

"반적 고연수는 들으라, 귀를 막고 두려워 쥐새끼처럼 숨어 있을 것이 아니라 칼을 빼어들고 나와서 함께 자웅을 겨뤄보자."

밤새도록 아사나의 군사들은 고구려의 진영을 향해 불을 댕긴 화살을 쏘고 피리를 불고 북을 두드렸다. 그럼에도 불구하고 고구려 군사들은 꿈쩍도 하지 않았다.

오히려 초조해진 쪽은 싸움을 유도하기를 자원하여 나섰던 아사나였다. 그는 고구려 군사의 뜻이 의외로 바위처럼 굳고 단단한 것을 알고는 마침내 비책을 강구하기로 하였다. 황제의 뜻을 받들어 그는 스스로 죽을 것을 획책하였다. 그는 수천 기의 군사들에게 적진으로 나아가 무조건 적과 싸울 것을 명령하였다. 여러 군사들은 계란으로 바위를 깨뜨리려 하는 무모한 짓이라고 말하였지만 아사나는 이를 물리치고 받아들이지 않았다. 그로서는 바로 이 무모한 짓이야말로 마지막으로 쓸 수 있는 비책이었기 때문이었다.

당군의 군사들은 일제히 칼을 빼들고 고구려의 진영으로 돌격하였다. 자신들의 진영으로 쳐들어온 적군을 고구려군은 즉각 포위하였다. 2천 명의 당군들은 즉시 몰살되었고 아사나는 즉시 어깨에 화살을 맞고 낙마한 채로 사로잡혀 고연수 앞으로 불려갔다.

고구려군은 당군의 대장군인 아사나를 사로잡은 최초의 전과에 대해서 사기가 충천하고 있었다. 아사나는 자신을 신문하는 고구려군의 총사령관인 고연수의 얼굴에 침을 뱉으면서 비웃으며 말하였다.

"그대가 고구려의 총대장이란 말인가. 더러운 쥐새끼의 얼굴만도 못하구나."

아사나는 고구려의 대장군 고연수의 얼굴을 향해 거푸 침을 뱉으면서 소리쳤다. 그러자 주위의 장수들이 칼을 빼들고 아사나의 몸을 참하려고 덤벼들었다. 이를 긴급히 제지하고 나서 고연수가 아사나의 곁으로 다가가서 물었다.

"그대가 아무리 적장이라 할지라도 그대의 황제를 위하는 신하로서의 충성심만큼은 가히 훌륭하다 할 수 있을 것이다. 그대가 원한다면 그대를 살려주어 생명을 보전케 할 것인즉 우리와 힘을 합쳐 군사를 일으켜 분격(奮擊)함이 어떠하겠는가."

역관(譯官)이 고연수의 말을 받아 아사나에게 이르자 아사나는 눈을 부라리고 피를 토하면서 말하였다.

"싸우려 전장에 출전해놓고도 용기가 없어 나아가 싸우지 아니하고, 담력이 없어 용렬히 자리를 지키고 움직이려 하지 않는 장수에게 일신을 맡겨 목숨을 구하느니 차라리 자진해서 숨을 끊어 죽어버리느니만 못하다. 차라리 단칼에 나를 죽여 명예를 더럽히지 말아주기를 바란다."

고연수는 아사나의 뜻이 굳은 것을 알고 그의 목을 칠 것을 명하였다. 도부수(刀斧手)들이 아사나를 군막 바깥으로 끌고 가서 단숨에 능지처참하여 육시(戮屍)하여버렸다. 수급을 따로 거두어 창 끝에 매어달아 전군이 잘 볼 수 있도록 높은 곳에 우뚝 세워놓았는데, 이를 지켜본 고구려 군사들은 최초의 전과를 자축하는 의미에서 큰소리를 지르면서 기뻐 환호하였다. 적의 대장군 아사나의 기병부대를 초전에 박살하였다는 것은 기쁜 소식이었다.

한편 태종은 아사나가 자진해서 잡혀 포로가 되어 마침내 고구려군 손에 능지처참되어 죽었다는 말을 듣고 눈물을 뚝뚝 흘리면서 말하였다.

"아사나는 아무리 싸움을 유도해도 적들이 이에 말려들지 아니하자 스스로 적들에게 사로잡혀 일신의 죽음을 비책으로 사용하였다. 슬프고 슬프도다. 무릇 싸움에 공을 세워 개선장군이 되는 것은 적을 쳐 이겨서 빛나는 무공을 세우는 것만이 아니라, 이러한 책략에 살신(殺身)하는 신공(神功)이 훨씬 더 값어치가 있다고 짐은 생각한다."

태종은 눈물을 흘리며 주위를 돌보면서 말하였다.

"이제 적은 우군의 대장군 아사나를 사로잡아 이를 처참하였으므로 반드시 기세가 오르고 교만해져서 우리를 깔보아 싸움에 응전하여 나설 것이다. 내일 아침을 기점으로 반드시 일대 회전이 시작될 것인즉 우리는 반드시 이를 이겨 아사나의 수급을 바로 찾아 고인의 넋을 달래는 제의를 지내고 고인의 원수를 갚아주어야 할 것이다."

태종은 옷소매로 눈물을 닦으면서 분명히 말하였다. 용병의 천재라고 일컬어지는 태종은 마침내 산상에 올라 산천의 형세를 바라볼 때 미리 마음속으로 그려놓았던 대로 군사들을 움직여서 배치하기 시작하였다.

"적들은 반드시 승전의 기쁨에 취해서 경계를 게을리하고 방심해 있을 것이다. 이를 틈타 군사를 움직여 진영을 바로잡는다 해도 적들은 이를 눈치채지 못할 것이다. 오늘 밤 안으로 짐이 시키는 대로 각 장수들은 휘하의 군사들을 이끌고 맡은 곳으로 분산하여 움직이라. 움직일 때는 발자국 소리도 내지 않고 말발굽 소리도 나지 않게 하여 귀신도 신령도 움직이는 소리를 듣지 못하게 하라."

태종은 진두지휘하여 군사들을 이동배치하게 하였다.

이세적은 보병과 기병 1만 5천을 거느리고 서쪽 언덕에 진을 치게 하고 장손 무기와 우진달은 정병 1만을 거느리고 기병(奇兵)이 되어 산 북쪽으로 돌아 매복하여 있다가 협곡으로 나와 적의 후면을 찌르게 하고, 스스로는 군사 4천을 거느리고 산 위에 올라 중앙에서 진을 지휘한다고 명하였다. 중앙의 군사들이 일제히 북과 피리를 불고 들고 있는 붉은 기치(旗幟)를 들어올리면 이를 신호로 복병들은 좌우에서 적의 배면을 찔러 나올 것을 명령하였다. 또한 그는 유사(有司)에게 명하여 조당(朝堂) 옆에 고인 아사나의 넋을 달랠 수 있는 제단과 수항막(受降幕)을 미리 만들어두라고 일렀다.

명령을 받은 유사는 어리둥절하였다. 수항막이라 함은 적과 싸워 이긴 연후에 적장을 불러다가 항복을 받는 군막인데 싸우기도 전에 미리 수항막을 설치해두라는 황제의 명령은 이 싸움의 결과를 손바닥 읽듯이 훤히 앞질러 내다볼 수 있다는 자신감을 뜻하는 것이요, 또한 그만큼 배수의 진을 치고 싸우겠다는 황제의 결의를 나타내는 뜻이었기 때문이었다.

황제의 명령을 받은 군사들은 일제히 캄캄한 밤을 도와 각자 맡은 곳으로 이동해나아갔다. 하늘에는 달도 밝아 별들이 유난히 많았지만 고구려군은 태종이 헤아린 대로 승전의 기쁨에 취해서 당군의 수상한 움직임을 눈치채지 못하였다.

이날 밤 유성(流星)이 고구려의 대장군 고연수의 군영으로 굴러 떨어졌다.

홀로 산상에 올라서 하늘을 우러러 답답한 심중을 달래고 있던 태종은 유성이 고연수의 군영으로 굴러 떨어짐을 보고 무릎을 치면서 기뻐하며 말하였다.

"반드시 오군은 이긴다. 이는 하늘이 도우심이다. 하늘이 도우셔서 반드시 우리는 고구려군을 멸망시키고 적장 고연수로 하여금 수항막에서 항복문서를 조인케 할 수 있을 것이다."

한편 남부욕살 고혜진은 우연히 지난날에 사로잡아 참하였던 적장 아사나의 소지품을 뒤져보다가 그가 가진 장검이 예사의 장검이 아님을 알아차렸다. 그 칼은 정교하게 만들어져 휘황한 광채가 나고 있었으며, 태산과 바위라도 벨 수 있을 만큼 날카롭고 첨예하였다. 더구나 그 칼집은 예사 물건이 아님을 말해주고 있었다. 금으로 도금을 한 칼집은 눈부실 정도로 빛나고 있었으며, 칼집 윗부분엔 황제의 새인이 각인되어 있었다. 우연히 칼집을 이리저리 뒤져보던 고혜진은 칼자루 부분에서 황제의 새인을 발견한 순간 몹시 놀라워하였다.

"그렇다면."

고혜진은 혼잣말로 소리를 내어 중얼거렸다.

"그러하다면 이 칼은 대장군 아사나의 칼이 아니라 당의 태종이 직접 대장군에게 내린 어검(御劍)인 것이다. 그렇다. 우리 고구려군은 태종이 직접 하사할 만큼 막중한 임무를 지닌 적장 아사나의 목을 베었다."

그는 기쁨의 흥분으로 와들와들 떨면서 칼을 빼어 허공을 베어보았다. 무(無)의 허공이라도 벨 수 있는 날카로운 칼날은 푸른 인광을 보이면서 번득이고 있었다.

고혜진은 즉시 그 칼을 세워들고 군막을 나와 대장군 고연수의 군영으로 걸어갔다. 승전의 기쁨에 취한 군사들은 밤을 새워 기세를 올리면서 노래를 부르고 있었고, 한밤이 되면 내리는 요원의 한기를 막기 위해서 여기저기 질러놓은 모닥불꽃이 들불〔野火〕처럼 타오르고 있었다.

고혜진은 탁자 위에 즉시 가져온 검을 풀어놓았다.

"이게 무엇인지 아십니까."

고연수는 물끄러미 탁자 위에 내려놓은 검을 들여다보았다.

"이건 지난날에 목을 벤 적장 아사나의 몸에서 나온 장검이올시다."

"그런가요."

그것뿐이라면 대수롭지 않다는 듯 고연수는 시선을 돌려 타오르는 모닥불을 바라보았다. 싸늘한 한기를 막기 위해서 모닥불이 타오르고 있었고, 고연수는 홀로 독주를 들이켜고 있었다.

"그런데 이 칼은 예사의 칼이 아닙니다. 이 칼은 어검입니다."

"……어검이라면."

다소 흥미가 있다는 듯 고연수가 고혜진을 다시 보았다.

"태종이 직접 하사한 어검이란 말입니다. 장군, 여길 보시오. 천자의 새인이 찍혀 있지 않습니까."

고혜진이 칼자루에 새겨진 새인을 들어 불빛 속에 확인시켜 보였다. 고연수는 묵묵히 칼자루에 새겨진 천자의 새인을 들여다보았다.

"……그렇소. 과연 장군의 말처럼 이 검은 태종이 직접 하사한 어검에 틀림없소. 그런데 그것이 우리에게 무슨 상관이 있단 말인가요. 태종은 우리의 왕이 아니라 적의 황제요."

고연수는 이해할 수 없는 눈빛으로 고혜진을 바라보았다.

"내 말은 이 검입니다. 대장군, 우린 적의 황제인 태종에게서 직접 어검을 하사받은 적장 아사나의 목을 베었단 말입니다. 이는 결코 작은 전과라 할 수 없습니다. 우리는 4천의 적을 사로잡았으며 그중 2천은 몰살시켰습니다. 들어보십시오, 대장군. 저 군사들의 노랫소리가 들려오지 않습니까."

고혜진은 잠시 말을 끊고 침묵을 지켰다. 과연 그의 말대로 군막 바깥에서부터 들려오는 고구려 군사들의 노랫소리가 합창이 되어 북풍의 찬바람을 타고 너울너울 들려오고 있었다.

"군사들의 사기는 하늘을 찌르고 있으며 군사들의 기세는 하늘에 닿을 것 같습니다. 병법에도 있듯이 군사들의 높은 사기야말로 필승 지세라 하였습니다. 그런데 장군께서는 언제까지 군사를 거두어 제자리를 지키려 하십니까."

그제서야 고연수는 고혜진이 왜 무엇 때문에 자신의 군막을 찾아왔는가를 알아차렸다.

"알고 싶습니다. 대장군, 도대체 언제까지 군사를 수세(守勢)에 머물러 있게 할 생각이십니까."

"그걸 꼭 알고 싶으시오, 장군."

오랜 침묵 끝에 고혜진이 말했다.

"알고 싶소이다."

"꼭 알고 싶다면 대답하지요. 대답은 분명하오. 적들이 물러갈 때까지, 그때까지 우리는 이곳에 머물러 한 발짝도 앞으로 나아가지 않을 작정입니다."

고연수의 확답에 고혜진이 자리를 박차고 일어섰다.

"당군이 물러갈 때까지요?"

고혜진의 얼굴에는 노기가 가득 차 있었다.

"그들이 물러갈 때까지 꼼짝도 않고 제자리를 지키겠단 말인가요, 대장군. 우리는 싸우러 이곳에 왔지, 자리를 지키기 위해서 이곳에 온 것은 아닙니다. 전 병사들의 사기가 하늘을 찌를 듯 충천하고 있습니다. 이때를 놓치면 절대로 안 됩니다. 신은 대장군의 명에 승복할 수 없습니다."

"굳게 자리를 지켜 적들이 한 발자국도 더 이상 월경하여 침범치 못하게 하는 것도 최대의 공격이요, 전과라고 생각합니다."

냉정한 표정으로 고연수가 말을 받았다.

"혹시 장군께오서는 출발 전에 오골성에서 고정의 대인을 만나지 않으셨던가요. 그 노인에게서 군사를 멈추어 싸우지 않고서 시일을 오래 끌면서 기병을 따로따로 분견(分遣)하여 적의 양도를 끊으라는 충고를 받으시지 않으셨던가요. 그렇게 되면 양식이 다한 적은 싸우려 해도 싸울 수가 없고 돌아가려 해도 길이 없으니 곧 이길 수 있다는 전언을 듣지 않으셨던가요. 대장군, 신에게도 고정의 대인께오서 찾아와 이와 같이 충고를 아끼지 않으셨소이다. 대장군, 고정의 대인이 비록 나이 들어 사물에 밝고 이치에 달했다고는 하지만 이제 노망들린 노인에 지나지 않습니다. 고정의 대인의 말은 허망한 허언에 지나지 않소이다. 그 노인은 제정신이 아닙니다, 장군."

"말조심하시오."

순간 고연수가 탁상을 손으로 치면서 일어섰다.

"이 자리에 없는 분의 말씀을 뒷전에서 망령되게 말하지 마시오."

고연수의 고함 소리가 군막 안을 뒤흔들었다. 그러나 고혜진은 그의 고함 소리에도 새삼스레 놀라거나 반응을 보이지 않았다. 그는 오히려 마침내 오고야 말 것이 왔다는 표정으로 자리에서 일어섰다.

"알겠습니다, 대장군. 이제부터 나는 장군의 명령을 좇지 않겠습니다. 15만 군사 중 장군에게는 8만의 군사가 있고 7만의 군사는 내게 속해 있소이다. 7만의 군사는 모두 내 명령 하나에 죽고 삶의 운명이 걸려 있소이다. 나는 이제 내 군사를 스스로 지휘하겠습니다. 이제 나는 내 군사와 더불어 더 이상 장군의 명령과 지휘를 받지 않을 것입니다. 장군과 나는 똑같은 지위를 왕에게서 전해 받았으며 막리지로부터 인정받았습니다. 이제는 누가 위고 누가 아래일 수가 없습니다."

고혜진은 탁상 위에 놓인 태종의 어검을 번쩍 들어 세웠다. 군막 안의 타오르는 불꽃을 받은 황금빛 어검은 순간 광채를 뿜으면서 번뜩이고 있었다. 그는 마치 그 칼이 천하의 위세와 권력을 수여하는 하늘의 검이라도 되는 듯 장검을 허리에 꿰어 차고 당당하게 고연수 앞을 막아서면서 말하였다.

"이제 장군과 나는 누가 옳고 그름을 따지기 전에 각자 옳다고 생각하는 길로 나아가기로 서로 약속하였습니다. 안녕히 계시오. 장군, 나는 이제 또다시 장군의 군막을 내 스스로 찾지는 않을 것입니다."

고혜진은 발소리를 내면서 몸을 돌려 군막 안에서 나가버렸다. 착검하는 소리와 군영을 지키는 위병들의 창검 소리가 밤의 적막을 찢었다. 고연수는 물끄러미 타오르는 모닥불을 바라보았다. 밤의 한기를 달래기 위해서 지폈던 모닥불은 이제 서서히 잦아들고 있었다. 타다 검게 남은 재 속에 아직 꺼지지 않은 불꽃이 아슬아슬하게 타오르고 있었다. 밤새워 노래를 부르던 병사들의 고함 소리도 잦아든 지 오래였다.

밤은 깊어서 전 병영에는 적막만이 감돌고 있었다. 고연수는 면전에서 자신을 반하고 자리를 박차고 물러간 고혜진의 말을 다시 한번 떠올려보았다. 그와 고연수는 원래가 같은 무인의 지위였으므로 그가 자신의 면전에서 노골적으로 덤벼들고 반한다고 하더라도 그것이 하극상이 될 수는 없었다. 그의 말대로 15만의 대군 중 8만은 북부욕살인 자신의 군사였으며, 7만은 남부욕살인 고혜진의 군사였었다. 7만이 그의 군사였다면 7만의 군사는 그가 옳다고 생각되는 군사작전에 투입되어 지휘하는 것은 당연히 그의 소관(所管)이었던 것이다. 다만 고연수가 총대장이 되어 그의 군사를 함께 지휘하고 통솔하였던 것은 군사작전에 있어 최후의 지휘는 한 사람에게 위임되어야만 일사불란하게 움직일 수 있다는 병법 때문이었다. 고연수는 고혜진보다 연상이라는 이유로 대장군의 칭호를 전수받을 수 있었던 것이었다. 그런데 이제 분열이 생기고 말았다.

고연수는 심란한 마음으로 일어서서 군막 안을 걸어 나왔다. 문밖을 지키던 위병들이 딱딱하게 긴장된 자세로 창을 세워들고 발을 굴렀다. 고연수는 군막 밖으로 빠져나와 별들이 가득한 밤하늘을 물끄러미 바라보았다.

마침내 가장 심각하게 우려하던 내부 분열이 생기고 말았다. 공명심이 강한 고혜진은 마침내 자신의 군사를 이끌고 적과 정면 승부를 벌이게 될 것이다. 어떻게든 속전속결로 싸움을 이끌어가려는 태종의 계략에 말려들 것이다.

만약 7만의 고혜진 군사가 당군과 건곤일척(乾坤一擲)의 대회전을 벌인다면 8만의 군사는 이를 방관만 하고 모른 체 지켜볼 수 있을 것인가.

아니다. 고연수는 고개를 흔들었다.

아군의 군사를 어찌 수수방관만 하고 지켜볼 수 있을 것인가. 그렇게 되면 당군과 아군은 마침내 생사를 거는 혈전에 돌입하게 될 것이다.

아아, 고연수는 탄식을 하면서 밤하늘을 우러러보았다.

천신이여 지신이여, 나라를 세우신 동명성조이시여, 나라를 도와 위기에서 구하시어 국난에서 벗어나게 하여주옵소서.

어둠이 물러가고 날이 밝자 고구려군의 대장군 고혜진은 간밤에 당군이 물러가고 다만 적은 숫자의 군사만이 서령(西嶺)에 진을 치고 있음을 보았다. 고혜진은 어제의 승전으로 만만치 않은 고구려 군사의 형세를 본 후 당군이 심히 두려워 간밤의 어둠을 틈타서 군사들을 몰아 후퇴하여 진영을 재정비한 것이라고 굳게 믿고 있었다.

이세적의 군사가 수적으로 훨씬 열세인데도 불구하고 앞으로 나서서 싸움을 걸어 오자 고혜진은 즉각 휘하의 군사들에게 명령하여 총공격을 명령하였다.

사기가 오른 고구려군은 둑이 무너져 내리듯 노도와 같은 기세로 당군을 향해 언덕을 기어오르기 시작하였다. 이세적의 군사는 고구려군이 공격해 들어오자 서둘러 등을 보이면서 도망치기에 급급하였다. 당군이 등을 보이면서 도망치기 시작하자 고구려군은 파죽지세로 서령을 점령하려 들었다. 이세적의 군사들은 세 번을 싸워 세 번을 패하였으며 그러할 때마다 도망쳐나아갔다. 마침내 고구려군은 서령을 점령하였다.

그러나 높은 산 위에 올라서 이를 묵묵히 지켜보고 있던 태종은 마침내 군사진영이 완전히 두 개의 진으로 갈라져 반 토막이 되었음을 즉시 간파하였다.

　이때다. 태종은 회심의 미소를 지으면서 주위에 대기하고 있던 제군들에게 명하였다. 제군들이 일제히 고각(鼓角)을 불기 시작하였다. 북 소리와 피리 소리는 산 북쪽의 협곡에서 매복하여 있던 무기와, 우진달의 기병들에게 돌격신호로 전달되었다. 각각 일만 명의 군사들을 매복시켜두었던 무기와 우진달은 느닷없이 후면의 협곡에서 고구려군을 협공하며 나서기 시작하였다. 말발굽 소리가 천지를 진동하고 대지는 먼지로 자옥이 피어올랐다.

　물밀듯한 기세로 앞서 나갔던 고구려 군사들은 느닷없이 배면을 찌르고 나선 당군의 기병 앞에 크게 당황하였다. 또한 이때까지 겁을 집어먹고 후퇴만을 일삼던 이세적의 군사가 갑자기 정면을 바라보고 힘써 싸워 나오기 시작하였다. 7만의 고구려군은 완전히 고립된 섬처럼 포위되어버렸다. 비록 군사적으로는 월등한 숫자였지만 사위를 포위하고 공격해 들어오는 당군의 기세는 막아낼 도리가 없었다.

　그때까지 묵묵히 이를 지켜보고 있던 고연수의 군사도 더 이상 모른 체 방관만 할 수는 없었다. 사위의 포위로 고립된 고혜진의 군사를 구하고 어떻게든 혈로를 뚫지 않으면 안 되었다. 고연수는 즉각 전군에 돌격 명령을 내렸다.

　산상에서 태종은 고연수의 군사가 마침내 회동하는 것을 지켜보았다. 그는 자신의 주위를 지키는 군사를 향해 소리쳐 말하였다.

　마침내 전군이 생사를 결단하는 싸움에 이르고 말았다. 만약 이 싸움에서 패한다면 짐은 용렬하게 살아 구차하게 생명을 보존하여 돌아가지 아니하고 이곳에서 쓰러져 함께 죽을 것이다. 그러므로 그대들은 이곳에서 짐의 일신을 구할 생각보다는 용감히 저 싸움 속으로 뛰어들어 함께 싸울 일이다. 나는 이곳에 혼자 남아 있을 것이다. 가라, 가서 싸워라.

황제의 뜻이 그토록 깊고 굳은 것을 알자 태종의 측근에서 호위하고 있던 설인귀가 즉시 정예부대를 이끌고 미친 듯이 산 아래로 달려나갔다.

황제는 산상 위에 근시 몇 명만을 데리고 무서운 혈전의 전쟁터를 묵묵히 지켜보았다.

아침에 시작된 전쟁은 태양이 허공 높이 떠올라서 한낮의 정오가 되어서도 그 끝이 보이지 않았다. 넓은 안시성 남쪽의 들녘은 수만 명의 군사들이 한데 어우러져 싸움을 벌이고 있었으므로 흙먼지가 피어올라 태양의 빛을 가리고 있었다. 멀리 산 아래로 수없이 몰려 있다 물러서고, 앞섰다 도망치는 수십만의 군사들은 마치 개미 떼들처럼 조그맣게 보이고 있었다. 햇살을 받은 창이 눈부시게 반짝거리고 허공을 날으는 화살의 번뜩임이 생선의 비늘처럼 보이고 있었다.

그러나 시간이 흘러갈수록 점점 싸움의 주도권은 당군에게로 넘어가고 있었다. 말이 15만의 대군이었을 뿐 실은 고구려군의 정예부대는 5만에 지나지 않고 나머지 십만의 보병들은 거의 모두 말갈인과 돌궐족들이었으므로 십만의 보병들은 사위에서 당군이 몰려들어 협공해 들어오자 군이 자신들의 목숨까지 바쳐가면서 싸움을 계속해나갈 필요를 느끼지 않고 있었다.

말갈족과 돌궐족들은 앞을 다투어 활과 칼을 버리고 항복하기 시작하였다. 진이 완전히 두 갈래로 갈라져 반 토막이 되어버린 고구려의 진영은 결집된 힘을 발휘할 수 없었다. 게다가 당군은 유리한 고지(高地)를 점령하고 있었고, 고구려군은 낮은 곳에서 높은 곳으로 쳐나가면서 싸우지 않으면 안 되었다. 고연수는 이미 대세가 그른 것을 알았다. 그는 수많은 군사들이 죽고 다치고 항복하여 전의를 상실하고 있음을 알고 있었다. 즉시 후퇴하여 본영으로 돌아가 전열을 재정비하려 하였지만 이미 황제의 명을 받은 도종(道宗)은 교량(橋梁)을 거두고 길을 막아 퇴로를 완전히 차단하여버렸다.

이제는 그저 싸울 일만 남아 있을 뿐이었다.

그러나 시간이 흐를수록 고구려군은 사기가 저하하고 있었고 상대적으로 당군은 기세가 올랐다. 마침내 고혜진이 설인귀의 활에 어깨를 맞아 말 위에서 굴러 떨어지자 대장군을 적에게 사로잡힌 7만의 고구려군은 더 이상 싸우거나 버티어볼 생각 없이 즉시 창과 활을 버리고 당군에게 투항하기 시작하였다.

7만의 군사 중에서 살아남은 자는 4만에 불과하였고 죽은 자가 3만에 이르고 있었다. 살아남은 4만의 군사도 거의 다치거나 부상을 입어 성한 사람은 극히 드물었다.

마침내 대지 위에 황혼이 물들고 어둑어둑 땅거미가 내리기 시작할 무렵 최후까지 버티던 고연수는 남은 군사들을 거두어 항복을 선언하고 산상 위로 올라 군문(軍門)으로 들어섰다. 비장하고 슬픈 패전이었다.

15만의 막강한 요동군은 4만 명에 지나지 않는 당군에게 완전 패배하여 요동군의 항복을 청하는 순간이었다. 싸움다운 싸움을 해보지도 못하고 단 하루 만의 싸움에 비참하게 무릎을 꿇는 굴욕적인 전쟁이었다.

태종은 간밤에 유사에게 명하여 미리 세워놓은 수항막에 버티고 앉아서 고구려의 항장(降將) 고연수에게 항복을 받았다. 항장 고연수는 수항막 안에 들어와 배복(拜伏)하여 엎드려 절을 하고 무릎을 꿇고 항복을 청하였다.

고구려의 대장군 고연수는 자신이 완전히 항복하였음을 나타내기 위해서 스스로 갑옷을 벗고 스스로 칼을 풀어 무기를 해제하였다.

태종은 거만하게 옥좌에 앉아 15만 요동군의 대장군 고연수의 항복을 받았다. 수항막 밖에서는 항장을 따라서 3만 6천 8백 명의 고구려 병사들이 일제히 칼과 창을 풀어 땅 위에 놓고 항복을 청원하였다. 참으로 비참하고 원통한 장면이었다. 15만 명의 요동군이 제대로 싸움 한 번, 전쟁 한 번 치러보지 못하고 용병의 천재 태종의 기계에 말려들어 비참하게 무너지는 순간이었다.

소수의 군사들이 항복을 거부하고 스스로 배를 갈라 죽기도 하고 소수의 군사들은 끝까지 싸우다 장렬한 전사를 하였지만 대다수의 군사들은 싸우다 죽느니 항복하여 목숨을 보전하는 구차한 삶의 길을 선택하고 있었다.

대장군 고연수의 항복 청원은 태종에 의해서 받아들여졌다. 태종은 항장 고연수에게는 '홍로경(鴻臚卿)'이란 벼슬을, 고혜진에게는 '사농경(司農卿)'이란 벼슬을 새로 내리었으며 자신이 머물던 산을 '천자가 머물던 산[駐蹕山]'이라고 고쳐 부르게 하였다. 대장군을 따라서 항복해 온 3만 6천여 명의 고구려 군사들은 새로 편제하여 당군에 편입시켜 붉은 투구를 입게 하였으며 그들의 용감성을 인정하여 유격부대의 선봉으로 삼게 하였다. 또한 말갈인 3천 3백 명은 그들이 감히 당주의 진(陣)을 침범하였다 하여 그들에게 평지에 큰 구덩이를 파게 하고 스스로 거두어서 그 구덩이에 묻어 죽여버렸다.

용감히 싸우다 먼저 전사한 아사나의 수급은 따로 거두어 황제 스스로 흰 상복을 입고 머리를 풀고 성대한 제사를 드렸으며, 비참한 고구려군의 패배로 노획한 말이 5만 필, 소가 5만 두, 기타 기계(器械)는 헤아릴 수가 없을 정도였다.

15만 요동군의 비참하고 허망한 패배는 곧 무서운 파급효과를 일으켰다. 이 전투의 패배 소식은 곧 고구려의 전역으로 번져나갔으며 전국이 크게 놀라서 석황성(石黃城)과 은성(銀城) 같은 곳에서는 모두 성을 버리고 뿔뿔이 흩어져 도망쳤으며 민심이 극도로 혼란하였다.

고구려의 조정은 이제는 어찌할 도리가 없는 막다른 고비에 맞닥뜨려진 사실을 인정할 수밖에 없었다.

요동군을 격파한 당군이 압록강을 건너 내지(內地)로 쳐들어오는 것은 시간 문제였다. 이제 요동 지방에서 아직 당군에게 점령되지 않고 남아 있는 곳이라면 안시성과 건안성 두 곳뿐이었다. 15만 요동군이 무너진 마당에 안시성과 건안성이 당군과 싸워 그들에게 버틸 수 있는 시일은 불과 사나흘이 고작인 것이었다.

선대 수나라의 실패를 거울 삼아 그들은 절대로 서두르지 않고 하나하나 눈앞의 적을 격파하여 그 여세를 몰아 점점 더 큰 파도와 격랑을 몰고 압록강을 건너 고구려의 왕경을 삼키려고 덤벼들 것이다.

"아직 안시성과 건안성이 남아 있다고는 하지만……."

요동군의 전멸을 보고받은 모든 신하가 침울하게 가라앉은 어전에서 연정토는 솔직하게 느낀 소감을 왕께 말하여 간하였다.

"두 성이 무너지는 것은 오늘 내일의 일일 것입니다."

연정토의 말은 객관적으로는 확실한 평가였었다.

성난 파도와 같은 당군의 기세 앞에 고립된 성처럼 안시성은 완전히 포위되어 있었다. 이제 요동이 완전히 당군의 손에 넘어갔으므로 고구려군은 따로 안시성으로 군사를 보내어 구원할 도리가 없었으며, 설혹 구원할 수 있는 혈로가 따로 있다 하더라도 15만 요동군이 전멸해버린 마당에 그들을 구원할 만큼 군사를 보낼 여력마저 남아 있지 않았다.

안시성은 완전히 고도(孤島)가 되어버린 셈이었다.

이제는 어쩔 도리가 없었다.

고구려 조정에서는 완전히 요동 지방을 포기하고 전 군사를 따로 모아 전열을 재방비하고 내지의 제일선인 압록강에서 적을 1차로 맞아 방어하고, 이것이 뚫리면 살수에서 2차로 방어한 다음 이것마저 뚫리면 평양성을 최후의 방어선으로 전원 옥쇄(玉碎)할 수밖에 없다는 최후의 비상책을 강구하고 있었다.

태종은 15만 요동군을 전멸시키고 남은 군사들에게는 완전히 항복을 받아 복속시키고 난 다음 날, 홀로 산상에 올라 타오르는 5월의 햇살 속에서 우뚝 솟아 빛나고 있는 안시성의 거대한 성채를 바라보았다.

당나라의 왕도인 장안성을 출발할 때 꿈꾸었던 완전 천하통일의 제패(制覇)가 비로소 현실로 눈앞에 다가왔음이 확실하여 태종의 가슴은 무겁게 뛰어오르고 있었다. 선대 수나라도, 아니 스스로 천하를 통일하여 천자가 되었다고 뽐내었던 진의 시황도 감히 넘보지 못하였던 천하의 제패가 이제 거의 태종의 손 안에 들어와 있는 셈이다.

안시성. 내가 듣건대 안시성은 성이 험하고 군사가 정예하고 그 성주 양만춘은 재능과 용기가 있어 고구려의 막리지 연개소문의 난에도 성을 지키고 불복함으로써 막리지가 이를 쳤으나 끝내 함락시키지 못하고, 성주 양만춘에게 이를 맡기고 물러갔다고는 하지만 안시성, 이제 너는 내 복중(腹中)에 있다. 너를 쳐 함락시킨다면 남쪽의 건안성은 스스로 멸하여 무너질 것인즉 이제 남은 것은 오직 너뿐이다.

안시성. 이제 너를 삼키면 고구려의 왕도인 평양성에 이를 때까지 거칠 것은 하나도 없는 평지의 탄탄대로가 되어버릴 것이다.

이날 밤 태종은 전승에 취한 전군에게 술과 음식을 내려 마음껏 먹고 마시고 취하도록 허락을 내리고 나서 홀로 군막에 앉아 유사에게 자신이 부르는 대로 그 뜻을 받아 적을 것을 명령하였다.

유사는 벼루에 먹을 곱게 갈아 붓에 먹을 먹여 적셔 들고 황제의 옥음을 기다리면서 조용히 앉아 있었다.

군막 밖 저 멀리서 술에 취해 노래 부르는 군사들의 노랫소리와 북 소리가 밤의 적막을 찢고 있었지만 태종은 전혀 그 소리에 개의치 않는다는 듯 무거운 침묵을 지키고 있었다.

이윽고 오랜 침묵이 흐른 뒤 황제는 입을 열었다.

"당의 천자인 짐은 안시의 성주 양만춘에게 고하노라."

황제의 성음이 나오기가 무섭게 유사가 능숙한 필체로 그의 부르는 뜻을 그대로 받아쓰기 시작하였다.

"짐이 친히 수레에 올라 요동을 정벌하고 그대의 나라를 친정하는 뜻은 그대 나라의 강신(强臣)이 왕을 시해한 고로, 와서 문죄(問罪)하려 하는 것이지 다른 뜻은 없다. 아들이 아버지를 반하고 신하가 임금을 반하는 것은 인륜의 도에서 벗어나는 일이다. 짐은 고구려를 위해서 군부(君父)의 치(恥)를 씻으려 할 뿐이다. 그대 양만춘은 일찍이 연개소문의 국란에도 의연히 성을 지켜 신의를 지키었으며 신하로서의 도리를 지키었던 바, 짐은 군이 그대의 성을 복속시키려 교전(交戰)하고 싶은 생각은 전혀 없다. 이곳에 들어와서 양식이 보급되지 않기 때문에 두 성을 취하였지만, 그대 나라가 신례(臣禮)를 삼으면 반드시 잃은 것을 회복하고 온전하게 되어질 것이다. 고로 그대는 우리와 교전하지 않고 스스로 화전을 맺고 스스로 성문을 열어 우리를 맞아들인다면 우리는 아무런 손괴(損壞) 없이 이곳을 지나갈 것이다. 부디 성주는 짐의 뜻을 저버리지 말고 받아들여 추호의 후회가 없도록 할지어다."

말을 마친 태종은 먹물이 마르기를 기다려 종이를 들어 읽어보았다. 그 내용에 매우 만족해진 태종은 몇 가지 말을 더 첨삭할 것을 명하고 스스로 그 문서에 천자의 새인을 찍어 새서를 봉하였다.

밤이 지나고 새벽이 밝아 올 무렵 황제의 군막에서 새서를 받아든 밀사의 무리가 출발하였다. 그들은 당군의 진영을 바로 나와 안시성의 성채로 곧바로 나아갔다.

　그들은 자신들이 군사들이 아님을 밝히기 위해서 갑옷과 투구 등 일체의 무장을 하지 않고 평복을 입고 있었으며 맨 앞에 앞장 선 사람은 당주(唐主)의 표지인 붉은 기치(旗幟)를 세워들고 있었다.

　굳게 성문을 닫고 지키고 있던 고구려의 군사들은 무장을 하지 않은 한 떼의 무리들이 조용히 성문 앞으로 다가오는 것을 보았다. 즉시 활을 찾아 응전하려는 것을 군사들의 수졸(首卒)이 막아 세우고 성문 앞에 나아가 소리쳐 물었다.

　"그대들은 누구인가?"

　그러자 그 무리들 중에서 한 사람이 앞장 서서 나와 답하였다. 그는 능숙하게 고구려국의 말을 구사하고 있었다.

　"우리들은 싸우러 온 군사들이 아니다. 우리들은 천자의 명을 받고 천자의 새서를 받아 간직하고 그대들의 성주를 만나러 온 사신들이다. 즉시 성문을 열고 우리들을 맞아들여 그대들의 성주 앞에 안내하라."

　수장이 어찌할까를 망설이다가 마침내 결심하였다. 그는 부하들에게 성문을 열 것을 명령하였다. 굳게 닫혀졌던 성문이 녹슨 빗장 소리를 내면서 열렸고 황제의 새서를 지닌 밀사들은 즉시 안시성의 성 안으로 들어갔다.

　그들은 붉은 황제의 기치를 앞세워 들고 매우 도도하고 거만한 자세로 성주 양만춘의 성루로 안내되었다.

　안시의 성주 양만춘은 밀사들이 당장이라도 쳐죽여 마땅한 적의 무리라 할지라도 일단 당주의 밀명을 받고 강화(講和)를 청하러 온 자들이므로 천자로서의 예를 갖추어 그들을 정중히 맞아들였다.

양만춘으로서도 요동군이 전멸해버린 마당에 이제 믿을 것은 자신밖에 없다는 사실을 잘 알고 있었다.

성 안에 살고 있는 성민이라 할지라도 늙은이, 어린아이 다 합쳐봐야 5만 명도 될까 말까 하는 적은 숫자다. 그중에서 정규군은 불과 1만 5천여 명, 성민 중에서 힘을 쓸 수 있는 백성들을 합쳐봐야 적과 싸울 수 있는 사람은 불과 2만여 명도 채 되지 못하였다. 그중 다행스러운 것은 안시성 근처의 평야가 비옥하고, 요 몇 년 사이에 대풍이 들어서 성채가 온통 적의 손 안에 포위가 되어버린다 하더라도 성민들이 먹고 살 수 있는 양식이 풍부하다는 사실이었다.

그러나 양곡이 풍부하고 군량이 풍부하다는 사실 하나만으로 적을 이길 수 있거나, 적의 집요한 공격을 막아낼 수 있는 조건이 못 됨을 양만춘은 잘 알고 있었다.

그로서는 이제 그 누구의 도움 없이는 당군과 싸워 전원 옥쇄할 수밖에 없다는 사실을 잘 알고 있었다.

그러던 차에 생각지도 않았던 당주의 밀사가 들어온 것은 전혀 뜻밖의 일이었다.

양만춘은 당주의 기치를 세워든 밀사들을 성루에서 정중히 예를 갖춰 맞아들이고 나서 밀사가 건네준 새서를 전해 받았다. 새서에는 황제의 새인이 찍혀 있었고, 굳게 봉인되어 있었다. 봉인을 뜯고 나서 양만춘은 두루마리로 된 새서를 읽어 내려갔다. 황제의 새서를 읽어 내려가는 동안, 양만춘의 얼굴에는 서서히 노기가 떠오르고 얼굴을 가린 구레나룻이 와들와들 떨리기 시작하였다.

새서의 내용은 강화를 청하는 화평의 내용이 아니라, 완전히 일방적인 굴욕과 항복을 강요하는 청항서(請降書)였기 때문이었다. 싸우기도 전에 성문을 열고 전원 부복하여 황제를 맞아들이고, 활 한 번 창 한 번 쏘아보고 던져보기도 전에 백기를 들고 항복하여 생명을 보전하라는 일방적인 명령의 내용이었기 때문이었다.

양만춘은 새서를 소리가 나도록 접고 나서 노기 띤 얼굴로 밀사를 노려보았다.

"이것이 당주의 새서란 말인가."

"그렇소이다."

역관을 앞세운 밀사는 거만하게 허리를 꼿꼿이 세워든 몸짓으로 말을 받았다.

"이것은 강화의 내용이 아니라, 항복을 청하는 명령이 아닌가. 이 것은 우리들에게 싸우기도 전에 백기를 들고 스스로 성문을 열고 당 군을 맞아들이라는 청항서가 아닌가."

"저희는 그 새서의 내용을 모르오나 그 내용이 그러하다면 그것 이 바로 천지의 뜻이요, 하늘의 뜻이라고 생각합니다."

"하늘의 뜻이라고."

양만춘이 자리를 박차고 일어섰다.

"네 이놈, 이곳이 어느 안전인 줄이나 알고 함부로 입을 열고 있 느냐."

고원부가 눈을 부라리며 소리를 질렀다.

그러나 밀사는 눈썹 하나 까딱하지 않았다. 그는 거만하고 무례한 눈빛으로 칼을 차고 성주를 호위하고 있는 고원부를 돌아보면서 말 하였다.

"이곳이 안시의 성주가 머물고 있는 성루라는 것쯤은 잘 알고 있 소이다."

"그리하면 어찌 함부로 입을 열어 말을 하느냐."

"이곳이 지금은 안시의 성주가 머물고 있는 당상(堂上)이라 하더 라도 얼마 안 있어 당주가 유하시게 될 옥좌임을 모르는가."

순간 고원부가 장검을 빼어 들고 말하였다.

"내, 너를 베어 능지하리라."

당장에 칼을 휘둘러 밀사의 몸을 두 동강이 내려는 것을 양만춘이 간신히 뜯어말렸다. 성루의 분위기는 갑자기 살벌하고 싸늘하게 변해버렸다.

"너를 죽여 네 살을 승냥이에게 던져주고 뼈는 갈아 물 속에 처넣어버리는 것이 마땅하나 네가 당주의 새서를 받들어 온 이상 우리도 마땅히 예를 갖추어 너를 돌려보내겠다."

양만춘이 부하에게 명령하여 그들의 몸에서 관복을 벗겨버렸다. 그들의 몸을 오랏줄로 꽁꽁 묶어버리고 그들이 타고 온 말 위에 거꾸로 올라 앉혔다. 그들은 말머리의 반대편으로 등을 지고 말 위에 앉았다. 당주의 기치는 그중 한 사람의 몸에 함께 단단히 결박해서 묶은 다음 우스꽝스런 꼬락서니로 성 안을 한 바퀴 돌게 하였다.

안시의 성민들은 그들이 머지않아 당군을 맞아 싸우고 그 싸움에 마침내 전원 옥쇄하여 죽을 수밖에 없다는 불길한 예감을 알고 있었지만 누구 하나 동요하거나 두려워하는 사람은 없었다. 성민들은 모두 거리로 나와 말 위에 거꾸로 묶인 채 성문을 빠져나가는 황제의 밀사들을 손가락질하면서 바라보았다. 어떤 성민들은 침을 뱉었다. 어떤 어린아이는 꼬챙이에 분뇨를 묻혀 그들의 몸에 묻히기도 하였다. 이윽고 성문 앞에 다다르자, 수졸이 문을 열고 채찍으로 말들의 엉덩이를 세차게 후려쳤다. 놀란 말들이 당의 군영으로 사납게 달려 나가기 시작했다.

당의 진영에서 밀사의 일행이 나오기를 기다리고 있던 태종은 자신의 밀사들이 우스꽝스런 모습으로 조롱받고 쫓겨나오는 모습을 발견하였다. 태종은 그들의 받은 모욕이 곧 자신의 위신과 군세에 대한 조롱임을 즉시 알아차렸다.

"짐이 만약……."

태종은 이를 악물면서 말을 뱉었다.

"안시성을 함락하여 복속시키게 된다면 안시에 사는 남자들은 모두 구덩이를 파고 그 속에 죽여 넣을 것이며, 계집들은 사로잡아 노비로 팔아 넘길 것이며, 어린아이들은 팔다리를 잘라 불구로 만들어 버릴 것이다."

태종은 우스꽝스런 몰골로 쫓겨나온 밀사들을 즉시 순시하였다. 그는 양만춘이 자신의 호의를 무시하였고, 천자로서의 존위에 정면으로 도전하였음을 알고 있었다.

"······그리하여 안시의 성 안에는 살아 있는 것은 하나도 남아 있지 못하게 할 것이다. 풀도 나무도 모두 태워 죽일 것이며, 벌레도 미물도 용서치 않을 것이다. 완전히 초토(焦土)화시켜서 타버린 재밖에 남아 있지 않게 할 것이다."

태종의 노기는 하늘을 찌를 듯이 충천하였다. 그는 즉시 전군에게 안시성을 향해서 총격전을 명령하였다. 승승장구의 당군은 모두 갑옷을 입고 마상에 올라 전군을 지휘하는 황제의 모습을 보자 벌떼처럼 일어나 안시성을 향해 진격하였다. 돌격을 독려하는 북 소리와 피리 소리가 하늘을 진동하고, 고함을 지르는 소리가 천지를 뒤흔들었다. 이세적의 군사들은 성채를 돌격할 때 사용하는 최신무기를 성채 앞에 일렬로 세워놓고 일제히 돌격할 돌을 쏘아 성을 허물기 시작하였다. 거대한 돌덩어리를 장전하여 잡아당길 때마다 한꺼번에 수십 개의 돌덩어리가 탄환이 되어 날아가는 충차는 당군이 가장 자랑하는 공성(攻城) 무기였다.

돌덩어리가 날아갈 때마다 안시성의 성채는 무너져 내려갔다. 그러나 안시성을 지키는 고구려의 군사들도 만만치 않았다. 그들은 성채가 무너질 때마다 즉시 목책(木柵)을 세워서 그 무너진 곳을 막고 튼튼히 방비하였다. 죽기를 각오한 완강한 군사들이 가까스로 성채에 운제를 걸고 그 사다리를 오르기를 수십 차례 시도하였지만, 성 안을 방비하는 고구려 군사들이 쏘아대는 빗발 같은 화살에 번번이 쓰러져 오르는 자가 없었다. 워낙 성채가 단단한 데다가 주위를 둘러싼 험준한 성벽이 천연요새를 이루고, 지형이 험해서 도저히 당군의 접근을 허락지 않고 있었다. 할 수 없이 당군은 비루(飛樓)와 팔륜차(八輪車)를 동원하여 성 가까이 이것들을 세워놓고 그 위에 올라가 성 안을 굽어보고 활을 쏘게 하였지만 그것은 소규모의 공격방법이었지, 적을 무너뜨릴 수 있는 적극적인 공격방법이 되지 않았다.

이미 요동성을 공격할 때 온갖 방법으로도 성을 함락시키지 못한 경험을 하였던 태종은 안시성이 요동성보다 더 험준하여 함락시키기 힘들 것이라는 것을 금세 간파하였다. 그때 태종은 인간의 힘으로 다룰 수 없는 일은 자연의 힘을 빌려 그 힘을 이용하여 공격하여야 한다는 시신의 말을 전해 듣고 느낀 바가 있어 화공법을 사용했던 사실을 상기했었다.

4만 명의 정예 당군이 보름이 넘도록 접근조차 하지 못하였던 요동성을 불붙인 화살에 의해서 타오른 화염이 단 하룻밤 안에 요동성을 모두 태워버린 사실을 태종은 새삼스레 기억해내었다. 태종은 면밀하게 지관을 불러다가 바람의 풍세(風勢)가 하루에 어떻게 변하고 바뀌는가를 조사할 것을 명령하였다.

그러나 이상하게도 안시성으로 불어가는 바람의 방향은 일정하지 않고, 시도 때도 없이 제멋대로 날아가고 불어가고 있다는 사실이 밝혀졌을 뿐이었다. 계곡이 깊고 절벽이 험준한 지형 탓으로 일정한 방향 없이 제멋대로 휘날리고 있다는 것이었다.

지관의 말은 사실이었다.

태종 스스로 앞산 위에 걸린 당주의 깃발이 일정한 방향을 향해 흔들리지 않고 사방으로 제멋대로 흔들리고 있음을 확인하였다. 바람의 방향이 일정치 않은 이상 화공법을 쓴다는 것은 무모한 짓이었다. 화공법에는 바람의 방향이 가장 중요한 요점으로서, 일단 화공을 쓴 이후에 바람의 방향이 바뀌어지면 자칫 불꽃의 방향이 적을 향해 덤벼들지 않고 아군의 진영으로 덤벼들어 오히려 무서운 불의 참화를 당군 스스로 입을 우려가 있기 때문이었다.

그러나 태종은 빠른 시일 내에 안시성을 무너뜨릴 수 있는 방법은 화공법밖에 없음을 잘 알고 있었다. 그는 위험을 각오하고 서풍이 불어 오는 저녁때를 기다려 스스로 비루 위에 올라 불을 붙인 화살을 쏘아 안시성으로 띄워 보냈었다. 황제의 뜻을 따라서 수천 명의 군사들이 불붙인 화살을 성 안으로 띄워 보내었고, 곧 성 안의 다락에 불이 붙어 화광이 충천하기 시작하였다. 곧 성 안은 불바다로 타오르기 시작하였다. 다행히 바람의 방향이 일정하게 안시성 쪽으로 몰려가고 있었다. 이처럼 알맞은 때와 호기는 더 이상 찾아오려야 올 수 없을 만큼 적절한 것이었다. 강풍에 실린 불은 무서운 기세로 타올라 곧 나무와 숲을 태우기 시작하였다.

그때였다. 갑자기 강풍에 맑은 하늘은 먹구름이 가리고 뇌성벽력이 마른하늘을 찢어버린다 싶더니 느닷없이 뇌우(雷雨)가 쏟아지기 시작하였다. 한 치의 앞을 예측할 수 없는 이상한 일기였었다. 간신히 불붙어 타오르던 화염이 거세게 내리쏟는 폭우에 단숨에 꺼져버리고 신명의 조화처럼 무서운 기세로 내리쏟던 빗줄기는 불꽃을 잠재우고는 언제 그랬냐는 듯 시치미를 떼고 씻은 듯이 맑게 개어 있었다.

태종은 만만하게 물러나지 않았다. 그는 다음 날 저녁 다시 화공을 쓰기 시작하였다. 그러나 이날의 바람은 전혀 종잡을 수 없는 미친 광풍이었다. 간신히 쏘아 성 안에 불을 댕겼다 싶은데 바람이 오히려 동쪽으로 불어와 바람에 실린 불꽃이 당군 쪽으로 몰려오기 시작하였던 것이었다. 성채 앞에 군막을 설치하였던 당군의 진영이 화염에 휩싸이게 되어 당군은 막대한 피해를 입고 물러서 진영을 다시 정비하지 않으면 안 되었다. 스스로 천자로서 하늘의 아들이라고 믿고 있는 태종은 하늘과 땅, 물, 바람, 그 모든 자연의 힘이 하늘의 아들인 자신을 위해서 도와주리라고 믿고 있었는데, 두 번씩이나 자신에게 실패를 내려준 것은 바람의 신[風神]이 자신에게 이제 다시는 그런 방법을 쓰지 말라고 계시를 내린 것이라고 결론을 내릴 수밖에 없었다.

태종은 몹시 초조해지기 시작하였다. 그 어떤 공격에도, 그 어떤 방법에도 성채는 끄덕도 하지 않았다. 전군이 안시성의 주위를 둘러싸고 단단하게 포위하여 개미새끼 하나 얼씬거리지 못하게 하였지만, 성 중의 백성들에게서 굶주린 기색은 엿보이지 않고 있었다. 아침마다 성 안에서 새벽 여명을 알리는 닭소리가 요란하고, 새벽 정적을 찢는 개들이 짖고 있는 것으로 보아 안시의 성민들은 양식 걱정은 전혀 없는 모양이었다. 만약 먹을 양식 걱정에 근심이 생겼다면 닭을 잡아먹을 것이며, 양식을 축내는 개들부터 때려죽여 잡아먹을 것이 분명했기 때문이었다. 닭이나 개와 같은 가축을 기르고 있다는 것은 그만큼 먹을 걱정은 하지 않을 만큼 양곡이 풍부하고 비축해놓은 군량이 풍부하다는 신호였다.

초조해진 것은 태종뿐이 아니었다. 태종 휘하의 모든 장수와 군사들이 모여서 계책을 논하였다.

먼저 도종이 나서서 간하였다.

"병법에도 이런 말이 있습니다. '성에도 쳐서 이길 성과 치지 못할 성이 있다' 하였습니다. 신이 보기에도 안시성은 치지 못할 성이라고 생각됩니다. 안시성은 지형도 험하고 군사도 정하며 그 성주의 자질도 용감하다 합니다. 공연히 이곳에서 쓸데없는 공방으로 귀중한 시간을 낭비하는 일보다는 먼저 남쪽의 건안성을 쳐 이긴다면 안시성은 자연 우리들의 복중에 있을 것이 아니겠습니까."

"그 말은 불가합니다."

채 말이 끝나기도 전에 요동도행군 대총관 이세적이 벌떡 일어나 말을 막았다.

"선대의 수나라가 고구려와의 싸움에서 패하였던 것은 지금 장군께서 말하였던 것처럼 눈앞의 적들부터 차례차례 쳐서 멸하지 않고, 적들을 남겨두어 화근을 없애지 않고 서둘러 공격부터 하였기 때문입니다. 건안성은 남쪽에 있고 안시성은 북쪽에 있는데 우리의 군량은 모두 다 북쪽 요동에 있사옵니다. 만약 우리들이 지금 안시를 넘어서 건안을 치다가 안시의 고구려 군사들이 우리들의 배면을 공격하여 군량의 양도를 끊어버린다면 어찌할 것입니까. 먼저 안시를 치는 것만 못합니다. 안시만 함락된다면 북을 두드리고 피리를 불면서 건안을 쉽사리 빼앗을 수 있을 것입니다."

이세적의 말이 끝나기가 무섭게 고연수가 자리에서 일어나 말하였다. 한때는 고구려 요동군 15만 대군의 대장군이었던 고연수는 이제 당군에게 투항하여 홍로경이란 직위를 새로 받고 태종에게 충성을 다짐하고 있는 터였다. 그는 이제 자신이 모실 주인이 바뀌어 따로 생긴 이상 새 주인에게 충성하여 신임을 얻어야 한다고 굳게 믿고 있었다.

"신은 이제 처지가 바뀌어 대국을 섬기게 되었습니다. 그렇게 된 이상 어찌 천자에게 감히 정성을 다하지 않을 수 있겠습니까. 안시성의 사람들이 모두 자기 처자를 아끼어 죽기를 각오하고 싸우니 갑자기 이를 쳐서 이기기가 쉽지 않다고 생각됩니다. 지난번 저희가 15만 명의 병력을 가지고도 대국의 붉은 깃발을 바라보자 곧바로 무너져버렸습니다. 오골성의 욕살은 몸이 늙어 굳건히 지킬 수 없는 터이오니 이제 군사를 옮기어 떠나면 오골성의 군사들은 붉은 당군의 깃발만 보아도 스스로 무너져 아침에 당도하면 저녁에 이길 것이고, 그 나머지 역로의 작은 성들은 반드시 그 바람에 무너질 것입니다. 그런 뒤 물자와 군령을 거두어 북을 두드리고 앞으로 나아가면 평양성도 쉽게 무너뜨려 함락시킬 수 있을 것입니다. 신에게 그러한 기회를 주옵신다면 반드시 공을 세워 신명을 바칠 것입니다."

고연수의 말이 끝나자 여러 장수들이 일제히 일어나 말하였다.

"경의 말이 옳습니다. 안시성에 매달려 쓸데없이 시간을 허비할 것이 아니라 나아가 싸우는 편이 훨씬 상책입니다. 지금 장량의 군사가 비사성에 있어, 부르면 이틀 만에 도착할 것입니다. 그러하면 우리 당군은 모두 십만의 대군이 될 것입니다. 이 엄청난 군세로 오골성을 취하고 단숨에 압록강을 건너 곧장 평양성을 빼앗는다면 쉽게 이길 수 있을 것입니다."

그러자 묵묵히 이를 듣고 있던 장손 무기가 이를 반하고 일어서서 간하였다.

"천자의 친정(親征)은 제장(諸將)의 정벌과 달라서 요행을 바라서는 안 됩니다. 신은 이세적 총대관의 뜻이 옳다고 생각됩니다. 지금 안시성 건안성의 성민이 십만 명에 달하고 군세 또한 막강한데 만약 우리들이 군사를 돌려 오골성으로 나아간다면 반드시 안시, 건안의 고구려 군사들이 우리들의 배면을 공격하여 우리를 사위에서 포위하게 될 것입니다. 그러니 우선 눈앞의 적인 안시성을 깨뜨리고 그 다음에 건안성을 깨뜨린 후 그 기세를 몰아 내지로 쳐들어가는 것이 만전의 계책이라고 할 수 있을 것입니다."

여러 장수들의 의견이 완전히 둘로 갈라졌다. 이세적과 무기는 눈앞의 적인 안시성을 우선 파하고 다음에 건안성을 파하여나가는 순리(順理)를 주장하는 데 반해서, 도종과 고연수를 비롯한 나머지 장수들은 눈앞의 적인 난공불락의 안시성에 지나치게 연연해서 황금과 같은 촌음을 헛되이 허비할 것이 아니라 이대로 군사를 몰아 적의 심장부인 평양성으로 쳐들어가자는 주장이었다.

제장들이 이것이 옳으니, 저것이 옳으니 갑론을박하는 동안 태종은 묵묵히 지키고 앉아만 있었다.

오랜 침묵 끝에 태종이 입을 열어 말하였다.

"그대들의 말은 충분히 잘 들었다. 짐이 듣기에는 두 가지의 의견 모두 옳다고 생각한다. 처음부터 우리들이 장안성을 출발할 때부터 선대의 수나라의 실패를 교훈 삼아 눈앞의 적들을 차례차례 파하고 이를 멸해서 화근을 없애고 앞으로 나아가는 정공법(正攻法)을 이번 전쟁의 주된 계책으로 삼고 있었다. 이제 와서 안시의 성이 단단하고 엄중히 방비한다 해서 우회하여 이를 피해 나아감은 순리의 도에 어긋난 일일 것이다. 그리하여 짐은 눈앞의 적인 안시부터 차례로 멸해 이를 파할 것이다. 더욱이 안시의 성주인 양만춘은 짐이 보낸 밀사를 노골적으로 비웃고 이를 조롱하였다. 짐은 안시를 멸해 성주는 능지처참하고 남자들은 모두 구덩이 속에 파묻고 계집은 모두 사로잡아 노비로 팔아넘기고 늙은이 어린아이 할 것 없이 불구로 만들어 살아 있는 것은 하나도 남기지 않으리라던 처음의 결의를 반하지는 않을 것이다."

태종의 눈빛은 무서운 증오심과 결의로 빛나기 시작했다. 태종의 심중을 헤아린 이상 여러 장수들은 감히 입을 열어 황제의 뜻과 다른 의견을 주장할 수는 없었다. 여러 장수들은 황제가 눈앞의 적인 안시성에 대해 얼마나 깊은 원한과 얼마나 무서운 적의를 가지고 있는가 확연히 알 수가 있었다.

"그러나 눈앞의 적인 안시성은 원래 성이 험하고 지형이 워낙 난하여 이를 파하기가 보다시피 쉽지가 않아 밤낮을 가리지 않는 공격에도 벌써 한 달이나 세월을 허송한 바가 되었다. 각종 기계가 성채를 허물지도 못하였고 화공마저도 듣지 않았다. 고작 5만여 평에도 미치지 못하는 이처럼 작은 성 하나를 오군(吾軍)의 정예부대가 이를 당하지 못함은 부끄럽고 수치스런 일이다. 그대들에게 짐이 바라는 것은 눈앞의 적인 안시를 파할 수 있는 계책을 말하라는 뜻이었지, 눈앞의 적인 안시를 피해 다른 방도를 구하라는 뜻은 아니었다."

황제가 다소 힐책하듯 여러 장수들을 꾸짖어 말하자 안시를 두고 다른 성부터 치자고 주장하던 여러 장수들의 낯빛에 부끄러운 기색이 망연히 떠올랐다. 그러자 제일 먼저 안시를 우회하여 다른 성부터 치자고 주장하였던 도종이 입을 열어 간하였다.

"안시성이 그토록 성이 단단한 것은 그 지형이 사납고 험준한 절벽을 천연요새로 삼고 있을 뿐 아니라, 워낙 높은 곳에 위치하고 있기 때문입니다."

도종은 말을 이어 내려갔다.

"무릇 전쟁에서 이기는 길은 우선 적들보다 먼저 높은 곳을 차지하여 위에서 밑을 보고 공격하는 길을 모색하는 길입니다. 높은 곳에서 낮은 곳을 향하여 내려다보고 싸우는 일은 낮은 곳에서 높은 곳을 올려다보고 싸우는 것에 비하면 월등히 유리한 방법인 것입니다. 우리 군사가 안시성을 쉽사리 파하지 못하는 것은 성채가 단단하고 천연요새인 탓도 있지만 성채가 높아 이를 올려다보고 밑에서 위로만 공격하고 있는 탓일 것입니다. 적들은 우리를 굽어보고 싸우고 있으며 우리는 적들을 우러러보고 싸우고 있습니다. 따라서 우리가 쉽게 안시성을 파하려 한다면 적들을 우러러보고 싸우지 않고 적들을 굽어보고 싸울 수 있는 방법을 찾아야 할 것입니다."

도종이 말을 끝내자 황제가 입을 열었다.

"그대의 말이 과연 옳다. 하지만 그것은 공론이요, 공담이 아닐 것인가. 어떻게 우리 군사가 적들을 굽어보고 싸울 수가 있단 말인가."

"방법이 없는 것은 아닙니다."

도종이 조심스럽게 입을 열었다.

"어렵기는 하지만 방법은 있습니다."

"그것이 무엇인가."

"토산(土山)을 쌓는 일입니다."

도종이 말을 받아 이었다.

"안시의 성 옆에 흙을 실어 날라다가 흙으로 산을 만드는 방법입니다. 여러 사졸들을 분번(分番)하여 실어 나른다면 한 달이면 성 안을 굽어볼 수 있는 산을 만들 수 있을 것입니다. 한편으로 군사들을 부려 적과 교전을 하고 다른 한편으로는 토산을 쌓아 그 높은 곳에서 적을 굽어보고 공격한다면 적들은 마침내 무너지고 파하게 될 것입니다."

태종이 그의 말을 듣고 나자 무릎을 치면서 감탄하였다.

"그대가 내게 형안(炯眼)을 주었다. 짐은 그대의 뜻에 따르겠다. 이제부터 그대는 토산을 쌓도록 하라."

이로부터 도종은 토산을 쌓는 지휘 장수가 되어서 전군을 둘로 나누어 한쪽은 적과 교전하고 또 한쪽은 흙을 날라 성채와 나란히 산을 쌓는 역사를 시작하였다. 이 일은 난공사였다. 워낙 바위가 많은 산이었으므로 흙을 구하기가 사금을 캐기보다 어려운 일이었다. 흙을 구해 오려면 산기슭까지 내려가 흙을 실어 날라 올라와야만 했었다. 전 군사가 토산을 쌓기를 주야로 쉬지 않고 계속하였다. 한편 안시성 안에서도 당군이 토산을 쌓는 것을 보고 따라서 성의 높이를 더하는 작업을 새로 시작하였다. 교전을 멈추고 기묘한 싸움이 새롭게 시작된 셈이었다. 누가 더 높은 곳을 점하는가를 경쟁하듯 당군이 만드는 토산이 높아질 무렵이면 안시성의 군사들도 주야를 쉬지 않고 성채를 새로 쌓아 그 높이를 올리고 있었다.

당군으로 보면 악전고투였다.

간신히 산이 이루어졌다 싶은데 느닷없이 우기(雨期)가 몰아닥쳐 애써 만든 토산의 한 모퉁이가 부서져 아침에 와르르 무너지기도 했었다.

5월에 시작된 안시성 공격은 7월 하순인 우기에 접어들면서도 전혀 진척을 보이지 않고 있는 셈이었다. 우기가 지나도록 안시성을 굽어볼 수 있는 토산조차 제대로 쌓지 못하고 공격이 지지부진으로 소강상태에 접어들자, 여러 장수들은 마음속으로 몹시 우려하였다.

고구려로 원정을 떠날 때 태종을 비롯한 여러 제장들은 적어도 요동 지방에서는 일찍 한기가 들어 풀이 마르고 물이 얼어 군마가 오래 머물기 어려우므로 적어도 9월까지는 평양을 함락시켜야 한다고 작전계획을 짜두고 있었던 것이었다. 그러므로 평양으로 쳐들어가는 요로에서는 모든 싸움을 속전속결로 이끌어나가지 않으면 안 되었다. 그러나 벌써 안시성의 공격 하나만으로도 두 달 이상 시일을 끌고 있었고, 그럼에도 불구하고 안시성은 끄떡도 하지 않고 있었다.

한 달이면 안시성을 굽어볼 수 있는 토산을 쌓을 수 있다는 도종의 장담은 때이르게 찾아온 우기로 벌써 거짓말이 되어버렸으며, 집요한 군사들의 공격은 사력을 다한 안시성의 고구려 군사들의 방어로 전혀 맥을 못 추고 있었다. 이제껏 승승장구 승리의 기세를 드높이며 파도처럼 밀려오던 당군의 기세는 일단 안시성의 완강한 방어로 꺾인 셈이 되었다.

그러나 누구 하나 황제에게 그 뜻을 감히 진언하는 사람은 없었다. 안시성에 대한 원한과 증오심이 태종의 가슴에 무서운 복수심으로 불타오르고 있었기 때문에 감히 황제에게 안시성을 포기하고 우회하여 군사를 몰아가자는 말을 건넬 수는 없었다.

우기로 무너진 토산을 다시 쌓아올리기를 60여 일, 그러니까 두 달 만에 토산은 완성되었다. 전군이 둘로 나뉘어 밤낮을 가리지 않은 공사로 마침내 성 중을 아래로 굽어볼 수 있는 토산이 완성된 셈이었다. 연 50만 명의 인력을 들여 두 달을 쉬지 않고 토산을 쌓았으므로 마침내 산마루가 성보다 두어 길이 높아져 성 중을 내려다볼 수 있게 된 것이었다. 성 안을 내려다볼 수 있는 산이 새로 생기게 되었으므로 싸움의 주도권은 당연히 당군의 것이었다. 도종은 휘하의 두 장군인 과의(果毅), 부복애(傅伏愛)로 하여금 군사를 거느리고 산정에 주둔하여 적을 공격케 하였다. 싸움의 주도권은 완전히 뒤바뀐 셈이었다. 이제껏 높은 곳을 차지하고 위에서 낮은 곳을 내려다보고 싸웠던 안시성의 고구려군은 완전히 수세에 몰리게 되었다. 성의 높이보다도 훨씬 더 높은 산정을 점하고 그곳에서 날아오는 화살은 빗발치듯 하여 고구려군은 죽고 다치는 자가 부지기수였으며, 산정에 설치한 포차에서 날아오는 집채와 같은 바윗돌은 성 안의 가옥을 단숨에 부서뜨리고 죽음의 공포로 몰아넣었다.

당군의 공격을 두어 달 가량이나 용케 막아내고 있던 안시성의 고구려 군사들은 이제 더 이상 버티어나갈 재주가 없었다. 군량이 아직 충분히 남아 있다고는 하지만 고구려군의 대부분은 죽고, 다치고 부상을 입어 쓸 만한 자가 반 가량도 채 못 되었다.

"어쩔 것인가."

성주가 침통한 목소리로 입을 열었다.

"이제 마침내 당군은 토산을 쌓아 그 산정이 우리의 성채보다 두어 길이나 높아졌다. 우리는 위에서 쏘아대는 화살과 돌을 막을 방도가 없다. 어쩔 것인가. 이제 우리는 그대로 앉아서 죽음을 맞을 것인가 아니면 이제라도 백기를 들고 일어나 항복하여 구차하게 생명을 건질 것인가."

"항복은 불가합니다."

고원부가 대갈하면서 소리쳐 말하였다.

"당주 태종은 우리가 백기를 들어 전부 항복하여 나간다 하더라
도 항복을 받아들이지 아니하고 우리들 모두 목 베어 죽일 것입니
다. 이미 성주님께오서는 태종의 청항서를 무시하여 그 사신을 조롱
하여 쫓아 보내지 않았습니까. 항복하여 죽으나 전원 싸우다 옥쇄하
여 죽으나 죽는 것은 매일반이라고 생각합니다."

고원부의 말은 옳았다. 그러므로 아무도 그의 말을 가로막아 반하
는 사람은 없었다.

"적이 토산 쌓기를 두어 달 하여 이제 우리의 성채보다 두어 장이
나 높은 산을 만드는 데 성공하였습니다. 우리가 싸움에서 열세로
몰린 것은 바로 토산 때문입니다. 그러므로 우리가 그 토산만을 다
시 빼앗아 고지를 점령한다면 적들은 이제 더 이상 견디려야 견딜
수가 없을 것입니다. 신이 본즉, 다행히 토산을 지키는 군사들은 수
천에 지나지 않습니다. 적장 도종의 두 장수가 지키고 있다고는 하
지만, 산을 쌓았다는 기쁨에 취해 방비가 허술하기 이를 데 없습니
다. 만약 성주께오서 신에게 따로 3천의 군사만 주옵신다면 결사대
를 조직하여 성을 빠져나가 반드시 그 산을 빼앗고 돌아오겠나이다.
만약 신이 그 산을 빼앗아 돌아오지 못한다고 하면 그때 가서 적에
게 항복하여도 늦지 않을 것입니다."

그날 밤 난데없이 성의 정면 쪽에서 고구려의 군사들이 쏘아대는
화살이 날아오기 시작하였다. 지금까지 볼 수 없던 고구려군의 선제
공격이었다. 느닷없이 기습을 당한 당군들은 전원 성채의 앞부분에
몰려들어 고구려군과 교전하기 시작하였다. 이때를 틈타서 성의 북
쪽 문이 열렸다.

남은 고구려군 중에서 고르고 고른 3천의 정예 고구려군이 고원부의 지휘 아래 성문을 빠져나왔다. 그들은 모두 붉은 투구와 붉은 갑옷을 입고 있었다. 맨 앞의 장수들은 황제의 친정군임을 상징하는 붉은 깃발을 세워들고 있었다. 적의 눈을 속이기 위해서 성문을 빠져나오기 전에 모두 당군으로 위장하여 적의 군복을 입고 변복하였던 것이었다. 빠르고 날쌘 말 위에 몸을 실은 3천의 고구려군은 당군이 정면에서 공격해 오는 고구려 군사들과의 교전으로 정신을 팔고 있는 사이에 토산의 기슭으로 몰려들었다.

도종의 두 휘하 장군 중의 과의는 군사를 거느리고 산정을 지키고 있었지만, 부복애는 사사로이 부소(部所)를 떠나 있었다. 과의는 산 아래에서부터 쳐올라오는 고구려 군사들을 맞자 몹시 당황하였다. 같은 붉은 갑옷으로 위장한 고구려군이었으므로 당군은 수적인 우세에도 불구하고 잠시 극심한 혼란에 빠져버렸다. 같은 군사가 아군을 치는 기계(奇計)에 당군은 삽시간에 혼란에 빠져버렸다. 산정의 군사들은 미처 갑옷을 차려입을 사이도 없이 고구려군의 급습을 받은 셈이었다.

고구려 군사들은 닥치는 대로 적들을 찔러나갔다. 간신히 갑옷을 차려입은 과의가 사태의 심각함을 알아차리고 군사를 수습하고 몰아 맞아 싸웠지만 이미 고구려 군사의 적수가 되지 못하였다.

군사를 몰아 앞장 서 쳐들어오던 고원부가 적장 과의와 마주치자 소리를 지르면서 장검을 빼어들었다.

"게 섰거라, 쥐새끼 같은 놈. 네 목을 베어 참하리라."

과의가 칼을 빼어 고원부를 맞아 싸웠다. 수십 합이 마주치는 동안 과의는 자신이 도저히 고원부의 적수가 되지 못함을 알고 말머리를 돌려 도망치려 하였다. 이를 보던 고구려 군사들이 일제히 활을 쏘아 적장 과의를 말 위에서 거꾸러뜨렸다. 말에서 거꾸러지는 것을 기다려 고원부가 달려가 적장의 목을 베니 장수를 잃은 당군들은 일제히 칼과 활을 버리고 산 아래로 도망치기 시작하였다.

눈 깜짝할 사이에 두 달 동안 애써 쌓은 토산이 새로운 주인을 맞는 순간이었다. 고원부는 산정의 군사를 풀어 주위를 엄중히 경계하게 하고 산정에 꽂힌 당군의 깃발을 뽑아 부숴뜨린 후 고구려군의 깃발을 새로이 꽂았다. 싸움이 고구려의 승전임을 알리기 위해서 고원부는 부하를 시켜서 산정 위에서 봉홧불을 피워 올리게 하였다.

고원부가 토산을 급습하는 동안 적의 눈을 가리기 위해서 일부러 정면공격을 감행하였던 고구려 군사들은 일제히 토산 위에서 솟아오르는 봉홧불을 보자 소리를 지르면서 환호하였다. 양만춘은 고원부가 마침내 토산을 점령하였음을 알고 눈물을 흘리면서 기뻐하였다.

한편 산상에서 싸움을 지휘하던 태종은 난데없이 토산 위에서 봉화가 피어 오르는 것을 보았다.

"저것이 무엇인가."

태종은 불길한 예감으로 주위를 돌아보면서 소리쳐 물었다. 그러나 아무도 그 말에 대답하는 자가 없었다.

칠흑 같은 야밤에 토산의 산정 위에서 화공이 충천하듯 봉화가 타오르고 있음은 괴이한 일이었다.

"어떻게 된 일인가."

태종은 토산을 지키는 명령을 받는 도종을 돌아보면서 물었다. 그러나 영문을 모르는 도종은 뭐라고 대답할 말을 떠올리지 못하였다.

"토산 위에서 무슨 변고가 일어난 것인가?"

"아, 아닙니다."

도종이 힘써 답하였다.

"그럴 리가 없습니다. 산은 과의와 부복애 두 장수가 5천의 군사를 거느리고 굳게 지키고 있습니다."

그때였다. 간신히 고구려군과의 싸움에서 목숨을 구한 수졸 하나가 피투성이가 되어서 황제의 앞에 이르렀다. 온몸은 갈가리 찢겨 피투성이가 되었으며 화살 두 개가 등에 꽂혀 있었다. 숨이 턱에 차오르고 있는 군사는 헐떡이면서 말하였다.

"적에게 토산을 빼앗겼습니다."

설마설마하던 장수들은 할 말을 잊었다.

말에서 굴러 떨어진 수졸은 헐떡이면서 말하기 시작하였다. 당군으로 위장하여 붉은 갑옷을 입은 고구려군이 갑자기 밀어닥쳤다는 것, 과의는 용감히 싸웠지만 죽고 말았고 부복애는 부소를 떠나 자리를 지키지 못하였다는 것, 그리하여 마침내 산을 고구려군에게 빼앗기고 말았다는 것. 보고를 받은 태종의 얼굴은 노기로 와들와들 떨리고 있었다. 거의 동시에 사사로이 자리를 떠나 부소를 지키지 못하였던 부복애가 사로잡혀 황제의 앞으로 결박되어 끌려왔다.

그는 술에 취해 있었고 극심한 공포에 사로잡혀 있었다.

태종은 아무런 말도 없이 스스로 칼을 빼어 부복애의 목을 베었다. 목은 단숨에 잘려져 땅 위에 구르고 붉은 선혈이 솟구쳐 올랐다. 황제는 피 묻은 칼을 닦으려 하지 않고 순시(殉示)한 부복애의 시체를 다시 베어 조리를 돌리면서 명령하였다.

"이제 짐은 평양성을 빼앗기보다 안시성을 빼앗는 일에 총력을 다할 것이다."

자신의 부하인 부복애가 부소를 지키지 아니하고 사사로이 노닐고 있다가 고구려군에게 토산을 빼앗기고 친히 태종의 칼에 참수되어 죽는 것을 보는 순간, 도종은 맨발로 기하(旗下)에 나아가 무릎을 꿇고 울면서 죄를 청하였다.

"신이 덕망이 부족하여 부하가 죽음으로써 토산을 지키지 못하였습니다. 대죄는 마땅히 신의 부하들의 것이 아니라 신의 것이므로 제 목을 베어 본을 삼으십시오."

태종은 노기를 띤 얼굴로 도종을 내려다보면서 부복애를 벤 피 묻은 칼을 들어 허공으로 치켜올렸다. 황제가 친히 부하의 죄를 물어 도종을 치려 한다고 주위의 장수들이 긴장하여 숨을 죽이고 있는 순간, 태종은 칼을 내리고 낮은 소리로 말하였다.

"부하를 소홀히 다룬 죄 마땅히 네가 짐의 칼에 죽어 마땅하겠으나 네가 일찍이 개모성과 요동성을 파할 때, 공을 세웠으므로 이를 용서하겠다. 옛날 한나라의 왕회(王恢)는 무제(武帝)의 반대에도 불구하고 흉노(匈奴)를 정벌하려다 실패하여 무제에게 죽음을 당하였으나, 진(秦)의 백리맹명(百里孟明)은 진(晋)을 징벌하려다가 대패하였지만 목공(穆公)이 그를 죽이지 않고 여전히 등용하였으므로 감격한 맹명은 훗날 죽음으로써 싸워 공을 세웠다고 한다. 짐도 역시 부하의 죄를 물어 죽인 무제보다는 부하의 죄를 용서해준 목공을 더 훌륭한 사람이라고 생각하고 있다. 그러므로 너를 죽이지 않고 용서해주니 필히 무공을 세워 이를 갚을지어다."

도종이 울면서 맨발로 기어가 태종의 발 밑에 꿇어앉아 충성을 맹세하였다. 이를 지켜본 여러 장수들은 태종의 원한과 증오가 얼마나 뼛속 깊이 스며 깊은가 새삼 헤아릴 수 있었다.

다음 날 아침.

태종은 스스로 갑옷을 입고 마상에 올라 전군에게 총공격을 명령하였다. 4만의 군사로 하여금 성 주위를 완전히 포위하게 한 다음, 일제히 성벽에 올라붙어 성채 안으로 뛰어들 것을 명령하였다. 운제를 걸치려는 당군들과 이를 막으려는 고구려군 간의 싸움은 피투성이의 혈전이었다. 간신히 운제를 걸쳐서 사닥다리를 타고 올라오는 당군을 향해, 고구려군들은 뜨거운 물을 쏟아 붓고 돌을 던지고 화

살을 쏘았다. 황제의 추상과 같은 명령에 이제는 다른 방도를 구할
수 없는 당군은 배수의 진을 치고 덤벼들었다. 쓰러져 죽은 자 위를
다시 새로운 군사들이 짓밟고 올라섰다. 일제히 쏘아대는 충차에서
는 집채같은 바위가 날아서 성문을 부수고 성벽을 허물어뜨렸다. 고
구려군은 필사적으로 덤벼들어 물밀듯이 쳐들어오는 당군을 막아
방어하였지만 중과부적이었다.

당군의 공격은 잠시도 고삐를 늦추지 않았다. 사흘 낮 사흘 밤 연
속해서 당군은 파상적으로 성벽을 공격하였다. 마침내 당군의 공세
에 안시성이 무너지기 직전이었다.

사력을 다해 싸우고 있던 고원부는 문득 이제는 안시성이 더 이상
버티지 못하고 무너진다는 사실을 직감했다. 그는 적에게 사로잡혀
포로가 되느니 스스로 자진해서 죽으리라 마음먹고 있었다. 순간 그
의 머릿속에 오래 전 유중사의 중에 의해서 신궁이라고 밝혀진 낡은
활이 문득 떠올랐다. 그때 그 중은 그 낡은 활을 고구려의 시조 동명
성조인 주몽이 쓰던 신궁이라고 말하지 않았던가. 또한 그 중은 말
했다.

'이 활은 신궁이므로 반드시 국난에서 안시성을 지켜줄 것입니다.'

고원부는 그때 무엇이든 원하는 사람의 심안만 바르게 떠 있다면
눈을 감고 쏘아도 화살은 마음먹은 대로 백발백중이라는 고승의 말
을 들었던 기억을 떠올렸다. 또한 성주의 명을 받고 나뭇가지 위를
뛰노는 새를 쏘아 명중시켜 떨어뜨리지 않았던가.

고원부는 물밀듯이 쳐들어오는 당군의 후미 쪽 붉은 기치를 세워
든 적토마 위에 황금빛 나는 갑옷을 입은 장수가 우뚝 서 있음을 노
려보았다. 고원부는 그 황금빛 나는 갑옷을 입은 사람이 누구인지
잘 알고 있었다.

태종, 당나라의 황제. 천하통일의 야망을 안고 스스로 십만여의

군사를 몰아 요동의 고구려로 정벌에 나선 용병의 천재. 그를 쏘아 말 위에서 거꾸러뜨릴 수만 있다면, 위기에 빠진 안시성은 구할 수 있을 것이다.

신궁. 고원부는 이를 악물고 그 황금빛 갑옷을 입은 태종을 노려보았다. 신궁으로 활을 쏜다면 어쩌면 저 방약무도한 태종을 말 위에서 떨어뜨릴지도 모른다. 천여 년 전 광야의 대지 위에 국가를 세우고 국기를 바로잡으신 동명성조의 신령이 깃들여 있는 신궁이라면 반드시 이 절체절명의 위기에서 적을 무찔러 거꾸러뜨릴 수 있을 것이다.

순간 고원부는 말을 타고 성주가 묵고 있는 성루로 달려갔다. 성루는 부상을 입은 군사들로 가득 차 있었다. 부상을 입은 환자들을 간호하는 아낙네들로 마당과 누옥은 발디딜 틈도 없이 꽉 들어차 있었고, 여기저기서 신음 소리가 끓어오르고 있었다. 신음을 하다 죽은 시체를 향해 달려들어 울고 있는 가족들의 비명 소리로 성루는 아비규환의 연옥과 같아 보였다.

"성주는 어디 계신가?"

고원부는 성루를 지키는 군사에게 소리쳐 물었다.

"정침에 계십니다."

고원부가 말에서 뛰어내려 정침으로 들어갔을 때 성주 양만춘은 조용히 꿇어앉아 벼루에 먹을 갈아 붓을 세워들고 글씨를 쓰고 있었다.

그의 모습에는 더 이상 적을 막을 수 없는 위기의식에서 비롯된 불안감이나 초조감은 전혀 엿보이지 않고 있었다. 그는 담담하고 평온한 얼굴로 고원부를 쳐다보았다.

"장수가 병영을 지키지 아니하고 이곳엔 웬일이신가?"

"신궁을 가지러 왔습니다."

고원부는 헐떡이면서 말하였다.

"신궁을."

쓰던 붓을 멈춰 세우며 양만춘이 의아스런 눈빛으로 고원부를 쳐다보았다.

"신궁이라니."

"저번에 성주님께서 잠에서 깨어나 머리맡에서 보았던 낡은 궁시 말입니다."

그제서야 양만춘은 비로소 생각난 듯 미소를 띠면서 물었다.

"그 낡은 활을 무엇에 쓰겠다고 장수께서 이곳까지 친히 달려왔단 말인가."

양만춘은 다소 힐난하듯 고원부를 꾸짖으며 말하였다.

"성주님도 들으시지 않으셨습니까. 유중사의 그 부도의 말을 함께 들으시지 않으셨습니까. 또한 성주님도 함께 보시지 않으셨습니까. 신이 화살을 메겨 나뭇가지 위에서 노닐던 새 한 마리를 명중시켜 떨어뜨리는 것을 보시지 않으셨습니까."

"그러하면."

양만춘이 준엄한 목소리로 말을 받았다.

"그대는 그 중의 말을 믿고 있단 말인가."

"믿고 안 믿고는 차후의 일입니다. 지금 적의 공세가 막강하여 이제 우리 성의 운명은 곧 적의 손에 넘어가게 되었습니다. 오늘 밤을 넘기기가 힘들 것 같습니다. 만약 그 부도의 말이 사실이라면 그리하여 그 궁시 속에 동명성조의 신령이 깃들여 있는 것이 확실하다면 반드시 그 넋은 우리를 도와 우리를 국난에서 구할 것입니다."

양만춘이 물끄러미 고원부를 쳐다보았다. 그의 말은 사실이었다. 이제는 지푸라기라도 붙잡을 판이었다.

"가져가거라."

양만춘이 일어서서 벽에 걸린 낡은 활을 집어들어 고원부에게 내어밀었다. 고원부는 궁시를 받아들고 우두커니 서서 성주를 우러러보았다. 양만춘은 다시 아무런 일이 없다는 듯 담담한 표정으로 붓끝에 먹물을 묻혀 들고 멈추었던 붓글씨를 써나가기 시작하였다.

고원부는 궁시를 들고 성루를 빠져나왔다. 그는 미친 듯이 말을 몰아 성채로 달려나갔다. 거리는 완전히 텅 비어 있었다. 어린아이와 늙은이들만 멍청히 앉아 있을 뿐, 움직일 수 있는 사람은 모두 싸움터에 나아가 있었다. 아낙네들은 하다못해 돌을 나르기 위해서라도 성문 앞으로 몰려나가 있었다. 그야말로 온 성 안의 사람들 모두의 힘이 집결된 총력전인 셈이었다.

더 이상 버티지 못한다. 고원부는 채찍으로 말의 잔등을 때리면서 중얼거렸다. 오늘 밤이면 성 안이 적의 손에 넘어가 불바다를 이루게 될 것이다. 이미 성벽은 무너져 만신창이가 되고 있었다.

성벽을 지키는 군사들은 완전히 제정신이 아닌 모습이었다. 성한 군사가 단 한 사람도 없었다. 모두들 부상을 입고 있었으며, 온몸에 피를 흘리고 있었지만, 더 이상 견딜 도리가 없었으므로 미친 듯이 활을 쏘고 있었다. 이미 사닥다리를 타고 성벽으로 넘어 들어온 적군을 무찔러 죽여, 성채 안은 적의 시체로 가득하였다. 화살이 떨어진 사람들은 쳐들어오는 당군을 맞아 칼을 빼어들고 휘둘러 싸우고 있었으며, 적의 화살을 맞은 군사들은 비명을 지르면서 성벽 아래로 굴러 떨어지고 있었다. 성벽 아래 역시 떨어져 죽은 고구려의 군사들로 시산혈해(屍山血海)를 이루고 있었다.

고원부는 성채 위에 서서 성 아래로 몰려오는 적의 군사들을 내려다보았다. 새까맣게 쳐 올라오는 적의 무리 어딘가에 황금빛의 투구를 쓰고 황금빛의 갑옷을 입은 태종이 아직도 말 위에 올라앉아 버티고 있는가를 돌아보았다. 언덕 아래는 티끌이 끓어올라 안개가 낀 듯 시야가 불투명하고 여기저기서 연기가 치솟아오르고 있었다. 마침 해가 질 무렵이어서 이쪽은 햇빛을 등지고 싸우고 있었으므로 적들은 햇빛을 정면으로 받고 싸우고 있었다.

성벽 아래 저 멀리 분명히, 지는 햇빛을 받고 뭔가 찬란하게 빛나고 있었다. 스스로 갑옷을 입고 마상 위에 올랐으므로 햇빛을 가리는 일산(日傘)을 쓰지 않은 것은 다행이었다. 그러나 태종이 워낙 멀리 떨어져 있었으므로 그를 쏘아 맞혀서 말 위에서 떨어뜨리기 위해서는 어쨌든 성문 밖으로 말을 몰아 나아가 거리를 좁힐 필요가 있었다.

이제는 더 이상 무엇을 망설이고 생각할 여유가 없었다. 고원부는 남아 있는 군졸 중에서 아직 부상을 입지 않은 생생한 부하 십여 기를 따로 모집하였다.

"우리는 성문을 열고 성 밖으로 나아간다."

십여 기의 결사대 앞에서 고원부가 피를 토하면서 입을 열었다.

"우리가 문을 열고 나가는 순간 성문은 다시 굳게 닫힐 것이다. 우리는 영원히 성 안으로 돌아오지 못할 것이다. 우리는 죽어서 이 성안으로 돌아올 것이다. 그러므로 이제라도 늦지 않으니 나를 따르고 싶지 않은 사람은 빠져도 좋다."

그러나 십여 기의 군졸들은 누구 하나 물러나지 않았다. 그들은 비록 입을 열어 말을 하지는 않았지만 고원부의 가슴을 헤아리고 있었다. 고원부는 전통에 세 개의 화살만을 넣어두었다. 어차피 그 이상의 화살은 소용도 없을 것이었다. 운이 나쁘다면 단 하나의 화살도 쏘지 못하고 죽어버릴지도 모르는 일이었다. 세 개의 화살 끝에는 조금이라도 맞으면 즉시 독이 온몸에 퍼질 수 있도록 독약을 발라두고 있었다. 십여 기의 결사대는 즉시 성문을 빠져나왔다. 그들이 나오자마자 성문은 굳게 다시 닫혔다.

재빠르고 날샌 말에 몸을 실은 십여 기의 결사대는 미친 듯이 적진을 향해 달려나갔다. 달라 붙는 적군들을 창으로 찌르고 칼로 베면서 앞장 선 장수가 길을 열었다. 무서운 기세였다. 한 가닥의 일진 광풍이 초목을 베고 쓰러뜨리듯 죽음을 각오한 십여 기의 군마는 당군의 진영을 교란시키면서 무찔러나가고 있었다.

군졸들에게 사위를 맡기고 홀로 오직 태종만을 향해 달려나가는 고원부는 아직 황금의 갑옷을 입은 태종과의 거리가 미치지 못함을 가늠하고 있었다. 하나하나 주위를 에워싼 군졸들이 더 이상 버티지 못하고 낙엽처럼 흩어졌다. 십여 기의 군졸들이 대여섯 명으로 줄어들었다. 어느 정도 거리가 가까워졌다 싶었을 때 고원부는 전통에서 화살 하나를 뽑아 시위를 메겨 힘껏 잡아당겼다. 미친 듯이 내쳐 달리는 말 위였으므로 목표로 하고 있는 태종의 모습이 제대로 사선(射線) 위에 들어오지 않았다.

심안만 바로 떠 있다면 눈을 감은 봉사라 할지라도 마음먹은 대로 백발백중 명중할 것이다. 고원부의 머릿속으로 그 중의 말 한 마디가 상기되어 떠올랐다. 고원부는 힘껏 잡아당긴 활시위를 손끝에서 풀어놓았다. 핑— 소리를 내면서 화살은 날아갔다.

물고기의 비늘처럼 석양빛을 가르면서 화살이 날아간 듯싶더니 이내 그 빛은 사라졌다. 고원부는 황금빛 갑옷을 입은 태종이 여전히 말 위에 꼿꼿이 앉아 있음을 눈으로 확인하였다.

대여섯 명의 군졸들 중에서 두세 명이 더 말 위에서 굴러 떨어져 쓰러졌다. 나아갈수록 한 치의 앞을 뚫기 어렵게 첩첩으로 적군들이 에워싸고 있었다.

고원부는 다시 전통에서 남은 화살 하나를 꺼내어 시위를 메겨 잡아당겼다. 아까보다 더 가깝고 확실하게 태종의 모습이 다가오고 있었다. 고원부는 힘껏 시위를 잡아당겨 화살을 날렸다. 화살은 허공을 찌르면서 날아갔지만 여전히 그곳에 태종은 꼿꼿이 앉아 있었다. 어차피 마지막이다. 고원부는 이를 악물고 마지막 화살을 전통에서 뽑아들었다. 앞을 가로막고 이리 치고 저리 치면서 혈로를 뚫어나가던 수졸이 마침내 피를 토하면서 말 위에서 거꾸러져 죽는 것을 고원부는 똑똑히 볼 수 있었다. 고원부는 주위를 돌아보았다.

단 한 명의 군졸만이 피투성이가 된 채 말 위에 매달려 있었다.

"제가 앞장서겠습니다."

선봉장이 말에서 떨어져 죽어버리자, 단 한 사람 남은 군사가 자진해서 앞으로 나왔다. 그는 장검을 빼어들고 이리저리 쳐 베면서 길을 열어나갔다. 그러나 소용없는 짓이었다. 불과 서너 길도 채 뚫지 못하고 달려 들어오는 당군의 창 끝에 그는 옆구리를 찔려서 피를 쏟으면서 말 위에서 떨어졌다. 비명을 지르면서 떨어져 땅을 구르는 군졸의 몸 위를 말발굽들이 사납게 밟고 지나갔다.

고원부는 마지막 화살을 신궁의 시위에 메겨 세웠다. 뭔가 옆구리에 극심한 통증이 왔다. 고원부는 마지막 있는 힘을 다해서 시위를 잡아당겼다. 그러나 안타깝게도 그는 잡아당긴 시위를 쏘아야 할 대상을 겨누지 못하고 그냥 놓아버렸을 뿐이었다. 그의 몸은 등 뒤에서 달려든 당군의 적장의 칼 앞에 무참하게 두 동강이로 베어졌다. 말 위에서 굴러 떨어진 그의 몸은 미친 듯이 달려든 당군에 의해서 육시되어 형체도 없이 갈가리 찢겨졌다.

그러나 이상한 일이 일어난 것은 고원부가 말에서 떨어져 능지되어버린 바로 그 직후였다. 말 위에 올라 황금빛 투구를 쓰고 바야흐로 함락 직전의 안시성을 노려보고 있던 태종이 느닷없이 비명을 지르면서 말 위에서 굴러 떨어진 것이었다. 주위를 지키고 있던 시신들이 놀라서 땅 위에 구르는 황제의 성체를 황망히 받들어 세워들었다.

황제 태종은 두 손으로 얼굴을 가리고 있었다. 비명 소리가 그의 입에서 흘러나오고 있었다. 시신 하나가 가깝게 다가서려 하자 황제가 머리를 흔들면서 말리었다. 그의 얼굴에서는 붉은 선혈이 흘러내리고 있었다. 놀란 시신들이 다가서려 하자 태종이 신음 소리를 내면서 부르짖었다.

"활을 맞았다. 의원, 시의(侍醫)가 어디 있느냐?"

그제서야 시신들은 태종이 활을 맞았음을 알았다. 그 화살은 공교롭게도 태종의 안중을 찔러 눈동자를 꿰뚫었던 것이었다.

태종은 즉시 시신들에 의해서 군막 안으로 이송되었다. 황제가 적의 화살을 맞았다는 사실은 엄중히 극비에 부쳐졌으므로 아는 사람들은 황제의 측근에서 보좌하고 있는 몇 사람에 불과했다. 장수들도 총사령관 격이랄 수 있는 이세적과 도종 등 몇몇 제장들만 알고 있을 뿐 나머지 제장들은 전혀 눈치채지 못하였다.

태종은 화살을 맞은 즉시 화살촉에 묻어 있는 독이 온몸에 번져올라 완전히 혼수상태에 이르고 말았다. 시의가 황제의 오른쪽 눈에 깊이 박힌 화살촉을 뽑아냈지만, 이미 황제의 오른쪽 눈은 실명 상태로 완전히 파괴되어 있었고, 뼛속 깊이 독이 스며들어 있었다. 급히 칼로 뼛속 깊이 스며든 독을 갉아내고 응급처치를 하였지만, 황제는 하룻밤이 다 지나도록 정신이 혼미하여 혼절상태에 머무르고 있었다.

5

황제의 어소(御所)를 직접 이세적이 지키면서 용태를 살피었다. 황제가 행여 죽음에 이르면 고구려의 정벌은 고사하고 당나라가 당장 붕괴되어 무너질 판이었다. 태종이 십만 대군을 이끌고 친정에 나설 때 장안의 조정은 아들에게 맡기고 떠났지만 아직 황제의 아들은 나이가 어려서 태종이 급서한 뒤의 후사를 이을 만큼 경륜이 부족하였다.

"용태가 어떠신가?"

이세적은 뜨거운 열에 시달리며 이따금 헛소리를 지르는 황제의 곁에서 간병을 하고 있는 시의를 쳐다보면서 초조하게 물었다.

"……아직 잘 모르옵니다."

시의가 마치 황제의 우환이 자신의 실수이기나 한 것처럼 어쩔 줄을 모르면서 대답했다.

"화살을 뽑아내고 독을 긁어내었지만 온몸에 독이 스며서 지금 당장은 무어라고 진단을 내릴 수가 없을 것 같습니다."

황제의 몸은 불덩어리였다. 열이 펄펄 끓어 온몸에 땀이 비 오듯 흘러내리는가 하면 갑자기 벌떡 일어나 큰 소리로 고함을 지르기도 하였다.

자연 싸움은 중단되었다.

이제 마악 안시성이 손 안에 들어올 것 같은 직전에서 갑자기 전쟁을 중지하라는 대총관의 명령은 불가사의한 것이었다. 당군은 즉시 전쟁을 멈추고 본 진영으로 퇴각하였다. 황제가 사경을 헤매고 있는 지금 안시성을 쳐서 승전하건, 함락시켜 멸망시키건, 그리하여 천하통일을 이루건, 그것은 아무런 의미 없는 허명(虛名)에 불과한 것이 되고 말았다. 이제 남아 있는 것은 그 헛된 야망을 꿈꾸던 하늘의 아들, 천자의 생명이 살고 죽느냐는 생사 여부에 달려 있는 셈이었다.

황제의 비극은 외부로 새어나가지 않아 전군은 전혀 모르는 사실이었지만, 왠지 승전의 기쁨에 취해 뻗어나가던 당군의 사기를 죽이고 암울하고 우울한 분위기로 침전시키고 있었다.

그 해의 여름은 유난히 짧아 8월 하순부터 풀이 마르고 한기가 내리기 시작하였다. 아침이면 서리가 내리고 물이 얼어붙기 시작하였다.

황제의 혼수상태는 일주일을 내리 끌었다. 잠시 정신이 들었다 싶으면 다시 혼절하고, 혼절했다 싶으면 입에 거품을 물고 헛소리를 하였다.

"고각을 불고 기치를 올려라. 고함을 지르고 일제히 나아가 싸워라."

그 해따라 가을이 일찍 찾아왔으므로 계속 찬비가 내렸다. 전군은 물러가 진영을 지키면서 싸움도 휴전도 아닌 침묵을 지키고 있었으며 집요하게 버티던 안시성도 무거운 침묵을 고수하고 있었다. 일주일 만에 태종은 정신을 되찾았다. 그는 자신의 오른쪽 눈이 완전히 실명해버린 것을 알자 처음에는 극도로 분노하였다. 그러나 이내 그는 체념하였다. 그는 순간 원정의 길에 오를 때 중신이었던 저수량(褚遂良)이 '원정을 하시더라도 친정은 아니되옵니다'라고 간곡히 말렸던 사실을 새삼스럽게 떠올렸다. 그는 없어진 자신의 오른쪽 눈을 손으로 가리면서 자신의 주위에서 모든 신하들이 물러가 있기를 명령하였다. 시신들이 모두 물러가자 그는 거울을 통해 자신의 얼굴을 보았고 그리고 홀로 울기 시작하였다.

순간 그의 마음속에는 살아 있을 때 자신을 도와 당나라를 창건할 때 공을 세웠던 중신(重臣) 위징(魏徵)이 떠올랐다.

"그가 살아 있었더라도……."

태종은 무릎을 치면서 탄식하였다.

"그가 죽지 않고 살아만 있었더라도, 이번 원정은 아니하도록 간곡히 말렸을 것을……."

그러나 이제는 어쩔 수 없는 일이었다. 이제 와서 새삼스레 탄식하고 후회한들 소용없는 일이었다. 또다시 진격이냐, 아니면 후퇴냐 양단간의 방향을 선택하는 일만 남아 있을 뿐이었다.

태종은 묵묵히 군막 안의 휘장을 벗겨 들판을 바라보았다. 들판은 짧은 여름이 어느덧 지나가고 조금씩 추색이 깃들여가고 있었다. 넓은 요동의 대지 위에는 어느 한 군데도 빈틈없이 차디찬 가을비가 자옥이 내리고 있었다.

앞으로 나아가 정복할 적군의 왕도보다 돌아가야 할 고향인 장안성이 더 까마득히 멀어만 보여 태종은 비감한 표정으로 누렇게 물들어가는 들판의 풀잎들을 내려다보았다.

"돌아가자."

그는 소리내어 중얼거렸다. 언제나 곁에서 더 이상의 종군은 무리라고 간하고 있던 시의의 말이 새삼스럽게 뼛속 깊이 스며들었다.

"폐하 더 이상의 친정은 불가하옵니다. 뼛속 깊이 한기가 스며들면 여독(餘毒)이 겹쳐서 신상에 몹시 해로울 것입니다. 계속 진군해 나아가신다면 여열(餘熱) 탓으로 몸져 누우셔서 일어서지 못하실 것입니다. 최선의 방법은 서둘러 돌아가셔야 할 일일 것입니다."

태종은 자옥한 가을비 속에 우뚝 서서 의연히 버티고 있는 안시성의 성채를 묵묵히 바라보았다.

저것이 무엇이란 말인가. 내 저것을 무너뜨려 함락시킨다 하더라도 무엇을 얻을 수 있단 말인가. 저것을 무너뜨린다 하더라도 저들의 왕국을 얻는 것은 아니다. 저들의 왕국을 얻으려면 더 많은 사람들을 죽이고 더 많은 사람들을 싸움터에 보내면서 죽고 죽이는 싸움을 계속해야 할 것이다. 저들의 왕국을 멸망시켜 얻는 것보다는 내 잃어버린 눈동자 하나가 더욱 소중한 것을……

서기 645년 9월. 천하통일의 꿈을 품고 당경인 장안성을 출발했던
태종 휘하의 십만 당군은 안시성에서 말발굽을 돌려 퇴군을 시작하
였다. 붉은 갑옷과 붉은 투구의 당군들은 일제히 말머리를 돌려 돌
아가야 할 먼 고향을 향해 출발하였다.

태종의 병환은 극비에 붙여졌으므로 극히 몇 사람을 제외하고는
아무도 아는 자가 없었다. 태종은 화살을 눈에 맞은 이래로 단 한 번
도 군사들 앞에 나아간 적은 없었다. 그는 장안성을 떠날 때처럼 온
량거라는 수레에만 들어앉아 아무에게도 자신의 모습을 내보이지
않았다. 아직 태종의 병이 완전히 회복된 것은 아니었으므로 극히
조심스럽게 당군은 퇴군하기 시작하였다.

당군이 퇴각하기 시작하자, 안시성의 성민들은 모두 성벽 위로 몰
려나와 손을 흔들면서 작별의 인사를 나누었다. 퇴각하는 사람이나
손을 들어 송별의 인사를 나누는 고구려 사람들이나 그 얼굴에는 기
쁨의 미소가 떠오르지 않고 있었다. 그 동안의 원한이나 증오심도
이미 가라앉아 지극히 담담하고 덤덤한 표정들이었다. 안시의 성주
양만춘은 성루에 올라 후퇴하는 당군에게 손을 들어 예를 표하였다.

후세의 작가 박지원(朴趾源)은 그의 《열하일기(熱河日記)》에서 당
나라의 황제 태종이 안시성을 공략하다 눈을 맞아 쓰러졌다는 세전
(世傳)을 기록하면서 다음과 같은 두 수(首)의 단편(斷片)을 인용하
고 있다.

당태종은 고구려를 낭중(囊中, 주머니 속)의 한 가지 물건으로만 생
각하지 않았지만, 어찌 알았으랴 자기의 눈(玄花)이 화살(白羽)에 맞
아 떨어질 줄을.(爲是囊中物爾, 那知玄花落白羽)

다른 한 편의 시는 다음과 같다.

천추에 대담한 양만춘이 화살로 용의 수염에 쏘아 그 눈동자를 떨어뜨렸다.(千秋大膽楊萬春 箭射龍髥落目牟子)

천하를 얻기 위해 십만 대군을 몰아 고구려의 원정에 나섰던 당태종은 천하를 얻는 대신 눈동자를 잃고 병독에 빠져 떠나올 때의 그 위풍당당한 위용과는 달리 그 누구의 눈에도 띄지 않게 수레에 몸을 깊이 숨기고서 풀이 마르고 물이 얼기 시작하는 요동의 대지를 서둘러 귀로에 오르기 시작하였다. 비록 당군이 요동의 제성들을 모조리 함락시켜 개선하였다고는 하지만, 돌아가는 귀로에 선 당군들은 지치고 우울하였다.

9월에 내린 비로 요동은 벌써 가을이 깊어갔고, 물이 얼어 밤을 지내고 나면 얼어 죽는 자가 부지기수였다. 돌아가는 길은 전부 진흙과 늪지대였으므로 차마(車馬)가 통하지 못하였고, 이 해따라 일찍이 눈이 내렸다. 거리의 풀을 베어다 진흙을 메우고 물이 깊은 곳은 수레로 다리를 삼아 군마가 건너게 하였지만, 10월로 접어들자 느닷없이 폭풍우가 몰아치고 강설(强雪)이 내렸다. 군사들은 창과 칼을 눈길 위에 버리고, 오직 살기 위해서 무게가 나가는 것은 모두 버리고 뒤를 따라왔지만, 젖고 습기가 차서, 병들어 죽고 지쳐 죽고 얼어 죽는 자가 태반이었다. 갈 길이 바빴으므로 사람이 죽어도 야산에 묻거나 매장을 하지 못하였고, 그대로 들에 버려 굶주린 늑대의 밥이 되기가 십상이었다. 그래서 퇴군하는 당군의 주위를 따라서 먹이를 노리는 이리와 늑대들이 번갈아 쫓아오곤 했었다.

당군의 주력부대는 대부분 부병제도(府兵制度)에 의해서 병역으로 차출된 농민들이었다. 주로 소농 출신자들의 농부들이었으므로 특히 그들은 혹한과 폭설에 약했었다.

9월에 퇴각하기 시작한 당군은 그 해 11월이 되어서야 겨우 동도인 낙양성에 들어설 수 있었다. 낙양성에 도착하기까지의 3개월 동안 당군은 고구려와의 싸움에서 잃었던 군졸보다 더 많은 수효의 군사를 폭풍설과 소택(沼澤)에 따른 돌림병으로 잃고 말았다. 수레에 갇혀 패주하는 태종도 마찬가지였다. 바깥 온도에 따라서 자동적으로 난방이 조절될 수 있도록 설계되어 있다는 황제의 어가인 온량거도 차가운 요동의 삭풍을 막아주지는 못하였다. 늪과 연못과 혹한의 풍설을 지나는 동안 태종의 병독은 뼛속 깊이 스며들어 태종의 용태는 심히 위독하였다.

간신히 동도인 낙양성에 이르고 나서 황제는 그곳에서 긴 겨울을 보내기로 하였다. 태종은 외척 장손무기(長孫無忌)를 먼저 장안성에 보내어 황자인 이치(李治)로 하여금 부왕을 맞으러 친히 낙양성까지 와줄 것을 당부하였다. 태종은 그만큼 자신의 병이 깊어 겨울을 넘기지 못할 것이라고 스스로 생각하였던 모양이었다. 천하를 통일하겠다는 야망의 꿈은 비록 무산되었다고는 하지만, 그것에 따른 패전으로 행여 내란이라도 일어나거나 민심이 흉흉하여 반란이라도 일어나 모처럼 일으킨 국가의 사직이 뿌리째 흔들릴지도 모른다는 불안이 태종의 마음을 사로잡고 있었기 때문이었다. 더구나 태자의 나이는 이제 겨우 18세에 불과하였다. 18세의 어린 나이로 행여 자신이 죽으면 황위에 올라 정사를 잘 다스릴 수 있을지 그것이 못내 불안했기 때문이었다.

부왕 태종이 고구려를 친정하는 동안 장안성에 남아 정사를 돌보고 있었던 태자 치는 외삼촌 격인 장손무기의 급보를 전해 받고 황망히 동도인 낙양성으로 달려갔다. 그는 태종의 아홉 번째의 아들이었지만 장자인 승건태자(承乾太子)가 국가반란죄로 폐위되자 16세의 어린 나이로 외삼촌인 장손무기의 후원과 인효(仁孝)가 높다는 주위의 평판을 받고 여덟 명의 형들을 제쳐놓고 황태자가 되었던 행운을 갖고 있었다.

황태자 치는 동도의 황궁에서 아버지인 태종의 어안을 만나볼 수 있었다. 태종의 얼굴을 우러러보는 순간 황태자는 놀라서 혼절이라도 한 듯 말을 잃었다.

어소의 침상 위에 누워 있는 태종의 모습은 그가 알고 있던 부왕의 얼굴이 아니었다. 용감하고 늠름하고, 입을 열어 호령하면 나는 새도 떨어뜨릴 수 있을 만큼 기세당당하던 아버지의 얼굴이 아니었다. 그곳에는 병들고 수척한 임종 직전의 늙은이가 생쥐 같은 눈을 간신히 뜨고 자신을 쳐다보고 있을 뿐이었다. 그것도 한쪽의 눈동자로만.

태자 치는 통곡을 하면서 아버지인 태종에게 간하였다. 그는 하늘의 아들인 아버님을 이처럼 보잘것없는 남루한 노인으로 만들어버린 그 책임이 어디에 있는가를 순간 깨달았으며, 그는 아버지에게 울면서 말하였다.

"명만 내려주옵신다면 반드시 이대로 군사를 몰고 나아가 아버지의 원수를 갚겠나이다."

그러나 태종은 머리를 흔들어 불가하다는 표현만 하였을 뿐 입을 열어 뭐라고 답하여 말하지는 아니하였다.

남달리 효행이 깊어, 그 점이 여덟 명의 형들을 물리치고 태자에 책봉되는 데 큰 힘이 되었던 치는 이때 마음속으로 중요한 하나의 결심을 품게 된다.

그것은 이 다음 아버지인 태종이 붕어한 다음, 그 위를 잇게 되어 황위에 오르게 된다면 반드시 군사를 내어 고구려를 멸해 아버지의 원수를 갚겠다는 결의였다.

이듬해 봄, 황태자 치는 태종을 모시고 장안성으로 환도하였다. 떠날 때와는 달리 황제를 맞는 백성들은 대로에 한 사람도 보이지 않았다. 아니 황제가 고구려에서 무사히 살아 돌아온다는 소식을 알고 있는 백성조차 드물었다. 황제가 낙양성에서 머물고 있는 동안 화급한 용태는 상당히 호전되었지만, 아직도 그의 병독은 뼛속 깊이 스며들어 있었다. 그리하여 태종은 전혀 병환이 회복되지 않아 모든 정사를 태자에게 위임할 수밖에 없었다.

마침내 649년 4월. 태종은 장안의 황궁에서 병몰하게 된다. 고구려의 안시성에서 신궁에 오른쪽 눈을 맞아 온몸에 전독이 올라 병환으로 신음한 지 4년 만에, 태종은 한 많은 일생을 마치게 되는 것이다. 일찍이 28세의 젊은 나이로 황위에 오른 당나라 제2대 황제 이세민은 북방민족의 피가 섞인 무인귀족 집안에서 태어나 타이유아(太原) 지방의 군사령관이었던 아버지 이연을 설득하여 거병시켜서 장안을 점령하고 수나라를 멸망시키고 당나라를 수립하였다. 그는 소년 시절부터 무술과 병법에 뛰어나고 동시에 결단력과 포용력을 갖추었던 영주(英主)였었다. 20세의 안팎에 벌써 군웅을 평정하고 국내 통일을 실현하였으며, 이를 질투한 황태자인 형 건성(建成) 및 동생 원길(元吉)과 다투어 마침내 그들을 쓰러뜨리고 626년 28세의 젊은 나이로 황제의 위에 즉위하였었다. 즉위하자마자 이어서 강적 돌궐(突厥)과 서역의 이민족 등 사방의 제국들을 제압하여 여러 민족들의 추장으로부터 천가한(天可汗)이란 존칭을 받았으며, 마침내 당나라를 세계의 제국으로 만들었다.

일찍이 양제의 실패를 거울 삼아 형 건성의 측근이었던 명신, 위징을 죽이지 아니하고 자신의 재상으로 등용시켜서 사심을 누르고 백성을 불쌍히 여기는 지극히 공정한 정치를 하기에 힘써 후대에 그의 치세를 '정관의 치'라 칭송받고 후세 제왕의 모범이 되었던 태종도 결국 51세의 나이로 고구려의 안시성에서 날아온 화살 하나로 그 명을 다하게 되는 것이다.

4년 동안 전독(箭毒)과 시창(矢瘡)으로 병환에서 신음하던 태종은 마침내 붕어하기 직전, 자신의 황태자인 이치를 불러 유조(遺詔)를 남겼다.

당시 태종의 명을 받아 정사를 다스리고 있던 황태자 치는 아버지의 원수를 갚기 위해서 자주자주 군사를 일으켜서 고구려의 변경을 침입하도록 하였었다. 태종의 친정처럼 숙적 고구려의 왕도까지 진격해 들어가는 전면전이 아니라, 적의 국력을 쇠약케 하기 위해서 황태자는 이따금 군사를 일으켜 소규모의 국지전을 일으키게 하였었다. 그러나 태종이 병몰하던 해에는 또다시 30만 대군을 일으켜 고구려의 심장부인 평양까지 쳐들어가려는 전면전을 획책하고 바야흐로 이를 실행에 옮기기 직전이었다. 바로 그 무렵 태종은 심히 용태가 나빠지기 시작하였다. 시의가 이번 고비를 넘기기가 힘들다고 말하자, 30만 대군의 출병은 연기되었고, 황태자는 어소에서 태종의 임종을 지켜보게 되었다.

살아 당대의 온갖 영광과 명예를 누리었던 영주 태종도 죽음 앞에는 한갓 초라한 과객(過客)에 지나지 않았다. 밤을 밝히는 촛불 아래서 황제의 용안은 가엾은 검불처럼 시들어가고 있었다.

"가까이 오라."

마지막 힘을 다해 태종은 아들을 자신의 곁으로 불러 유언을 하기 시작하였다. 황태자는 아버지의 입가에 바짝 귀를 들이대고 황제의 마지막 유언인 유조를 듣기 시작하였다.

"고구려로의 원정군은 출발하였는가?"

"아직……."

황태자는 대답하였다.

"아직 출발하지 아니하였습니다."

"그러하면……."

태종은 숨찬 목소리로 말을 간신히 이었다.

"그러하면 동정군의 출발을 즉시 중단시켜라."

황태자는 이해가 가지 않는 눈으로 황제의 용안을 다시 바라보았다. 그러나 황제의 결의는 확고한 것이었고, 그 뜻은 분명했다.

"……뿐만 아니라, 거병했던 군사를 해산시키고, 향후 십 년 간은 절대로 동정에 나서지 말지어다……. 이를 명심해주기 바란다."

그것이 태종의 마지막 말이었다.

간신히 남아 있는 숨을 모아 띄엄띄엄 그러나 분명하게 전하고 나서 태종은 숨을 거두었다. 그 말을 마지막으로 태종이 숨을 거두고 붕어하자, 황태자는 성대하게 장례를 치러 아버지의 유해를 건릉에 안장시킨 다음 자신은 제3대 당나라의 황제로 즉위하였다. 황제로 즉위할 때의 그의 나이는 21세로, 그는 즉위하자마자 부왕의 유조를 받들어 30만 동정군의 해산을 명령하였으며, 한을 품고 돌아가신 태종의 뜻을 헤아려 향후 십 년 간 동정의 꿈은 꾸지도 아니하였다.

그러나 이를 평화의 시절로 볼 수 있을 것인가.

아니다. 이는 보다 큰 폭풍 전의 적요(寂寥)와 같았으니, 보다 큰 질풍과, 보다 큰 성난 파도가 미구에 밀어닥칠 것이다.

제6장 복수의 시작

1

　《일본서기(日本書紀)》제26권에는 수수께끼의 동요(童謠)가 하나
나오고 있다.
　《일본서기》제명천황(齊明天皇) 6년과 7년 5월에 나오는 이 수수
께끼의 동요는 수백 명의 일본 학자가 나름대로 연구하고 해석하고
주석을 붙이고 있었지만 그 누구도 정설이라고 할 수 있는 정확한
해석은 내리지 못하고 있었다.
　그 구절은 다음과 같았다.

　　　마비라구도능단례어능폐타(摩比羅矩都能但例豆例於能幣陀)
　　　호라부구능리가리아(乎邏賦倶能理歌理鵝)
　　　미화타등능리가미오능폐타(美和陀騰能理歌美烏能陛陀)

호라부구능리가리아(乎邏賦倶能理歌理鵝)

갑자등화여등미오능페타(甲子騰和與騰美烏能陛陀)

호라부구능리가리아(乎邏賦倶能理歌理鵝)

그중 가장 그 동요의 훈독(訓讀)에 대해서 정확한 결론을 내린 사람은 가와무라 히데네(河村秀根)이다.

그는 이 동요가 백제가 멸망했을 때 백제를 구원하기 위해서 응원군을 파견해도 패전할 것이 틀림없다는 기분 나쁜 암시를 하고 있는 그 당시에 유행하고 있었던 동요라는 식의 주장을 하고 있었다.

그러나 어쨌든 이 '수수께끼의 동요'는 수많은 논란을 일으키고 있다. 유명한 학자들인 사카키 타로(坂木太郎), 이노우에 마츠사다(井上光貞), 이에나가 사부로(家永三郎), 오노 스스무(大野晋) 등이 교주(校註)로 되어 있는 《일본서기》의 주석에는 이렇게 이 수수께끼의 동요에 대해서 설명하고 있을 뿐이다.

이 수수께끼의 동요에 대해서는 제설(諸說)이 분분하고 있으나 아직 명해(明解)는 얻지 못했다. 다만 서쪽으로의 백제 구원의 원정군은 성공하지 못할 것이라는 것을 풍자한 노래임에는 틀림없다.

그러나 이처럼 난해하다는 수수께끼의 동요를 너무나 간단히 쉽게 푼 사람이 있다. 그는 미국에 살고 있는 한국 학자로 일본어의 어원이 한국어라는 것을 깨닫고 이 수수께끼의 동요를 한국어로 훈독해나간 것이다.

한국어로 훈독하면 다음과 같이 읽혀진다.

마비락 뜨는 구례(弓禮) 드레오는 해다.

오라 북노리가리까.

비와다도 노리가 비 오는 해다.

오라 북노리가리까.
가자도와요도 비 오는 해다.
오라 북노리가리까.

　위의 내용은 한국어로 직접 훈독한 것이고 이 내용을 상세히 의역
하면 다음과 같이 된다.

마비락을 출발하는 궁례들이 오는 해[年]다.
아아, 북[鼓]놀이에 갈까.
비가 온다고 말리는데도 불구하고
놀러가는 비 오는 해[年]다.
아아, 북놀이에나 갈까.
갈 때도 올 때도 비 오는 해다.
아아, 북놀이에나 갈까.

　그러므로 이 수수께끼의 동요는 한국어로 읽었을 때 그 수수께끼
가 풀린 것이며 그 당시 일본 사람들의 말은 일본말이 아니라 한국
인의 말이었으며 백제 최후의 성이었던 궁례성(弓禮城)으로부터 도
망쳐 나오는 사람들을 위해서 북놀이, 즉 전고(戰鼓)를 울리면서 싸
움터에 나간다는 것은 비오는 해, 즉 혈우(血雨)가 쏟아지는 해[年]
가 된다는 일종의 반전사상이 담긴 경고의 유행 동요인 것이다.

2

660년 3월.

당나라의 3대 황제 이치(李治) 고종은 마침내 오래 전부터의 숙원이었던 백제 정벌의 출병을 단행하였다. 고종은 황궁에서 선왕 이래로의 명장이었던 소정방(蘇定方)을 불러 그에게 신구도행군 대총관(神丘道行軍大摠管)이란 총사령관 격의 직책을 주어 임명하고 붉은 당군의 기치를 직접 내리었다.

또한 고종은 소정방에게 황금 어검을 주어 그에게 반드시 백제 정벌의 꿈을 이루도록 용기를 복돋워주었으며 소정방은 부복하여 어검에 입을 맞추어서 필승을 맹세하였다. 이 자리에는 이방인 한 사람이 묵묵히 침묵을 지키고 서 있었다.

그는 신라 태종무열왕의 아들인 문왕(文汪)이었다. 그는 이제 바야흐로 마악 떠나는 13만 동정군의 출정을 지켜보는 증인으로 참석하고 있는 셈이었다. 왜냐하면 오래 전부터 신라와 당나라 둘 사이에는 군사동맹이 맺어져 연합군적 성격을 띠고 있었기 때문이었다.

소정방에게 대총관의 직책을 수여한 고종은 거만한 얼굴로 문왕을 돌아보았다. 문왕은 신라를 대표하여 장안성에 머물고 있는 사절이긴 했지만 또한 태종무열왕인 김춘추의 아들이었으므로 그는 신라의 왕을 대신하고 있기도 했다.

고종은 문왕을 자신의 앞에 불러세워서 신라의 왕인 무열왕에게 우이도행군총관(嵎夷道行軍摠管)에 임명한다는 내용을 발표하고 친히 사령장을 주었다. 문왕은 엎드려 그 문서를 받아들었다.

일국의 왕자가 다른 나라의 황제로부터 한갓 대장군으로 임명된다는 것은 몹시 부끄럽고 창피스런 일이었다. 물론 고구려, 신라, 백제의 삼국이 명목상 중국의 황제로부터 왕으로서의 공인을 받고, 책립되는 것은 역대로부터의 관례였다. 그러나 그것은 어떤 자주성을 스스로 포기하고 주권을 예속화시키는 종속관계의 뜻이 아니라, 일종의 형식적인 책봉에 불과하였던 것이다. 마치 오늘날에도 어떤

나라가 독립되면 주위 나라로부터 인정을 받고 국가로서의 인준을 받아 떳떳한 주권을 행사하듯이, 일종의 외교적인 관례라고 할 수 있을 것이다.

그러나 이번 경우만은 달랐다.

이번 경우는 신라의 왕자를 당 황제의 지휘 아래 직접 명령을 받는 하나의 장군으로 격하시키는 내용이었던 것이다. 바꿔 말하면 신라의 왕자를 자신이 조금 전에 임명한 소정방과 같은 동격의 위치로밖에는 인정할 수 없다는 내용과 같은 것이었다.

그러나 문왕은 묵묵히 황제의 명령을 받아들였다. 자신의 국왕과 또한 자신의 아버지이기도 한 무열왕을 대신해서 당주의 붉은 기치를 전해받았다.

그리하여 선대의 태종이 차마 뜻을 못 이루고 이 세상을 떠난 지 꼭 십년 만에 13만 동정군(東征軍)은 마침내 전고를 울리면서 또다시 출병하기 시작한 것이었다.

천하통일의 야망을 이루기 위해서 십만의 대군을 이끌고 직접 수레에 올라 친정에 나섰다, 안시성에서 날아온 불의의 화살에 오른쪽 눈을 맞고 비참하게 패배하여 돌아온 지 4년 만에 한을 품고 죽어버린 태종의 유조는 아들 고종에 의해서 정확히 지켜졌다.

아버지의 원한을 갚기 위해서 마악 장안을 출발하는 30만 대군의 동정군을 즉시 해산하고 향후 십년 간 절대로 동정에 나서지 말라는 태종의 유언은 고종에게 금기와 같은 명령들이었다. 그러나 남다른 효행으로, 그 점을 높게 인정받아 여덟 명의 형들을 제치고 황위에 오를 수 있었던 고종은 아버지의 원수를 갚겠다는 꿈을 잠시도 저버리지 않았다.

그는 직접 군사를 일으켜 대대적인 싸움을 벌이진 않았지만, 때로 군사를 내어 고구려의 변방에서 국지전을 벌여 언젠가 있을 전면전에 앞서 고구려의 전력을 탐색하는 것을 절대로 잊지 않았다.

그는 선왕 태종의 실패에서 두 가지 교훈을 얻은 셈이었다.

그 하나는 어떤 일이 있어도 황제가 직접 말 위에 올라 갑옷을 입고 궁시를 메고 친정에 참가하는 것은 어리석은 짓이라는 것이 그 첫째였다. 태종은 젊었을 때부터 무술과 용병에 뛰어나 아버지를 도와 싸움과 전쟁을 수도 없이 겪었으므로 황궁에 앉아 정사를 돌보느니보다 스스로 싸움에 나아가기를 좋아하였지만 고종은 달랐다. 그는 황제가 정사를 돌보지 아니하고 싸움터에 나아간다는 것은 어리석은 짓이라는 것을 익히 알고 있었다. 그는 직접 자신의 눈으로 아버지의 비참한 모습을 보았으며, 살아 당대의 영광과 위세와는 상관없이 초라하게 죽어간 아버지의 모습을 통해 그 교훈을 얻었던 것이었다.

또 하나는 고구려에 대한 두려움이었다.

고구려는 전후 네 차례, 십여 년에 걸친 수나라의 30만 대군을 연달아 물리쳐 마침내 수나라를 멸망시켰으며, 또한 용병의 천재라던 태종의 십만 친정군도 압록강 이남의 내지로는 침범을 용납하지 않았던 것이다.

그뿐이랴.

마치 침략에 대한 응징이라도 하듯 신궁의 화살로 태종을 맞혀 그 전독으로 시름시름 앓다 횡사하게 했을 만큼 막강한 힘과 국력을 갖고 있었다.

고종은 앞서의 실패로 본능적으로 고구려에 대한 공포와 불안을 느끼고 있었다.

선왕 태종과는 달리 용의주도한 고종은 어째서 고구려의 원정이 그토록 실패를 가져왔는가를 면밀하게 분석해보았다.

오랜 분석 끝에 한 가지 결론을 내렸다. 그것은 고구려의 왕도인 평양으로 진격해 들어가는 그 행로가 너무나 멀다는 것이었다. 고구려의 국경인 요하까지 군사를 몰아가는 데만 해도 수십 일이 걸려야했고, 또한 요하를 건넌다 하더라도 요동을 지나 압록강을 건너기까지 숱한 요새와 험로를 지나야 했다. 곳곳에 주둔하고 있는 군사들은 막강하며, 특히 그들은 국지전에 능한 장기를 갖고 있었다. 그 요로가 긴 탓으로 자칫하면 양도가 끊겨 보급이 끊기고, 치명적인 가을을 맞아 그 무서운 엄동설한의 천적을 만나게 되는 것이다. 그러므로 적의 심장부인 평양성에 닿기도 전에 자멸해버리고 말았던 것이었다.

어째서.

고종은 순간 생각하였다. 고구려를 목표로 뜻을 두었다면 그것을 직접 공격할 것이 아니라 적의 배면을 쳐서 이겨 고립시켜서 고구려를 스스로 자멸시켜버릴 생각을 하지 않았을까. 고구려와 백제는 긴밀한 동맹관계를 유지하고 있었다. 그러하다면 직접 군사를 일으켜 그 위험부담률이 많은 요하를 건너 요동의 대지를 지나 고구려의 험로를 쳐나가는 방법을 사용할 것이 아니라 바다를 건너 단숨에 고구려의 선린국인 백제를 쳐 멸한다면 고구려는 자연 고립되어 무너질 것이 아니겠는가. 게다가 당나라와 동맹관계를 맺고 있는 신라는 언제나 당나라로 하여금 먼저 고구려를 쳐서 멸할 것이 아니라 우선 백제를 쳐서 멸한 후에 그 다음에 힘을 합쳐 고구려를 쳐서 멸함이 순리라고 주장하고 있었던 것이다.

지금은 신라의 국왕이 되었지만 한때 자진해서 사절로 들어와 백제로 출병을 청원하였던 김춘추는 꿇어앉아 말하였었다.

"신의 나라가 바다 한 구석에 떨어져 있어 천조(天朝)를 섬긴 지가 이미 여러 해가 되었사옵니다. 그런데 백제가 그간 굳세고 강성하여 침략만 일삼으며 더구나 지난해에는 대군을 거느리고 깊숙이 쳐들어와 수십 성을 쳐 무너뜨리고 입조(入朝)의 길마저 막았사옵니다. 만약 폐하께옵서 군사를 내어서 그 흉악한 무리들을 없애주지 아니하면 우리의 양민들은 다 포로가 되고 말 것이며, 다 그들에게 사로잡히어 산 넘고 바다 건너 조공을 바치는 일도 다시는 없게 될 것입니다.

당나라는 제1의 적을 고구려로 생각하고 있었으며 한 번도 백제를 적이라고는 생각지 않았었다. 그러므로 선대의 수나라도, 선왕이었던 태종도 백제를 쳐서 멸할 생각은 꿈에도 하지 않았었다. 오히려 백제는 언제나 당나라에게는 우호적이었다. 그러나 신라의 입장은 달랐다.

신라는 백제를 제1의 적으로 생각하고 있었으며 고구려는 제2의 적에 지나지 않았다. 김춘추가 백제의 급습을 받고 고구려로 청병하러 떠났던 것은 다 이런 연유 때문이었다.

신라의 외교는 당나라가 백제를 제1의 적으로 느끼게 하는 것으로 집중되어 있었다. 신라에게 있어서 백제를 쳐서 멸함은 영토 확장의 문제가 아니라 생존의 문제였던 것이다. 그리하여 신라는 당나라의 환심을 사기 위해서 갖은 방법을 사용하기 시작하였다. 선대로부터 사용해오던 고유의 연호(年號)를 폐지하고 당나라의 연호인 영휘(永徽)를 봉행(奉行)하기 시작하였으며 관복을 벗어버리고 중국풍의 의관을 입기 시작하였고, 여왕으로 하여금 태평송(太平頌)을 지어 직접 비단에 수놓아 짜서 고종에게 바치게 하였던 것이다.

그 시는 다음과 같다.

거룩할사 당나라 큰 업을 개발하여
황가의 정치경륜 높고도 창성하다.
싸움을 끝맺어 천하를 안정하고

전 임금 받들어 문교를 닦았도다.
천도(天道)를 대신하여 덕화를 숭상하고
지도를 대신하여 덕화를 숭상하고
지도를 체험하여 만물을 다스리고
예절은 깊고 깊어 일월과 어울리고
운수를 간 맞추어 해마다 태평하고
큰 깃발 작은 깃발 저리도 혁혁하며
징소리 북소리 저리도 쟁쟁한가.
명령을 어기는 저 바깥 오랑캐는
하늘이 죄를 내려 없어지고 말거로세.
멀거나 가깝거나 풍속인 양 순박하고
여기저기서 다투어 상서를 바치도다.
촛불같이 밝아라 옥같이 다루어라.
일월과 오성이 만방을 순돌듯이
산악의 기운 받아 재상들 태어나고
임금님은 충량한 신하만을 믿으시네.
삼황오제 뭉치어 한덩이 되었나니
길이길이 빛나리 우리 당나라.
길이길이 빛나리 우리 당나라.

　　신라의 여왕 승만(勝曼)이 직접 수를 놓아 비단에 짜 보낸 태평송을 김춘추의 아들 법민(法敏)을 통해 전해받고 나자, 고종은 그 오언시(五言詩)를 읽고서 몹시 감동하여 말하였다.
　　"그대의 여왕에게 가서 짐의 말을 전하라. 그대의 나라가 비록 편방소국(偏邦小國)이나 신의가 있으니 그대의 나라가 백제로 하여금 공격을 받을 시에는 반드시 천병(天兵)을 내어 그대의 나라를 구해줄 것이다."

고종이 신라의 제1의 적인 백제를 쳐서 멸함은 병법에도 있듯이 성동격서(聲東擊西)의 고등전술임을 이때 자각하였다. 뜻은 고구려에 있지만 우선 백제를 쳐서 멸함이 결국 선대로부터의 숙적인 고구려를 이기는 길이라고 고종은 마음을 굳히게 된 것이었다.

어쨌든 황제의 칙명을 받은 13만의 당군은 즉시 장안성을 출발하였다.

13만 당군의 총사령관격인 대총관은 소정방이었고 부대총관은 김인문(金仁門)이었다. 좌무위 장군에는 유백영(劉伯英), 우무위 장군에는 풍사귀(馮士貴), 좌호위 장군에는 방효공(龐孝公) 등 제장들이 선봉장이 되어 있었는데, 태종 무열왕의 아들인 김인문이 부사령관격인 부대총관이라는 막강한 지위에 올라 있음은 고종의 치밀한 계산 때문이었다.

그 해 3월.

13만 동정군이 장안성을 출발할 때, 전 백성들은 주작대로에 나와서 천병의 출정을 환송하였다. 나이 든 사람들은 십년 전에 이처럼 보무도 당당하게 고구려를 멸하기 위해서 떠났었던 거대한 환송식을 기억하고 이듬해 봄 비참하게 소리 소문도 없이 초라한 패잔병으로 돌아왔던 역사적 사실들도 아울러 기억하고 있었지만, 예나 이제나 전쟁은 사람의 피를 끓게 하는 법, 붉은 갑옷과 붉은 투구를 쓴 핏빛의 당군들이 먼 나라로의 출사(出師)를 단행하자, 흥분과 광란의 축제 기분에 사로잡혔다.

사람들은 붉은 깃발을 출정하는 군졸들을 향해 던졌으며 대부분 징병제도에 의해서 뽑힌 군졸들은 손을 들어 승리를 다짐하였다. 당군은 우선 당나라의 수군의 전진기지인 내주(萊州)까지 나아가야만 했다. 내주에는 이미 황제의 칙명을 받아 13만 대군을 실어 나를 수 있는 천 척의 선함(船艦)이 바닷가에 정박하여 대기 중이었다.

그 배들은 대군을 백제의 왕경인 사비성으로 진입해 들어가는 백강(白江)에까지 실어 나를 수 있을 것이었다. 그들이 서둘러 봄을 도와 길을 떠난 것은 혹시 백제로 가는 항로 중에 폭풍과 태풍을 만날지 모른다는 두려움 때문이었다. 적어도 한여름이 본격적으로 시작되는 7월 이전에 백제의 백강 어귀에까지 도착하지 않으면, 자칫 바다 위에서 거센 풍랑을 만나 뜻하지 않은 참화를 입을지도 모르는 일이었기 때문이었다.

3월에 장안을 출발한 당군은 4월에 내주에 도착하였다. 도착하는 즉시 대총관인 소정방은 전군에게 쉴 틈도 주지 않고 즉시 배에 승선하여 해로에 오를 것을 명하였다.

이때의 풍경을 《사기》는 이렇게 표현하고 있었다.

당군의 선함은 천지를 뻗어나가고 바다는 붉은 무리로 뒤덮여 피의 바다〔血海〕처럼 보였다.

3

갑자기 어디선가 수상한 바람이 한 가닥 불어 왔다. 그리고는 좌상 위에 얹혀져 있던 등잔불을 홀연히 꺼버렸다.

밤이 깊도록 홀로 좌정하여 이리저리 책을 뒤적이면서 근심 많은 밤을 새우고 있던 무열왕 김춘추는 느닷없는 일진광풍에 놀라서 고개를 들어보았다. 아무 곳에도 바람이 새어들어올 만한 틈은 없었다. 문들은 닫혀 있었고 밖은 적적하고 적요한 야밤이었다.

바람이 생겨나서 방 안의 불을 꺼버릴 만큼 그런 밤은 못 되었다.

김춘추는 꺼진 불을 다시 켜려고 몸을 일으켰다.

그때였다.

소리없이 정침의 덧문이 열리더니 한 가닥 밝은 빛이 스며들었다. 그리고는 수상한 기운 같은 것이 방 안으로 쏟아져 들어오기 시작하였다. 거의 동시에 문 밖에 두 사람의 그림자가 어른거리면서 서 있는 것이 김춘추의 눈에 띄었다.

"……게 누구냐?"

김춘추는 뜻밖의 방문객을 향해 꾸짖어 물었다.

그러나 문 밖에 서 있는 그림자는 아무런 대답도 하지 않았다. 호신상의 위험을 느낀 김춘추가 머리맡에 놓인 장검을 찾아서 몸을 빼어 물러서려는데 두 그림자는 약속이나 한 듯이 방 안으로 들어섰다.

"게 누구냐? 당장 물러가지 못하겠느냐?"

김춘추가 소리치면서 호령하였다.

그러자 한 그림자가 입을 열어 답하였다.

"접니다. 대왕마님."

뜻밖의 공손한 말이었으므로 황망한 마음이 어느 정도 진정되었으나 김춘추는 여전히 경계의 태세를 늦추지 아니하였다. 어디서 많이 듣던 목소리였으나 등 뒤에서 비쳐 오는 불빛으로 얼굴이 상세히 보이지 않았으므로 그의 정체가 누구인지 쉽사리 느껴지지 아니하였다.

"네가 누구냐?"

"저는 장춘(長春)이옵고, 이 사람은 파랑(罷郎)이옵니다."

김춘추는 놀라서 입을 벌리면서 물었다.

"정녕 그대들이 장춘과 파랑이란 말인가."

"그렇습니다. 대왕마님. 대왕께오서는 그 동안 별고 없으셨습니까. 우선 대왕께 문안인사부터 드리겠습니다."

두 그림자는 엎드려 김춘추가 앉아 있는 어좌(御座)를 향해 배를 드려 예를 갖추었다. 김춘추는 인사를 받고 나서 부복하여 엎드린 두 신하를 향해 조심스레 물었다.

"그대들이 이 야반에 웬일들이신가. 그대들은 이 세상 사람들이 아니시지 않는가. 그대들은 누구신가? 죽은 장춘과 파랑의 혼령들이신가?"

"그렇습니다, 대왕마님."

장춘이 입을 열어 답하였다.

"우리들은 죽은 장춘과 파랑의 혼령들이옵니다."

장춘과 파랑은 생전에 충실한 김춘추의 신하들이었다. 그들 둘은 십여 년 전 비담(毗曇)의 난(亂) 때 김춘추를 위해 목숨을 바친 충신들이었다. 비담이 쿠데타를 일으켜서 선덕여왕을 참살하고 선덕여왕의 측근이었던 김춘추마저 거세하려 하였을 때 목숨을 바쳐서 김춘추를 구하고 자신들은 비참한 최후를 마쳤던 충신들이었다.

"그대들이 웬일이신가?"

김춘추가 비통한 목소리로 혼령들을 향해 물었다.

"그대들이 이제 와서 내 곁에 다시 나타남은 이 세상에 아직 다하지 못한 한이 있음이냐, 아니면 무슨 긴히 전할 말이 있어서냐."

"신들이 비록 백골이오되, 죽어 진토가 되어도 대왕마님과 국가를 향해 보국할 마음을 한 번도 잊은 바가 없사옵니다. 신들은 그리하여 언제나 대왕의 곁에 머물면서 대왕마님이 무엇을 근심하시고 무엇을 염려하는가 늘 이를 지켜보고 이를 함께 우려하였사옵나이다. 그리하온즉 대왕께오서 연전 4월에 백제가 자주 우리 국경을 침범하고 우리를 위협하여 더 이상 물러서려야 물러설 땅이 없고, 더 이상 굴신하여 굴욕을 참으려 하나 참을 수 없을 만큼 모욕을 당하였으므로 당에 사신을 보내어 백제를 함께 쳐서 이를 멸하자는 원병을 청하였음을 신들도 알고 있었습니다. 그러하온즉 대왕께오서는 청병에 대한 회보(回報)가 없어 노심초사하옵시고 거의 매일 근심하는 빛이 외양에 나타나고 계셨사옵니다."

그들의 말은 정확한 사실이었다.

백제의 기세는 대단히 강성하여 신라는 이미 옛 가야의 땅 거의 전부를 빼앗겼거니와, 김춘추가 대왕에 오른 지 7년에 이른 지금까지만 해도 백제는 고구려와 힘을 합쳐서 신라 북경(北京)의 33성을 취하였던 것이었다. 이제는 더 이상 물러서려야 물러설 땅조차 없었다.

남쪽의 가야 지방은 이미 백제의 것이었고, 북부 지방도 백제와 고구려 연합군에게 난자당하여 초토화되었다. 그 일이 벌써 5년 전이었고, 그때 김춘추는 당나라에 사신을 보내어 청병하였으나 당의 고종은 선왕의 유조를 핑계 삼아 군사를 움직이려고조차 하지 않았다. 이러한 당나라의 미진한 대외정책이 백제의 위세를 더욱더 떨치게 하여 백제는 이제 노골적으로 장산성(지금의 경산)까지 쳐들어와 신라의 왕경을 노리고 있었던 것이었다.

신라는 바람 앞의 등불이었다.

이제는 물러설 땅이 없었을 뿐 아니라, 버틸 힘조차 없어 허덕이고 있는 판국이었다. 그리하여 김춘추는 매일 근심과 초사로 제대로 잠을 이룰 수가 없었던 것이다.

"그대들의 말이 사실이다."

솔직히 김춘추가 답하였다.

"그런데 그것으로 내 앞에 나타났단 말인가."

"아니옵니다, 대왕마님."

장춘이 머리를 흔들면서 말하였다.

"신들은 대왕께 낭보를 알려드리기 위해서 찾아온 것입니다. 신들은 육신이 없는 혼령뿐으로 마음만 먹으면 하룻밤에도 수천 길의 바다 위를 날아 당나라에도 다녀올 수 있으며, 아무리 엄중히 방어하고 있는 옥문(獄門)의 벽이라고 할지라도 마음으로 쉽사리 드나들 수가 있사옵나이다. 고로 신들은 대왕마님의 초사를 알게 되어 함께 바닷길을 날아 어제 당나라에 다녀가보았습니다. 당나라의 황궁에 날아가보았더니 당 황제가 마침내 군사를 일으켜 백제를 칠 원정군을 출병시켰고, 소정방을 대장군으로 삼았으며 대왕마님의 아드님을 그 부장으로 명해 이제 마악 백제를 내벌(來伐)하기 위해 출발하였습니다. 이 소식을 대왕마님께 전해드리기 위해서 신들은 이승에 나타나서는 안 되는 백골의 몸이오나 이렇게 어둠의 힘을 빌려 혼령으로 나타났사옵니다."

김춘추는 그들의 말을 듣자 뛸 듯이 기뻐하면서 말하였다.

"그대들의 말이 사실인가. 그대들의 말을 믿어도 좋겠는가."

"일러 무엇하겠습니까, 대왕마님."

침묵을 지키고 있던 파랑이 비로소 입을 열어 답하였다.

"대왕을 향한 사모의 정과 보국에 대한 충정이야 죽음이 이를 가르겠습니까."

"옳다, 그대들의 말이 옳다."

김춘추는 눈물을 흘리면서 말하였다.

"내 어찌 그대들의 말을 믿지 않겠는가."

그때였다.

어느 먼 담장 너머에서 새벽을 알리는 닭소리가 희미하게 울려 왔다. 아울러 불 꺼진 창 밖에서 희미한 새벽빛이 물처럼 스며들고 있었다.

"신들은 이제 물러갈 때가 되었습니다, 대왕나으리."

장춘이 비통한 목소리로 말하였다.

"살아 생전에 못 이룬 원한, 대왕께오서 이뤄주소서."

"가거라."

김춘추가 울면서 말하였다.

"편히 가거라."

부복하여 엎드려 있던 두 유령의 그림자가 일어서서 마지막으로 김춘추에게 배하여 예를 갖추었다. 그들은 말없이 소리 없이 흔적도 없이 연기처럼 허공에서 스르르 사라지고 수상한 빛도 곧 어둠에 묻혀버렸다. 동시에 열렸던 문이 닫히고, 순간 그 문 닫히는 소리에 김춘추는 홀연 잠에서 깨어났다. 김춘추는 문득 놀라서 고개를 들어 주위를 살펴보았다. 잠시 책을 읽다 잠이 든 모양이었다. 좌상에는 아직도 불이 가물가물 타오르고 있었고 창 밖에는 새벽 여명이 스며들고 있었다. 꿈속에서 분명히 들었던 새벽 닭 소리가 정적을 찢으면서 거푸거푸 들려오고 있었다.

"꿈이었다."

김춘추는 중얼거리면서 얼굴을 손으로 만져보았다.

그때 김춘추는 눈가에 눈물이 흥건히 젖어 있음을 비로소 느꼈다. 옛 충신이었던 장춘과 파랑을 꿈속에서 만나 울었던 눈물이 그대로 얼굴에 남아 젖어 흐르고 있었던 것이었다.

꿈이었다.

넋 없이 김춘추는 생각했다.

그러나 그것이 한갓 가없는 꿈만은 아닐 것이다. 김춘추를 위해 목숨을 바쳤던 충신들의 원혼이 그렇게 꿈이 되어 하고자 하는 말을 전해주고 떠났음이었다. 그들의 충정이 꿈속에 나타나 낭보를 전해주고 있음이었다.

그렇다.

그들의 말은 사실이었다. 당의 고종은 이제 백제를 멸하기 위해 동정군을 출병시킬 것이다. 이제 당나라의 서울인 장안성에 머무르고 있는 아들 문왕을 통해 그러한 황제의 칙지(勅旨)가 전해 내려올 것이다.

김춘추는 어좌에서 일어나 홀연히 문을 열고 밖으로 나섰다. 밤이 물러가는 새벽 여명 속에 아직 서라벌의 밤하늘에는 무성한 별들이 주렁주렁 매어달려 있었다.

김춘추는 그 밤하늘을 바라보면서 파란만장했던 지난 일들을 잠시 회상하여보았다.

올해로 김춘추의 나이 59세. 왕위에 오른 지는 벌써 7년 전의 일이었다.

그러나 지난 20여 년 간 그에게 파란만장한 과거사들은 일신의 문제가 아니라, 중요한 국가의 재난과 일치되고 있었던 것이다.

643년. 김춘추가 고구려의 국중으로 청병을 하기 위해서 밀사로 들어갔다가 첩자로 몰려 연개소문에게 하마터면 죽음을 당할 뻔하였다. 구사일생으로 살아 나온 후 김춘추는 대 고구려 외교정책의 실패로 완전히 중앙귀족 세력들에게 따돌림을 받게 되었었다. 그렇지 않아도 선덕여왕의 측근으로 여왕을 마땅치 않게 생각하고 있던 비담과 염종 무리들은 대 고구려 외교정책의 실패를 구실 삼아 김춘추를 정치무대의 일선에서 제외시켜버렸던 것이었다.

상대등 비담은 당나라의 태종이 여왕을 탐탁지 않게 여기고 있음을 기화로, 언젠가는 여왕을 폐위시키고 정권을 장악하려는 쿠데타를 꿈꾸고 있었다. 고구려에서 연개소문이 왕을 죽이고 쿠데타를 일으켜 정권을 장악했음을 비담은 주도면밀하게 주시하고 있었다. 당나라의 태종이 고구려에서 신하가 왕을 척살하고 자기 마음대로 신왕을 등극시켰음을 심히 못마땅하게 여겨 결국 이를 응징하기 위해 군사를 일으켜 고구려로 원정의 길을 떠났지만 비담은 태종이 여왕을 못마땅하게 여기고 있음을 잘 알고 있었기 때문에, 만약 자신이 정변을 일으켜 선덕여왕을 죽이고 새로운 왕을 옹립한다 해도 그 정변이 태종의 비위를 거스르지는 않을 것이라고 굳게 믿고 있었다.

태종이 여왕인 선덕여왕을 별로 탐탁하게 여기지 않고 있다는 증거는, 오래 전 사신을 보내어 고구려와 백제의 공격을 읍소하고 원병을 보내줄 것을 청원하자, 다음과 같이 답하였던 것으로 분명해졌던 것이다.

'내가 그대의 나라가 고구려와 백제 양국의 침해에서 구원받을 수 있는 방책을 세 가지 가르쳐주겠다. 그 첫째는 내가 변병(邊兵)을 조금 보내서 말갈과 거란을 거느리고 요동으로 쳐들어가게 한다면 고구려는 자연 이를 막기 위해서 군사를 요동으로 몰리게 할 터인즉, 자연 그대 나라는 화평을 얻을 수 있을 것이요, 그 둘째 방책은 내가 그대에게 수천 개의 붉은 옷〔朱袍〕과 붉은 깃발을 줄 터이니 혹 고구려와 백제의 군사가 싸움을 걸어 올 시에는 이것을 군사들에게 입혀서 싸우게 한다면 그들은 그대의 군졸들을 당군으로 여기고 필히 달아나게 될 것이다. 그 나머지 세 번째로 백제는 바다의 험한 것만을 믿고 병기를 수선치 않고 남녀들이 뒤섞여 연회만을 베풀고 있으니, 내가 수백 척의 배 위에 갑졸(甲卒)을 싣고 고요히 바다 위에 떠서 그 땅을 엄습하고 싶으나 그대의 나라는 부인(婦人)을 임금으로 삼아 주위 나라로부터 업신여김을 받으니 해마다 편할 날이 없을 것이다. 내가 친족의 한 사람을 보내어 그대 나라의 임금을 삼되, 자연 혼자서는 보낼 수 없으니 마땅히 군사를 보내어 보호케 하고 그대 나라의 안전함을 기다려 그 후에 자수(自守)케 하리니 이것이 셋째의 방책이다. 그대들은 잘 생각해보아라. 어느 편을 좇으려 하겠는가.'

참으로 기가 찬 태종의 허무맹랑한 답변이었다. 국가의 환난을 대국에 고하고 원병을 청하려 했던 신라의 사신은 말도 되지 않는 태종의 세 가지 방책을 듣고 넋 없이 입만 벌렸을 뿐, 달리 대답할 말을 생각지 못하였었다.

그러나 태종의 이 허무맹랑한 답변은 그렇지 않아도 여왕을 못마땅하게 생각하고 있던 비담과 염종의 무리에게 용기를 주는 일이었다.

'그대의 나라는 부인을 임금으로 삼아 주위 나라로부터 업신여김을 받으니 해마다 편할 날이 없을 것이다……'.

태종이 선덕여왕을 비웃고 이를 빈정대고 있음을 눈치챈 비담은 때를 보아 선덕여왕을 폐위시키고 정변을 일으킨다 해도 태종이 이를 문죄하지 않으리라는 것을 재빠르게 간파하였다.

강대국의 눈치를 살펴서 그들의 동정을 틈타 정변을 일으키는 것은 예나 지금이나 같은 수법인 듯, 비담은 마침내 태종이 고구려의 원정길에서 화살을 오른쪽 눈에 맞아 비참하게 패배하여 장안성으로 돌아오자 때를 기다려 쿠데타를 일으켰다.

비담은 이렇게 말하면서 군사를 일으켰다.

"사람으로 말하면 남자는 높고 여자는 낮거늘 어찌 늙은 할멈으로 하여금 규방에서 나와 국가의 정사를 재단케 할 수 있겠는가. 우리 신라는 여자를 세워 왕위에 있게 하였으니 참으로 난세의 일이며, 이러고서 나라가 망하지 않은 것은 다행이라 할 수 있을 것이다. 《서경(書經)》에 '암탉이 때를 알린다(牝鷄之晨)'고 하였고, 《역경(易經)》에 '암퇘지가 깡충깡충 뛴다(羸豕孚蹢躅)'고 하였으니 이는 모두 암탉과 암퇘지가 불길함을 암시하고 있는 것이다."

비담과 염종의 무리들은 군사를 일으켜서 명활성(明活城)에 주둔하고, 관군(官軍)은 반월성(半月城)에 진영을 베풀어 치열한 공방전을 전개하기 시작하였다. 이때 관군을 지휘한 사람은 대 고구려 외교정책의 실패로 은둔생활을 하고 있던 김춘추와 김유신 두 사람이었다.

비담의 쿠데타는 그런 의미에서 실각 상태에 있던 김춘추에게 또다시 정계로 나설 수 있는 절호의 찬스를 만들어준 셈이었다. 처음에 반군의 무리들은 강성하여 곧 궁 안을 점령하고 여왕을 잡아 죽였다. 그러나 비담은 자신들이 여왕을 죽였음을 모르고 있었다.

반군의 무리들이 궁 안으로 쳐들어오자 여왕은 당황하여 궁복으로 갈아입고 궁녀 행세를 하였는데, 닥치는 대로 잡아 죽였던 반군들은 자신들이 여왕을 죽인 것이 아니라 나인을 죽인 것이라고 생각하고 궁 안을 샅샅이 뒤졌으나 끝내는 여왕을 발견치 못하였었다.

마침내 관군들이 궁에 쳐들어와서 이를 다시 되찾았으나 여왕이 궁녀들과 함께 비참한 최후를 맞은 것을 알게 된 김춘추와 김유신은 이를 비밀에 부치고 아직 여왕이 살아 건재하다는 소문을 퍼뜨렸다.

정변에 여왕이 시해되었다는 풍문이라도 나면 그렇지 않아도 사기가 떨어진 관군은 비참하게 무너지고 반군의 무리들이 득세할 것이기 때문이었다. 여왕이 이미 죽어버린 것을 모르는 비담의 무리들은 한밤중에 큰 별이 월성에 떨어지자 이를 보고 다음과 같은 소문을 퍼뜨렸다.

'별이 떨어진 자리에는 반드시 유혈(流血)이 있다고 한다. 이는 아마도 여주(女主)가 패전할 조짐이라고 하늘이 가르쳐주는 것이다.'

그러자 반군들의 사기는 오르고 관군들은 두려워서 어쩔 줄을 모르고 있었다. 김유신은 꾀를 내어 허수아비를 만들어 불을 붙이고 풍연(風鳶)을 실어서 하늘로 날아가는 것처럼 하였다. 그리하여 사람을 시켜서 소문을 퍼뜨리기를 어젯밤에 떨어진 별이 다시 하늘로 올라갔다 하였다.

김유신의 기계는 관군의 사기를 올리는 대신 적군들의 사기를 땅에 떨어뜨렸다.

김춘추와 김유신은 흰 말을 잡아 그 목을 베어 피를 별이 떨어진 곳에 제사를 드리면서 다음과 같이 축원하였다.

"하늘의 길[天道]에는 양(陽)이 강(剛)하고 음(陰)이 유(柔)하며 사람의 길[人道]에는 인군이 높고 신하가 낮습니다. 만약 이러한 순리가 바뀌고 어긋나면 곧 그것이 난(亂)이 되는 것입니다. 지금 비담과 염종의 무리들이 신하로서 인군을 도모하며 아래에서 위를 범하니 이것은 곧 난신적자(亂臣賊子)로서 사람과 신령이 함께 미워할 일이요, 하늘과 땅 사이에 용납되지 못할 일입니다. 하늘이 만일 여기에 무심하여 도리어 별의 괴변을 왕성에 보인 것이라면 이는 신들의 믿음을 의혹케 하고 반하는 일일 것입니다. 바라옵건대 하늘의 위엄으로 사람의 소행에 따라 선을 선으로 갚고 악을 악으로 갚아 신령의 부끄러움이 없도록 해주소서."

축원을 마치고 관군들은 일제히 군사를 몰아 반군들이 주둔하고 있는 명활성으로 공격해 들어갔다.

사기가 오른 관군들은 반군들을 몰살하고 십여 일 동안 공방을 계속하던 적장 비담과 염종의 머리를 베어 구족을 멸하였다.

그리하여 마침내 비담이 일으킨 쿠데타는 간신히 진압되었으나 나라는 초토화되어버린 셈이었다.

난 중에 여왕은 비참하게 주살되었고 비담을 위시하여 김유신의 신흥세력들이 세력을 잡았다고는 하지만 나라꼴은 엉망진창이었다.

간신히 난을 수습하여 우선 여왕 덕만의 시신을 추렴하여 남산에 장사하고 시호(詩號)를 선덕(善德)이라 하였다. 선덕여왕이 죽고 나서 왕위를 계승할 만한 사람을 구했지만 마땅한 적자가 없어서 알천(閼川), 김춘추 등 새로이 정권을 쥔 신흥세력들은 다시 여왕을 뽑아 왕위를 잇게 할 수밖에 없었다.

선덕여왕의 뒤를 이어 왕위에 오른 사람은 승만으로 키는 7척이 넘고 손을 늘어뜨리면 무릎 아래까지 닿을 만큼 거인이었다. 그러나 자태는 아름답고 자질은 번화하였다.

새로이 왕을 추대하고 정변을 진압하여 간신히 나라의 화평을 되찾긴 했지만 여전히 나라의 사직은 풍전등화와 같았다. 신라의 정변을 틈타서 백제는 해마다 군사를 보내어 서변을 공격하여 들어왔다. 특히 백제 장군 의직(義直)은 지금의 상주(尙州)인 요차성(腰車城) 등 십여 개 성을 공격하여 이를 함락시키는 등 신라의 위기는 극도에 달하고 있었다. 이에 김춘추는 그의 평소의 소신인 국난을 극복하기 위해서는 칼에는 칼, 활에는 활, 무(武)에는 무로 맞싸울 것이 아니라 외교정책으로 이를 슬기롭게 극복해야 한다는 철학을 마침내 행동으로 옮기게 되는 것이다.

그는 십여 년 전에 고구려에게 청병하러 갔다가 첩자로 몰려 죽을 뻔하였던 실패를 거울 삼아 백제를 견제하기 위해서는 고구려에게 등거리 외교를 펼칠 것이 아니라 외세를 이용하여 힘의 균형을 깨뜨려야 한다는 것을 굳게 믿고 있었다.

그 당시 신라에 있어서 외국이라면 바다 건너 당나라와 왜(倭) 두 나라밖에 없었다.

왜는 타국에 군사를 원조하여줄 수 있을 만큼 힘이 강성하지도 못하였고, 대대로 백제의 세력이 전국을 장악하고 있었다. 특히 백여 년 간 계속되어온 소가(蘇我) 씨족들의 정권은 백제세력의 연장이라 해도 과언이 아니었다. 소아 씨족의 원조는 백제에서 건너간 왕족으로, 그들은 일본에서 불교를 이용하여 마침내 불교세력을 반대하던 일본의 토호세력을 몰살하고 일본의 정권을 장악하게 되는 것이다. 이들은 4대에 걸쳐서 일본의 조정을 장악하고, 천황을 자신들이 선택하여 등극시켰으며 찬란한 불교문화를 꽃피웠던 것이다.

그러므로 신라는 왜에 손을 벌려 힘을 함께 합치고자 추파를 보낼 수가 없었던 것이다. 그러나 다행히 그 무렵 일본에서도 거의 동시에 쿠데타가 일어난 것이었다.

오늘날에도 한 나라의 쿠데타가 다른 나라에 전염 자극되어 또 다른 쿠데타를 유발하듯, 연개소문의 쿠데타는 마침내 신라에서도 쿠데타를 일으키는 직접 원인이 되었으며, 아이러니컬하게도 거의 동시에 일본에서도 쿠데타가 일어났던 것이다.

다른 것이 있다면 신라에서는 이 쿠데타가 김춘추에 의해서 실패로 끝났으나 일본에서는 이 쿠데타가 성공하였던 것이다.

나카도미(中臣鎌足) 등 주로 당나라 유학생들로 이루어진 쿠데타는 소가씨의 마지막 세력인 소가 이루카(蘇我入鹿)를 한꺼번에 몰살하고 마침내 새로운 세력을 장악하였다. 이로써 백 년여에 걸쳤던 백제의 세력은 일시에 무너져 잠시나마 힘의 공백상태를 이루게 되었던 것이다. 이 쿠데타를 일본인들은 대화개신(大化改新)이라 부르고, 쿠데타를 성공시킨 이들은 도읍을 아스카(飛鳥)에서 나니와(難波, 오사카)로 옮겼던 것이다.

김춘추는 이러한 쿠데타의 성공을 어쩌면 대대로 백제의 세력권이었던 왜나라의 정책방향을 신라 쪽으로 선회시킬 수 있는 절호의 찬스라고 생각하였다.

그는 아들 문왕과 가신인 온군해(溫君解) 등 일행을 데리고 우선 바다를 건너 왜로 입국하였다.

검은 현해탄을 건넌 일행은 내해를 거쳐 새로이 옮긴 왕도인 나니와로 배를 타고 들어서게 되었다. 김춘추는 신궁에서 쿠데타에 의해서 천황으로 새로 등극한 효덕천황(孝德天皇)을 만나게 되었다. 김춘추는 효덕천황을 만난 순간, 그가 자신과 더불어 외교를 논하고 국제정세를 논할 인물이 못 된다는 것을 직감하였다.

그는 천황으로 등극하였을 뿐, 모든 조정의 힘은 젊은 유학생들이 움켜쥐고 있었다. 천황은 말하자면 그들에 의해서 조종되고 움직이는 허수아비에 불과하였던 것이다.

김춘추는 나니와의 객관(客館)에서 왜를 포기하고 당나라로 건너가야 한다는 사실을 새삼 자각하였다.

이제 와서 믿을 것은 오직 당나라뿐이다.

신라가 바람 앞의 등불인 위기에서 벗어나려면 오직 당나라를 믿고 의지하고 그를 따를 수밖에 없는 것이다.

"나는 해낼 것이다."

김춘추는 망망대해의 바다를 노려보면서 이를 악물며 소리내어 중얼거렸다.

"이제 남은 것은 오직 하나 당나라뿐, 나는 이 세 치의 혀로 당나라에 들어가 무슨 방법 무슨 수단을 써서라도 태종의 마음을 움직이고 그의 마음을 사로잡아 외교의 철학으로 조국을 위기에서 구할 것이다."

《일본서기》는 그 당시 사신으로 밀입국하였던 김춘추를 다음과 같이 묘사하고 있다.

김춘추는 모습과 달리 얼굴이 아름답고 사람들과 즐겨 담소하며 말을 할 때에는 가슴을 펴고 당당하게 말을 한다.

김춘추가 왜국 안의 쿠데타를 반백제계의 승리로 보고 혹시 이를 틈타 왜와 동맹을 맺을 수 있을지도 모른다고 생각했던 것은 결정적인 오산이었다.

물론 대화개신 정변 때 죽은 소가 이루카는 골수 백제세력의 4대째 전권대신이었다.

그러나 그들을 죽인 세력은 오히려 같은 백제계의 사람들이었다. 그러니까 백제계와 반백제계의 싸움이 아니라 같은 백제계 안에서의 보수세력과 신흥세력 간의 세력다툼이었다.

특히 소가 이루카를 죽이라고 명령을 받은 척살자(刺殺者) 좌백연자마려(佐伯連子麻呂)와 갈성생견양연강전(葛城牲犬養連綱田) 등은 소가 이루카의 위세에 겁을 먹고 약속시간이 되어도 칼을 뽑을 수가 없어서 우물쭈물하고 있었는데 이때 보다 못해 칼을 뽑아 소가 이루카의 목을 친 사람은 바로 백제의 국왕, 의자왕의 아들인 풍(豊)이었던 것이다.

백제의 왕자인 풍이 친 소가의 목은 피를 뿜으며 한 마장이나 떨어진 곳으로 날아갔다는 전설이 있는데, 이를 보아도 알 수 있듯이 일본에서의 쿠데타는 반백제계의 승리가 아니었으므로 김춘추의 대왜 외교는 벽에 부딪칠 수밖에 없었던 것이었다.

의자왕의 아들인 풍은 밀사로 숨어 들어온 김춘추의 가슴 속을 읽었다. 풍은 김춘추를 죽이기 위해서 짐짓 시치미를 떼고 객관으로 사람을 보내어 연회에 초대하였지만 김춘추는 이미 당나라로 배를 띄워 떠나버린 후였다.

갖은 풍랑과 험한 파도를 헤쳐 나가면서 김춘추의 가슴 속에 떠오르는 일념은 오직 이제 믿을 것은 당나라 하나뿐이라는 새삼스러운 결론이었다. 바람 앞의 등불인 조국 신라를 구하는 길은 오직 당나라의 마음을 사로잡고 그들의 마음을 움직이는 길뿐이었다.

당나라의 왕경인 장안성에 도착한 김춘추는 다음날 황궁에서 황제 태종을 알현할 수 있는 기회를 포착하였다. 당시 당나라의 수도 장안성은 먼 서역 나라에서도 사절들이 몰려와 상주하고 있을 만큼 세계적으로 인정받고 있던 국제도시였었다. 당나라의 유학생들이 주축이 되어 쿠데타를 일으켜 성공시켰던 왜국에서도 대대적인 견당사(遣唐使) 일행을 파견시켜놓고 있었다.

이들 견당사 일행은 단순히 외교사절뿐 아니라, 당나라의 도읍인 장안성에서 일어나는 크고 작은 모든 일을 낱낱이 적어 보내는 일종의 첩자 노릇도 겸하고 있어서 김춘추는 조심스럽게 이들의 눈을 피해 황궁으로 들어갔다.

태종을 만나보기 전 김춘추는 지금까지 입어왔던 모든 옷들을 벗어버리고 당복으로 갈아입었다. 아들과 신하들 모두에게도 당복으로 갈아입히고 자신은 예복마저 고치어 당제의 것으로 바꿔입었다. 태종은 동정 뒤에 얻은 병환으로 몹시 수척하고 신색이 좋지 않았다. 상처를 입은 한쪽 눈은 안대로 가렸으나 남은 한쪽 눈마저 시력을 잃고 있었다. 태종은 그래서 당복으로 갈아입은 신라 사람들의 일행을 제대로 알아보지 못하였다.

"그대들은 누구인가?"

태종 주위의 시신들이 난데없는 태종의 질문에 당황해서 몸둘 바를 모르고 서로의 얼굴만 쳐다볼 뿐이었다. 그러나 김춘추는 조금도 당황하지 아니하였다.

"신들은 편방소국(偏邦小國)인 신라에서 대국에 사신으로 들어온 일행들이옵니다."

김춘추는 허리를 굽혀 머리를 조아리면서 답하였다.

"그러하면."

태종이 의아한 목소리로 물었다.

"그러하면 어째서 그대들의 예복을 벗어버리고 우리 당제의 예복을 입고 있음이냐?"

"일찍이 천조(天朝)를 섬긴 지 이미 여러 해가 되었으나 날로 사모하는 정이 더하옵고 왕업을 개창(開創)한 천자의 위업이 하늘을 찌르니 어찌 이를 따르지 않겠습니까. 신들의 소국은 해우(海隅)에 벽재(僻在)하여 언제나 마음은 대국을 향해 열려져 있습니다. 이에 굳이 소국의 의복을 고집하느니 차라리 천조의 관복을 따라 입고 천조의 예복으로 갈아입음이 옳지 않겠습니까."

김춘추의 목소리는 낭랑하여 막힌 데가 없었다. 태종은 비록 늙고 병들었다고는 하지만 아직 영웅 중의 영웅이었다. 그는 김춘추의 마음을 헤아려 읽었다.

"경의 뜻이 굳이 그러하다면 어찌 그대의 나라 신왕은 대조(大朝, 당나라)를 섬긴다 말만 하면서 연호는 따로 사용하느냐."

태종은 날카롭게 김춘추를 찔렀다. 김춘추는 순간 허를 찔린 듯 주춤하였으나 이내 마음이 침착을 되찾고 세객(說客)으로서의 면모를 되찾았다. 그는 여전히 곱고 아름다운 얼굴에 미소를 지우지 않으면서 답하여 간하였다.

"일찍이 천조가 정삭(正朔, 천자의 책력)을 우리에게 나누어주지 아니하였으므로 그렇게 되었을 뿐입니다. 할 수 없이 우리의 선조이신 법흥왕(法興王)께오서 사사로이 연호를 쓰게 된 것이온데 만약 대조께오서 그것을 쓰지 말라는 명을 내리신다면 소국이 어찌 감히 그렇게 하겠습니까. 아들이 아버지의 성을 따르는 것이 당연한 일이듯, 소국이 대국의 연호를 사용함은 당연한 일이 아니겠습니까. 이제부터 저의 신라는 천조의 연호를 봉행하여 영휘를 사용하고 금후부터는 이제 사사로운 연호는 쓰지 않을 것을 맹세할 것입니다. 뿐만 아니라 모든 국가의 제도를 고치어 천조의 제도로 바꾸고 원하는 사람은 성씨마저 천조의 것으로 바꾸도록 허할 것입니다."

비록 한쪽 눈이 멀었다 하나 워낙 사람을 잘 알아보고 인재를 꿰뚫어보는 데 혜안을 가졌던 태종이었다.

그는 단박 김춘추가 범상치 않은 인물임을 알아차렸다. 그는 김춘추의 영특하고 특출한 인물 됨됨이를 알아보고는 가까이 오도록 하고 주위의 신하들을 모두 물러서게 하였다.

"그대의 뜻이 가상하고 그대의 답이 영특하니 몹시 마음이 흡족하다. 내 가만히 살펴본즉 그대의 마음속에 달리 품고 있는 회포[所懷]가 있음이 분명하다. 그것을 솔직히 말해줄 수 없겠는가."

그러자 김춘추는 그 자리에 무릎을 꿇고 엎드려 말하였다.

"우리나라 신라가 먼 바닷가에 벽재하여 천조를 섬기어 받들어온 지 이미 여러 해가 되어왔으나 저희의 인국인 백제가 간사하고 교활하여 여러 번 침략을 마음대로 하고 더구나 황년에는 대대적으로 군사를 거느리고 깊이 쳐들어와 수십 성을 공격하여 이를 빼앗았을 뿐 아니라 당항성마저 함락시킨 지 오래 되어 조종(朝宗)의 길을 가로막아 해마다 바쳐오던 입조의 길도 막아버린 지 오래되었습니다. 신이 바다를 건너 폐하를 뵈오러 온 것도 그 때문이옵고 만약 폐하께서 천병(天兵)을 내어 그 흉악한 백제군들을 없애주시지 아니한다면 우리 신라의 인민들은 모두 다 그들에게 잡히어 포로가 되올 것이며 산을 오르는 사닥다리와 바다를 건너는 배를 타고 조공[梯航逋職]을 바치는 행위는 더 이상 계속되지 못하고 이에 그치게 될 것입니다."

김춘추의 말은 구구절절 애를 끊는 듯한 비애를 담고 있어 듣는 이의 가슴을 쥐어뜯게 만들고 있었다. 김춘추의 눈에는 이미 눈물이 가득하였고 말을 마친 김춘추의 어깨는 오열로 흔들리고 있었다. 그 누구도 구국의 충정으로 가득 차 있는 김춘추의 마음을 비웃을 수가 없었다.

"그대의 충정이 짐의 마음을 사로잡았다."

오랜 침묵 끝에 태종이 답하였다.

"내 반드시 가까운 시일 내에 군사를 내어 백제를 멸할 것이고 출사를 허락할 것이다. 그러나 아직 그때가 이르지는 않았다. 그러나 반드시 미구에 때가 올 것이니 너무 노심하여 걱정하지는 마라."

태종은 김춘추의 인품과 외모에 반하여 그에게 소명(詔命)으로 벼슬을 내려주었다.

김춘추에게는 특진(特進)의 벼슬을 주었고 그의 아들 문왕에게는 좌무위 장군(左武衛將軍)의 벼슬을 내려주었다.

김춘추는 태종의 환심을 사기 위해서 자신의 아들 문왕을 황제의 양아들로 들여보내었다.

김춘추가 귀국할 때는 태종이 직접 연회를 열어주었는데 그 자리에서 김춘추는 태종에게 배를 올리고 나서 다음과 같이 말하였다.

"신에게 이미 일곱 아들이 있습니다. 그중 저 아이는 세 번째의 아들입니다. 바라옵건대 저 아이를 성상(聖上)의 곁에서 언제나 숙위(宿衛)할 수 있도록 허락해주시기를 청원하는 바입니다."

김춘추는 이미 태종이 변덕스러운 성격을 가졌음을 간파하고 있었다. 그가 비록 김춘추의 면전에서 천병을 내어 백제를 치고 미구에 출사를 단행하여 백제를 멸하겠다고 약속하였지만 이미 그는 고구려와의 싸움의 패배로 마음이 약해져 있었으므로 자신이 귀국해버린다면 이를 까맣게 잊어버릴 것이 분명하다는 것을 잘 알고 있었다. 때문에 자신의 아들인 문왕을 황제의 곁에 늘 머물게 한다면 황제의 곁에서 일어나고 있는 모든 일들을 정확하고 빠르게 얻어낼 수 있을 뿐 아니라 또한 자신과 약속했던 백제의 정벌 약속을 늘 잊어버리지 않고 상기하는 일석이조의 효과를 얻을 수 있기 때문이었다.

김춘추의 말이 태종의 마음을 크게 움직였다.

"그대의 뜻이 정히 그러하다면 그대의 아들을 내 아들로 삼아 언제나 내 곁에 머물도록 하겠소. 짐은 오늘 또 하나의 아들을 얻은 셈이구려. 헛허허허."

태종은 말년에 얻은 양아들을 진심으로 기뻐하는 모습이었다.

자신의 아들을 태종의 양아들[養子]로 들여 언제나 곁에서 숙위로 지내게 해달라는 김춘추의 청원은 결정적으로 태종의 마음을 움직여 전폭적인 신임을 얻게 되었다. 예나 지금이나 아들이 생긴다는 것은 즐거운 법. 태종은 새로 생긴 아들의 입전을 몹시 기뻐하였다. 그리하여 태종은 반 년 가량 머물다 돌아가는 김춘추에게 자기가 불원간 군사를 일으켜 백제를 쳐서 다시는 신라를 위협하는 일이 없도록 구원해줄 것을 재삼 재사 다짐해주었었다.

김춘추의 외교는 그가 장안성으로 입성할 때 느꼈던 대로 절대적인 성공을 거둔 셈이었다. 그는 흡족한 마음으로 당나라를 떠났다.

내주에서 배를 띄워 바닷길을 지나 조국으로 돌아오는 항해길에 오르자 김춘추는 착잡한 마음으로 끓어오르는 검은 바닷물을 쳐다보았다. 그는 이제 신라가 살아남기 위해서는 이 마지막 기회를 절대로 놓쳐서는 안 된다는 것을 잘 알고 있었다. 그는 태종의 환심을 사기 위해서 아들을 그의 곁에 머물도록 허락받았으며, 아들이 황제의 곁에 있는 한 태종은 절대로 자신과의 약속을 잊어버리지 않을 것이라는 것을 굳게 믿고 있었다. 또한 황제의 환심을 사기 위해서는 그와의 약속을 잊어서는 안 된다는 것을 잘 알고 있었다. 부끄럽고 굴욕적인 일이지만 당나라의 환심을 얻기 위해서는 얼마간의 자주권을 스스로 포기하고 당나라의 연호를 사용함으로써 종주국으로서의 자부심을 세워주어야 한다고 김춘추는 굳게 믿고 있었다.

"목적을 위해서라면 곰의 쓸개라 할지라도 이를 씹을 일이며, 목표를 향한 일이라면 가시나무라 할지라도 혀로 핥을 것이다."

김춘추는 돌아오는 뱃전 위에서 소리를 내어 중얼거리면서 스스로 맹세를 하였다.

그러나 김춘추의 기대는 얼마 안 있어 처참하게 무너지게 되고 만다. 김춘추가 그토록 환심을 사기 위해서 갖은 수단을 아끼지 않았던 태종이 마침내 4년여에 걸친 병환으로 갑자기 용태가 악화되어 병몰하게 되어버린 것이었다. 죽음은 영웅들에게서도 마지막 겸양과 겸손을 불러일으키는 것일까.

그는 아직 어린 황태자를 자신의 곁에 불러 가까이 오게 한 다음 믿을 수 없는 유조(遺詔)를 남긴 것이었다. 유언은 김춘추로서는 청천벽력의 내용을 담고 있었다.

이를테면 향후 십 년 간은 절대로 동정에 나서서 군사를 일으키거나 출병하지 말라는 내용이었던 것이었다.

그러나 이러한 내용을 모르는 김춘추는 한갓 자신과의 굳건한 약속을 지켜줄 태종에의 기대감으로 가슴을 부풀리면서 일 년여 만에 험한 뱃길에 올라서 조국으로 돌아가고 있었던 것이었다.

돌아가는 뱃길도 순탄치만은 않았다. 간신히 육지가 보일 만큼 연해에 닿아 무사히 바닷길을 건너는가 싶었는데 난데없는 광풍이 몰아치고 파도가 높아져서 그만 사신 일행을 실은 배는 방향도 잃어버리고 먼 데로 흘러가버리기 시작했던 것이었다.

사느냐 죽느냐의 절체절명의 위기에 맞닥뜨린 배는 간신히 멎은 태풍 속에서 완전히 방향을 잃어버리고 표류하기 시작하였다. 바람이 부는 풍향을 따라 흘러갈 수밖에 없는 돛배는 정처 없이 흘러 떠내려가기 시작하였다.

사신의 일행들은 정확히 판단을 내릴 수는 없었지만 배가 점점 백제의 연안 쪽으로 흘러가고 있음을 어렴풋이 느끼고 있었다. 행여 바닷가를 순시하는 백제의 해라선이라도 만나는 날이면 그것으로 끝장이었다. 예로부터 백제의 순시선에 걸리는 날이면 그들의 추적을 벗어날 수가 없는 일이었다. 그렇다고 당나라로 일개의 나라를 대표해서 사절로 들어갔던 사신의 행색을 숨기고 고기를 잡으러 나온 어부로 위장할 수는 없는 노릇이었다. 죽음의 위험이 다가온다

하더라도 뱃전에 걸린 붉은 빛의 견당사의 기치를 내려 숨길 수는 없는 노릇이었다.

위험은 그대로 현실로 다가들기 시작하였다. 태풍 끝에 표류하던 배는 마침내 해상에서 순시선을 만나게 되어버린 것이었다. 순시선 위에 나부끼는 흰 깃발로 보아 그것은 백제의 군사들임이 분명하였다.

"서라."

해라장으로 보이는 순시선 위의 수장이 장검을 빼어들고 사신 일행을 태운 돛배를 향해 명령을 내렸다. 순시선 위에 가득한 수병들은 일제히 활을 들고 시위를 잡아당기고 있었다. 상대방의 기세로 보아서도 그들 역시 이 배에 내어걸린 깃발을 보는 순간, 이 배가 적국 신라의 배임을 알아차린 눈치가 분명하였다. 그렇다면 도망갈 길은 없는 셈이었다.

"서지 않으면 쏘아버린다."

말을 듣지 않으면 뱃전으로 밀고 들어와 충돌하여 부숴버릴 듯한 기세로 해라장은 큰 소리로 호령하였다.

순간 배 위에 타고 있던 온군해가 김춘추를 향해 서둘러 말하였다.

"이찬나리. 관복을 벗어 제게 주옵소서."

느닷없는 신하의 말에 김춘추는 묵묵히 온군해를 돌아보았다. 김춘추의 얼굴은 절대의 위기에도 조금도 동요치 않고 침착하였다. 그는 담담하고 여전히 변하지 않는 미소 띤 얼굴로 신하에게 물었다.

"무슨 소리냐. 내 옷을 벗어달라니."

"서두르십시오, 이찬나리. 저들이 노리는 것은 나리의 목숨이지 저희들과 같은 존재들의 목숨이 아닙니다. 관복을 벗어 제게 주옵신다면 제가 그 옷을 입고 나리의 행세를 하겠나이다. 나리는 제 옷을 입고 신하의 행세를 하옵소서. 그렇게 되오면 저들은 제 목숨 하나만을 노리고 나머지는 용서해줄 것입니다. 어서 서두르십시오."

불을 댕긴 화살을 잡아당긴 적병들의 위세를 쳐다보면서 숨가쁜 목소리로 온군해가 채근하며 말을 하였다. 더 이상 도망치다가는 불화살이 날아와 돛선을 태워버릴 일이었다.

"안 된다."

김춘추가 머리를 흔들며 답하였다.

"그럴 수는 없는 일이다. 죽어도 내가 죽을 일이요, 잡혀 노예가 되어도 내가 당할 일이다."

순간 온군해가 김춘추의 옷깃을 부여잡으면서 말하였다.

"이찬나으리, 나으리께오서는 어찌 목숨을 초개처럼 버리려 하십니까. 나으리의 목숨은 한갓 개인의 목숨이 아닙니다. 나으리가 죽음을 당하심은 한갓 일신의 목숨이 없어지는 것이 아닙니다. 나으리께오서는 살아 하실 일이 태산같이 많으십니다. 나으리께오서 쓸데없이 고집을 부려 화라도 입으신다면 나라의 운명은 어찌 되겠습니까."

온군해의 눈에서 눈물이 떨어지기 시작하였다. 온군해가 슬피 울면서 말하였다.

"한날 한시라도 나으리의 은혜를 잊어버린 적은 없습니다. 부디 신의 소청을 받아들이셔서 훗날 대업을 이뤄주옵소서."

김춘추가 말없이 관복을 벗었다. 그러자 온군해가 자신도 옷을 벗더니 재빠르게 김춘추의 관복으로 갈아입었다. 그는 김춘추를 밀어내고 상좌에 앉더니 순간 소리쳐 명령하였다.

"배를 세워라."

사신의 일행들은 온군해의 뜻을 알고 있었으므로 그의 명령을 따라 배를 세웠다. 그러자 쫓아오던 백제의 순시선이 바짝 뱃전을 들이대었다. 적장으로 보이는 군졸이 칼과 활을 세워든 수졸 서너 명을 데리고 배 위로 뛰어올랐다.

"어디서 오는 무슨 배냐?"

해라장이 장검을 빼어들고 소리쳐 물었다.

"내 말이 들리지 않느냐. 어디서 오는 누구의 배냐?"

해라장의 칼이 맨 앞줄에 앉은 신하의 목을 찌르면서 호기스럽게 물었다.

"빨리 대답하지 않으면 단칼에 찔러 목을 벨 것이다."

순간 상좌에 앉아 있던 온군해가 대갈하면서 말하였다.

"어느 안전이라고 칼을 휘둘러 소란을 떠느냐. 뱃전에 나부끼는 깃발을 보지 못하였느냐."

해라장이 뱃전에 나부끼는 깃발을 보며 콧방귀를 뀌면서 비웃었다.

"이것은 분명 신라의 깃발인데."

"바로 맞았다."

"그러하면 이 배는 당나라에 들어갔다가 조공을 바치고 나오는 배임이 분명하렷다."

"보아하니 어리석게 생겼지만 대답 하나는 분명하구나. 이제 이 배가 어디로 들어갔다가 어디로 가는 누구의 배인 줄 알았다면 썩 물러가지 못하겠느냐. 백제와 신라가 아무리 사이가 나빠 견원지간이라고는 하지만 나라와 나라 사이에는 법도가 있고 예의가 있는 법이다. 한갓 수졸에 불과한 군사가 어찌 일국의 사절을 가로막고 행패를 부린단 말이냐."

해라장의 얼굴이 대추빛으로 물들었다. 해라장은 사신의 목에 들이대었던 칼을 세워들고 상좌에 앉은 온군해의 곁으로 다가가면서 말하였다.

"네 놈이 일행 중의 우두머리인 모양인데 네가 감히 여기가 어디라고 주둥아리를 나불거리고 있단 말이냐. 내 마땅히 너를 죽여서 저 바다 위에 던져 물고기의 밥으로 만들어 본을 보일 것이다."

순간 온군해가 눈을 부릅뜨고 소리쳐 말하였다. 그의 두 눈에서는 핏물이 뚝뚝 흐르고 있었다.

"네 이놈, 어서 썩 물러가지 못하겠느냐."

온군해의 기세에 잠시 주춤하면서 물러섰던 해라장이 몹시 무안하고 화가 난 표정으로 온군해를 노려보았다. 그는 자신들의 부하 앞에서 망신을 당한다는 느낌 때문이었는지 몹시 분노한 표정이었다.

그는 칼을 허공으로 세워들면서 소리쳐 말하였다.

"네 목을 벨 것이다."

순간 온군해가 껄껄 웃으면서 말하였다.

"어서 쳐라. 이놈."

순간 해라장의 칼이 허공을 베었다. 칼날이 무디었으므로 단칼에 온군해의 목이 베어지지 않았다. 해라장은 두 번 세 번 칼을 세워 온군해의 몸을 내리찍었다. 피가 분수처럼 솟았지만 온군해의 몸은 절대로 쓰러지지 아니하였다. 비명 소리도 신음 소리도 온군해의 입에서 흘러나오지 않았다. 해라장은 소리를 지르면서 이리저리 칼을 둘러 온군해의 몸을 육시하기 시작했다. 피가 튀어 해라장의 모습은 귀신의 행색이었다. 차마 눈을 뜨고 바라볼 수 없는 처참한 모습이었다.

갈가리 찢긴 온군해의 시신을 해라장이 자신이 말했던 대로 바다 위에 던져버리기 시작하였다.

"처음부터 죽일 생각은 없었다."

온군해를 육시하고 나서 수장은 다소 허탈한 목소리로 말하였다.

"잡아서 옥까지 호송하여 문죄할 생각뿐이었다. 여러분은 이제 돌아가도 좋다. 이 일행 중의 우두머리인 저 자의 목을 베어 본을 보였으므로 이제 더 이상 다른 피는 볼 생각이 없다."

수장은 칼에 묻은 피를 손으로 닦으면서 바닷물에 그 흔적을 씻었다. 던져진 바닷물 위에 잠시 떠 있던 온군해의 시신은 해라장의 말대로 그새 물고기의 밥이라도 되었는지 보이지 않았다.

해라장은 그것으로 완전히 분이 풀렸는지 부하들을 거느리고 자신들의 배 위로 돌아가버렸다. 적병들을 실은 배가 안 보일 만큼 멀어져가자 지금까지 숨을 죽이면서 앉아 있던 사신 일행들이 넋 없이 서로의 얼굴을 쳐다보았다. 그들은 온군해의 죽음이 자신들의 생명을 구해주었음을 그제서야 새삼스레 인식하고 있었다.

그때였다.

넋 없이 앉아 있던 김춘추가 일어섰다. 그는 순간 뱃전으로 달려가 물속으로 뛰어들려 하였다. 일행이 간신히 달려들어 그를 부축하여 말려 세웠지만 그는 몸부림치면서 울면서 바닷속으로 뛰어들려 하였다.

"내가 온군해를 죽였다."

피눈물을 흘리면서 김춘추가 통곡하였다.

"온군해가 내 대신 죽었다. 그가 나를 살렸다. 내가 그를 죽였다. 오오."

김춘추가 두 손으로 바닷물을 떠올리면서 몸부림을 쳤다.

"온군해가 나를 살리고 자신은 죽었다."

"고정하십시오. 이찬나으리."

모든 신하들이 통곡을 하면서 김춘추의 몸을 뜯어말렸다.

"온군해는 나으리를 살리기 위해서 자신은 대신 죽었나이다. 그것이 그의 뜻이었나이다. 이찬나으리, 이제 나으리께서 그의 죽음을 슬퍼하고 바닷물 속으로 뛰어들려 할 것이 아니라 그가 진정 원했던 대로 적의 원수를 갚고 나라를 위기와 환란에서 구해야 할 것입니다. 그것이 살신성인한 온군해의 뜻일 겁니다. 다행히 저 한 목숨은 죽어 없어졌지만 나으리의 몸은 이처럼 무사하지 않사옵니까, 이찬 나으리."

꼬끼요—.

궁성 밖에서 들려오는 새벽닭 소리에 김춘추는 지난 세월을 회고해보던 긴 상념에서 퍼뜩 정신이 들어 깨어났다.

새벽 꿈속에 오래 전 비담의 정변 때 목숨을 바쳤던 선신(先臣), 장춘과 파랑의 혼령이 나타나 백제를 내벌(來伐)하기 위해서 당 황제가 드디어 군사를 일으켜 동정에 나섰다는 낭보를 가르쳐주고 떠난 뒤, 홀연히 꿈에서 깨어나 새벽에 정원에서 밤하늘을 바라보면서 지난 일들을 회고해보던 김춘추의 가슴에는 새삼스런 회포가 스며들고 있었다.

그렇다.

당나라에서 돌아온 지 5년 만에 김춘추는 왕위에 오를 수 있었다.

선왕 선덕의 뒤를 이어 28대 왕위에 오른 승만도 위에 오른 지 8년 만에 돌아가니 시호를 진덕(眞德)이라고 하였고, 사량부(沙梁部)에 장사를 지내었으나 그 뒤를 이을 후사가 없었다. 다시 여왕을 왕위에 오르게 할 수 없었고 직계 왕통으로만 이어 내려오던 위는 더이상 마땅한 후계자를 발견할 수 없었다. 그리하여 나라가 생긴 이래 처음으로 직계 왕통이 아닌 가장 가까운 친척 중에서 한 사람을 추대하여 왕을 삼으니, 그가 곧 김춘추, 태종무열왕(太宗武烈王)이었던 것이다.

김춘추는 한기에 몸을 떨며 아직도 새벽 여명에도 사라지지 아니하는 밤하늘의 무성한 별들을 바라보면서 소리를 내어 중얼거렸다.

그가 왕위에 오른 것은 그러한 선신들의 충정이 모여서 이룬 염원과 같은 것이었다. 비담의 난 때 자신을 대신해서 죽은 장춘과 파랑의 충신들, 당나라에서 돌아올 때 자신을 대신해서 고관(高冠)과 대의(大衣)를 입고 해라장에게 잡혀 죽은 온군해 등, 그러한 충신들의 염원이 합쳐져서 자신을 왕위에 오르게 한 것이었다.

그들이 자신의 몸을 살신하여 성인한 것은 오직 나라의 사직을 바로 잡고, 선대로의 원수인 백제를 쳐서 멸해주기를 바람이 아니었던가.

올해 그의 나이 59세.

벌써 왕위에 오른 지 7년.

그 7년 동안 단 하루도 나라가 편안할 날이 없었고, 조정에 평화가 깃들여본 적은 없었다. 백제는 고구려와 연합하여 북경과 변경을 이미 공략하여 33성을 취하였으므로 영토는 줄어들 대로 줄어들어서 간신히 손바닥만 한 영지로 나라로서의 명맥을 유지하고 있었다.

그러할 때마다 신라로서 취할 방도는 오직 하나, 당나라에 사신을 보내어서 구원을 청하고 청병을 할 수밖에는 없었던 것이다. 그것이 신라로서 취할 유일한 방도였다.

당나라 태종과 약속하였던 그 모든 것들은 김춘추에 의해서 충실히 지켜졌다. 선왕 법흥 때부터 써내려오던 자주적인 연호를 버리고 당나라의 연호를 봉행하기 시작하였고, 당나라의 법령과 율령을 사용하기 시작하였고, 관제를 고쳐서 당나라의 것을 모방하였으며, 심지어는 조상 대대로의 옷을 벗어버리고 당나라의 의관을 입기 시작하였던 것이다. 이처럼 수치스러운 굴욕을 스스로 자청해서 시행한 것은 오직 한 가지 일념, 즉 당나라의 힘을 어떻게 해서든 빌려서 그 힘으로라도 백제를 거꾸러뜨려야 한다는 절체절명의 신념 때문이었다.

그 일념이 마침내 현실로 이루어진 것일까.

간밤의 꿈속에 장춘과 파랑이 나타나 드디어 당나라의 군사가 동정에 나섰음을 가르쳐주었다. 아니다. 그것을 어찌 꿈이라 할 수 있으랴. 한갓 꿈이라고 생각하기엔 너무나 분명하고 생생하다.

틀림없이 그들이 꿈속에서 예시를 주었던 대로 뭔가 고대하던 낭보가 곧 당나라로부터 날아들어올 것이다.

김춘추의 예감은 적중하였다.

때가 되어 조정에 나아가 백관들과 모여서 국정을 논하고 있을 때 난데없이 봉인으로부터 급보가 날아들어왔다.

밀봉되어 있는 문서의 끝봉에 분명히 보내는 사람 문왕의 필적이 적혀 있었다. 김춘추는 직접 봉을 뜯어내고 문서를 읽기 시작하였다. 문서를 든 김춘추의 손이 몹시 떨리고 있었으므로 백관들은 긴장하여 물끄러미 왕을 우러러보았다. 왕은 마치 넋을 잃은 것처럼 오랫동안 침묵을 지키면서 말을 하지 않았다.

왕이 마침내 어좌에 앉아서 문서를 든 손을 떨어뜨리는 것을 기다려 김유신이 조심스레 입을 열었다.

"대왕께서 문서를 읽으시고도 망연하여 입을 열어 말하지 않으심은 어인 까닭이십니까? 무슨 좋지 않은 흉보라도 날아들어온 것입니까?"

그러자 김춘추는 말없이 김유신을 바라보았다. 그의 두 눈에 눈물이 가득 괴어 있었고 볼 위로 눈물이 흘러내리고 있었다. 용안에서 눈물이 굴러 떨어지는 것을 확인한 순간, 조정에 모인 모든 신하들이 송구스러워 허리를 펴지 못하였다.

"아닙니다."

김춘추가 옷깃으로 눈물을 닦으면서 말하였다.

"고대하신 소식이 방금 당나라로부터 날아들어와 잠시 기뻐할 말을 잊었을 뿐입니다. 여러분. 마침내, 마침내."

김춘추가 몸을 세우면서 말하였다.

"마침내 때가 왔소이다. 당나라는 13만 대군을 일으켜서 장안성을 출발하였습니다. 지금쯤은 내주에서 선함을 타고 바다 위에 떠 있을 것이오. 당 황제는 짐에게 우이도행군 총관(嵎夷道行軍摠管)이란 직책을 내리었소. 드디어 때가 왔소이다. 짐은 이제 왕궁에 머물러 있어 그대들의 싸움을 지켜볼 생각은 전혀 없소이다. 스스로 군사를 일으켜서 말 위에 올라 내 손으로 적병의 목을 베고 내 눈으로 백제의 멸망을 지켜보겠소이다. 내 눈으로 백제의 왕궁이 불타고, 내 눈으로 백제의 왕이 무릎을 꿇고 눈물 흘리는 그 광경을 직접 보고 확인하겠소이다. 내 귀로 백제의 유민들이 우는 소리를 듣겠으며, 내 코로 왕궁이 불타는 그 연기의 냄새를 맡겠소이다. 드디어 때가 왔소이다. 여러분 이제 곧 백제국은 멸망하게 될 것입니다. 백제의 백성들은 나라를 잃고 혹은 죽고 울부짖으면서 바다를 떠다니고, 갈가리 찢겨나가게 될 것이오. 그리하여 백제의 영토는 우리 신라의 말발굽 아래 무릎을 꿇게 될 것이며, 백제의 왕족은 우리들의 말에게 먹이를 먹이는 노비가 될 것입니다."

(3권에 계속)